Graziella Whalen
Décembre 2002

Les meilleures recettes

de Marie-Josée et Claudette **Taillefer**

ISBN : 2-89535-009-4

Imprimé au Canada

Dépôt légal, 1999

Bibliothèque nationale du Québec

Éditions Total Publishing
Outremont (Québec) Canada

Mot des auteurs

Pendant dix ans, nous avons eu le plaisir de nous adresser à des centaines de milliers de téléspectateurs québécois. À travers la préparation de recettes tantôt familiales, tantôt élaborées, notre but était de transmettre le plaisir de bien manger.

Parce que la table est avant tout un lieu privilégié d'échanges, des chroniques et des reportages nous ont permis d'aborder les sujets les plus divers. Pour ce faire, nous avons parcouru le Québec afin d'y découvrir tout ce qui rend la vie agréable.

Ce livre, qui regroupe nos meilleures recettes, est conçu pour vous permettre de confectionner des petits plats savoureux pour toutes les occasions.

En effet, dans LES MEILLEURES RECETTES DE MARIE-JOSÉE ET CLAUDETTE TAILLEFER, De l'entrée au dessert, vous y découvrirez non seulement des recettes délicieuses, simples et pratiques mais aussi des idées affriolantes qui feront votre bonheur et celui de vos convives.

Que vous ayez un p'tit creux ou une grande occasion, vous y trouverez toujours de bonnes recettes à vous mettre sous la dent.

Marie-Josée et Claudette Taillefer

Table des matières

Entrées et amuse-gueules

Crêpes aux légumes

Pour varier, vous pouvez saupoudrer les crêpes de fromage cheddar râpé et les gratiner au four, ou les accompagner d'un coulis de tomates.

TEMPS DE PRÉPARATION :
20 minutes

TEMPS DE CUISSON : 35 minutes

PORTIONS : 4

Pâte à crêpes

2 œufs

1 tasse (250 ml) de lait

1 c. à thé (5 ml) de basilic séché

1 tasse (250 ml) de farine tout usage

Sel et poivre

Garniture

3 c. à table (45 ml) de beurre

1 gros oignon, haché

1 gousse d'ail, hachée finement

2 c. à table (30 ml) de farine

2 tasses (500 ml) de lait

1/4 c. à thé (1 ml) de muscade moulue

1/2 c. à thé (2 ml) de thym séché

Sel et poivre

1 sac de 1 livre (500 g) de légumes surgelés à l'orientale, décongelés, blanchis et égouttés

Pâte à crêpes

Dans un bol, fouetter tous les ingrédients jusqu'à ce que ce soit lisse et homogène.

Dans une poêle antiadhésive légèrement huilée ou vaporisée d'enduit antiadhésif, cuire chaque crêpe en versant 1/4 tasse (60 ml) de pâte à crêpes, jusqu'à ce qu'elles soient dorées des deux côtés.

Garniture

Dans une casserole, fondre l'oignon et l'ail dans le beurre.

Ajouter la farine et cuire en remuant. Ajouter le lait, la muscade, le thym, le sel et le poivre. Cuire en remuant jusqu'à ébullition et poursuivre la cuisson 4 à 5 minutes.

Ajouter les légumes, mélanger et laisser refroidir.

Farcir chaque crêpe avec environ 1/4 tasse (60 ml) de garniture. Rouler.

Réchauffer au four à 350 °F (180 °C) une dizaine de minutes et servir 2 crêpes par personne.

Camembert en pâte phyllo

Badigeonner 2 feuilles de pâte phyllo de beurre fondu. Déposer le fromage camembert au centre et bien l'envelopper dans la pâte.

Badigeonner 4 autres feuilles de pâte phyllo de beurre et les superposer. Déposer le fromage camembert enveloppé au centre. Ramener les pointes de pâte sur le dessus, tourner délicatement la pâte pour former un chou ; attacher avec une ficelle.

Badigeonner la pâte phyllo de beurre fondu et réfrigérer environ 30 minutes pour durcir le beurre.

Déposer sur une plaque à biscuits, retirer la ficelle délicatement et cuire dans un four préchauffé à 375 °F (190 °C) 25 à 30 minutes ou jusqu'à ce que la pâte soit dorée et croustillante. Laisser reposer 5 minutes, découper avec un couteau dentelé et servir tiède.

Entrée de pétoncles aux agrumes

TEMPS DE PRÉPARATION
20 minutes

TEMPS DE CUISSON : 7 à 8 minutes

PORTIONS : 4

2 oranges

1 pamplemousse rose

1 jaune d'œuf

1/2 c. à thé (2 ml) de moutarde de Dijon

1/4 tasse (60 ml) d'huile végétale

1/4 tasse (60 ml) de poivron vert, haché finement

1 échalote verte, hachée finement

20 pétoncles de grosseur moyenne

Sel et poivre

Prélever le zeste de 1/2 orange. Réserver.

Peler les oranges et le pamplemousse à vif, soit retirer une mince tranche à chaque extrémité des agrumes avec un couteau bien aiguisé. En tenant bien le fruit par une extrémité, peler l'agrume en coupant de larges bandes tout autour de haut en bas, en prenant soin d'enlever toute la peau blanche. En travaillant au-dessus d'un bol pour récupérer le jus, il ne reste qu'à dégager chaque quartier de sa membrane en passant la lame du couteau de part et d'autre de chaque membrane. Réserver 2 c. à table (30 ml) du jus des agrumes.

Placer la grille au centre du four. Préchauffer le gril du four (*broil*) à 375 °F (190° C).

Dans un bol, fouetter le jus des agrumes réservé, le zeste réservé, le jaune d'œuf et la moutarde de Dijon. Saler et poivrer.

Incorporer l'huile en un mince filet en fouettant constamment, jusqu'à ce que ce soit mousseux. Réserver cette sauce.

Dans 4 coquilles St-Jacques, répartir le poivron, l'échalote verte, les pétoncles et les suprêmes d'agrumes.

Napper de la sauce et déposer les coquilles sur une plaque à biscuits.

Cuire au four de 7 à 8 minutes ou jusqu'à ce que les pétoncles soient cuits. Ne pas surcuire car les pétoncles deviendront coriaces.

Servir chaud en entrée.

Entrée de poisson fumé et d'avocat

TEMPS DE PRÉPARATION :
10 minutes

TEMPS DE CUISSON : aucun

PORTIONS : 4

2 avocats mûrs, pelés et dénoyautés

Le jus de 1 citron

4 feuilles de laitue frisée

6 1/2 (200 g) de poisson fumé tranché finement (saumon, truite, etc.)

Tranches de citron

Sauce d'accompagnement

1/2 tasse (125 ml) de mayonnaise

1 c. à table (15 ml) de ciboulette fraîche hachée ou séchée

1 c. à thé (5 ml) de vinaigre de vin blanc

1 c. à thé (5 ml) de jus de citron

2 c. à thé (10 ml) de câpres, égouttées, hachées

Sel et poivre

Sauce d'accompagnement

Dans un bol, mélanger tous les ingrédients.

Avec un couteau tranchant, couper les demi-avocats en tranches sans les détacher totalement. Écarter délicatement les tranches en éventail et les disposer sur chaque assiette. Arroser de jus de citron.

Répartir également la laitue, puis les tranches de poisson fumé sur les quatre assiettes, ainsi que la sauce d'accompagnement.

Décorer de tranches de citron.

Feuilleté de champignons

TEMPS DE PRÉPARATION :
15 minutes

TEMPS DE CUISSON : 15 minutes

PORTIONS : 4

1/2 paquet de 400 g de pâte feuilletée du commerce

1 jaune d'œuf, légèrement battu
Paprika

3 c. à table (45 ml) de beurre

4 tasses (1 l) de champignons mélangés (blancs, café, pleurotes, etc.), tranchés

1 c. à table (15 ml) de ciboulette fraîche, hachée ou séchée

1/4 tasse (60 ml) de sherry ou de porto

1/2 tasse (125 ml) de crème 35 %
Sel et poivre

Préchauffer le four à 475 °F (240 °C).

Abaisser la pâte feuilletée en un carré de 8 po (20 cm). Couper en diagonale afin d'obtenir 4 triangles égaux. Déposer sur une plaque à biscuits. Badigeonner de jaune d'œuf et saupoudrer de paprika.

Cuire au centre du four de 6 à 8 minutes ou jusqu'à ce que ce soit doré.

Dans une poêle, chauffer le beurre. Y sauter les champignons et la ciboulette quelques minutes.

Incorporer l'alcool et la crème. Saler et poivrer. Laisser mijoter 2 à 3 minutes.

Ouvrir délicatement chaque triangle de pâte par le centre dans le sens de l'épaisseur. Y répartir les champignons puis refermer les triangles de pâte. Servir immédiatement.

Fromage bocconcini, mariné aux herbes

Égoutter 8 petits bocconcinis et les déposer dans un bol.

Ajouter 1/2 tasse (125 ml) d'huile d'olive, 1/2 tasse (125 ml) d'huile végétale, 1 c. à table (15 ml) de tomates séchées émincées, 1/4 c. à thé (1 ml) de flocons de piments séchés, 2 c. à thé (10 ml) de basilic frais en chiffonnade, ainsi que de poivre noir, fraîchement moulu.

Mélanger délicatement.

Mettre en pot, réfrigérer et servir à volonté avec des tranches de tomates et du pain grillé.

Brochettes apéro

Dans un bol, mélanger 1/4 tasse (60 ml) d'huile d'olive, 1 petite gousse d'ail hachée, 1 c. à thé (5 ml) d'origan séché et 1 c. à thé (5 ml) de basilic séché. Saler et poivrer.

Ajouter quelques champignons frais, des olives farcies et des tomates cerises coupées en deux.

Laisser mariner 1 à 2 heures. Enfiler sur des petites brochettes en bois, un champignon mariné, une olive marinée, une tranche de prosciutto et une demi-tomate.

On peut décorer de piments forts et de petits oignons blancs marinés.

Guacamole

Sauce à l'avocat que l'on sert en hors-d'œuvre avec des tortillas frites.

TEMPS DE PRÉPARATION :
15 minutes
TEMPS DE CUISSON : aucun

PORTIONS : 2 tasses (500 ml)

2 avocats mûrs

Le jus de 2 limes

1 c. à table (15 ml) d'oignon, haché finement

2 c. à thé (10 ml) de piment jalapeño, épépiné et haché

1 tomate moyenne, épépinée et coupée en cubes de 1/4 po (1/2 cm)

1 c. à table (15 ml) de coriandre fraîche, hachée

Sel et poivre

Couper les avocats en deux et retirer les noyaux. Retirer la chair et la déposer dans un bol.

Avec une fourchette, écraser grossièrement la chair des avocats et ajouter rapidement le jus de lime.

Ajouter tous les autres ingrédients et bien amalgamer.

Couvrir d'une pellicule de plastique et réfrigérer jusqu'au moment de servir.

Note :

Pour une jolie présentation rustique, remettre le guacamole dans les demi-pelures.

Salsa verde

Ces petites tomates vertes au goût si particulier donnent une sauce qui accompagne traditionnellement la viande et les tacos.

TEMPS DE PRÉPARATION :
0 minute
TEMPS DE CUISSON : aucun

PORTIONS : 3 tasses (750 ml)

1 boîte de 28 oz (796 ml) de tomatilles en conserve, égouttées et hachées grossièrement

3/4 tasse (180 ml) d'oignon espagnol, haché

1 piment jalapeño, haché

1 tasse (250 ml) de coriandre fraîche, hachée

1 c. à thé (5 ml) d'ail, haché

1/2 c. à thé (2 ml) de sel

1/2 c. à thé (2 ml) de poivre noir, fraîchement moulu

Mettre tous les ingrédients dans la tasse du robot culinaire et concasser le tout par pulsion.

La salsa verde ne doit pas être réduite en purée, on doit sentir un peu les morceaux de légumes.

Les meilleures recettes de Marie-Josée et Claudette Taillefer

Tomates farcies au chèvre chaud

TEMPS DE PRÉPARATION :
15 minutes

TEMPS DE CUISSON : 5 minutes

PORTIONS : 4

4 belles tomates rouges

1/2 concombre (petit), pelé et coupé en petits cubes

1 c. à table (15 ml) d'huile d'olive

3 c. à table (45 ml) de basilic frais, haché

1/2 c. à thé (2 ml) de moutarde de Dijon

1/2 c. à thé (2 ml) de vinaigre de vin rouge

Sel d'ail et poivre

4 tranches de fromage de chèvre de 1/2 po (1 cm) d'épaisseur

Paprika

Placer la grille dans la partie supérieure du four et préchauffer à *broil*.

Couper la calotte des tomates. Évider les tomates avec une cuillère, retirer les graines et réserver la chair.

Dans un bol, mélanger la chair des tomates, les cubes de concombre, l'huile, le basilic, la moutarde de Dijon et le vinaigre de vin rouge. Saler et poivrer.

Farcir les tomates de cette préparation.

Déposer une tranche de fromage de chèvre sur chacune des tomates et saupoudrer légèrement de paprika.

Placer les tomates sur une plaque ou une assiette allant au four et cuire au four environ 5 minutes. Accompagner de croûtons à l'ail.

Note :

Pour préparer les croûtons à l'ail, il suffit de faire griller quelques tranches de pain baguette, d'y frotter une gousse d'ail entière pelée et de badigeonner d'huile d'olive.

Toasts aux sardines

TEMPS DE PRÉPARATION :
10 minutes

TEMPS DE CUISSON : 5 minutes

PORTIONS : 12 toasts

12 tranches de baguette coupées en diagonale

1 boîte de 4 oz (125 g) de sardines (sans arêtes et sans peau)

2 c. à table (30 ml) de mayonnaise légère

3 c. à table (45 ml) de ciboulette ou de vert d'échalote, hachés finement

1 c. à thé (5 ml) de moutarde de Dijon

1 pincée de piment de Cayenne broyé

Quartiers de citron

Placer la grille dans la partie supérieure du four et préchauffer à *broil*.

Sur une plaque, faire griller les tranches de pain baguette sur les deux côtés.

Dans un bol, mélanger les sardines, la mayonnaise, 2 c. à table (30 ml) de ciboulette ou de vert d'échalote, la moutarde de Dijon et le piment de Cayenne.

Tartiner les toasts avec le mélange et saupoudrer du reste de ciboulette ou de vert d'échalote.

Passer au four à *broil* jusqu'à ce que ce soit chaud.

Décorer de quartiers de citron.

Note :

Cette bouchée apéritive sera délicieuse accompagnée de crudités pour un repas léger.

Entrées et amuse-gueules

Aumônières aux champignons

Cette délicieuse entrée vaut largement le temps qu'elle requiert pour la réaliser.

TEMPS DE PRÉPARATION : 2 heures
TEMPS DE CUISSON : 1 heure

PORTIONS : 24 aumônières

Garniture

2 livres (1 kg) de champignons, hachés grossièrement

3 c. à table (45 ml) de beurre

3 c. à table (45 ml) d'huile végétale

1/4 tasse (60 ml) de porto ou de madère

1 poireau, haché finement

1/3 tasse (75 ml) d'échalotes grises, hachées finement

2 gousses d'ail, hachées finement

1 c. à thé (5 ml) de thym séché

1/2 c. à thé (2 ml) d'estragon séché

Sel et poivre

1/4 tasse (60 ml) de farine

1 tasse (250 ml) de bouillon de poulet

1/2 tasse (125 ml) de crème 35 %

Aumônières

30 feuilles de pâte phyllo

Huile en aérosol au goût de beurre

Garniture

Dans une grande poêle, faire sauter les champignons dans 1 c. à table (15 ml) chacun de beurre et d'huile jusqu'à ce que l'eau des champignons se soit évaporée et qu'ils commencent à se colorer.

Ajouter le porto ou le madère ; laisser réduire 1 minute et réserver les champignons dans un bol.

Dans la même poêle, faire fondre le poireau et les échalotes dans le reste du beurre et de l'huile. Ajouter l'ail et cuire 1 minute en brassant.

Assaisonner avec le thym, l'estragon, du sel et du poivre.

Ajouter la farine et poursuivre la cuisson en brassant de 2 à 3 minutes ou jusqu'à légère coloration. Incorporer le bouillon de poulet et la crème ; cuire en brassant jusqu'à épaississement.

Ajouter aux champignons réservés ; bien mélanger. Laisser tiédir et réserver.

Pour travailler la pâte phyllo : déposer les feuilles dépliées sur une pellicule de plastique. Couvrir d'une autre pellicule de plastique et d'un linge humide. Retirer les feuilles une à la fois en laissant les autres bien couvertes.

Couper 1 feuille de pâte en 4 parties égales. Vaporiser chaque morceau de pâte d'huile en aérosol et les superposer de façon que les pointes ne coïncident pas.

Déposer 2 c. à table (30 ml) de garniture au centre de la pâte. Joindre les pointes de pâte au-dessus de la garniture, tourner la pâte sur elle-même pour former un petit baluchon. Répéter l'opération.

Déposer les aumônières sur une plaque tapissée de papier ciré et congeler ; une fois congelées, transférer dans des boîtes de métal et les conserver au congélateur jusqu'au moment de servir.

Préchauffer le four à 425 °F (220 °C). Déposer les aumônières congelées sur une ou plusieurs plaques et cuire au four 15 à 20 minutes ou jusqu'à ce qu'elles soient dorées.

Note :

Servir en entrée 2 à 3 aumônières par personne sur une assiette garnie de feuilles de laitue humectées de vinaigrette.

Les meilleures recettes de Marie-Josée et Claudette Taillefer

Boulettes apéritives aux épinards

Vous regretterez de ne pas en avoir fait plus ! Il n'est jamais trop tard pour y remédier quand c'est si bon.

TEMPS DE PRÉPARATION :
30 minutes
TEMPS DE CUISSON : 20 minutes

PORTIONS :
environ 6 douzaines

6 œufs

2 paquets de 10 oz (300 g) chacun d'épinards surgelés, décongelés et soigneusement essorés

1 boîte de 120 g de mélange à farce pour poulet «Stove top»

1 gros oignon, haché très finement

1 tasse (250 ml) de parmesan frais ou de cheddar vieux, râpé

3/4 tasse (180 ml) de beurre mou

1 c. à thé (5 ml) de sarriette séchée

1 c. à thé (5 ml) de sauge séchée

1/2 c. à thé (2 ml) de muscade fraîche, râpée

Sel et poivre

Préchauffer le four à 350 °F (180 °C).

Dans un grand bol, battre les œufs.

Hacher grossièrement les épinards et les ajouter aux œufs avec le reste des ingrédients ; bien mélanger.

Façonner des boulettes de la taille d'une olive et les déposer au fur et à mesure sur une plaque.

Cuire au four environ 20 minutes ou jusqu'à ce que les boulettes soient dorées. Servir chaudes.

Note :

Pour la congélation : faire cuire les boulettes au four 10 minutes ; laisser refroidir et congeler dans un sac de plastique hermétique.

Au moment désiré, décongeler les boulettes et terminer la cuisson au four à 350 °F (180° C) environ 10 minutes.

Brandade de truite fumée

TEMPS DE PRÉPARATION :
15 minutes
TEMPS DE CUISSON : aucun

RENDEMENT :
3/4 tasse (180 ml)

5 oz (150 g) de truite fumée, parée

3 c. à table (45 ml) de crème 35 %

3 c. à table (45 ml) de fromage à la crème

1 c. à table (15 ml) d'échalotes vertes ou de ciboulette, hachées finement

1 c. à table (15 ml) de raifort, égoutté

1/2 c. à thé (2 ml) de jus de citron

Sel

Persil plat frais

Au robot culinaire, mélanger la truite fumée, la crème, le fromage à la crème, les échalotes vertes, le raifort et le jus de citron ; saler et mélanger.

Vérifier l'assaisonnement, saler de nouveau au besoin.

Verser dans un bocal et garnir de persil frais. Réfrigérer.

Servir la brandade froide ou à la température de la pièce accompagnée de craquelins, de toasts découpés à l'emporte-pièce ou de croûtons.

Note :

Pour réaliser les croûtons, trancher une baguette de pain en tranches de 1/2 po (1 cm) d'épaisseur et déposer sur une plaque. Griller au four à 350 °F (180 °C) en tournant 1 fois, jusqu'à ce que les croûtons soient dorés.

Entrées et amuse-gueules

Chaussons à la russe

TEMPS DE PRÉPARATION :
90 minutes

TEMPS DE CUISSON : 20 minutes

RENDEMENT : 6 douzaines

Pâte au fromage

1 paquet de 250 g de fromage à la crème nature froid, coupé en dés de 1/2 po (1 cm)

1/2 tasse (125 ml) de beurre froid, coupé en dés de 1/2 po (1 cm)

3 tasses (750 ml) de farine tout usage

1 c. à table (15 ml) de zeste de citron, râpé finement

1 c. à thé (5 ml) de sel

1/2 tasse (125 ml) de lait

Remplissage

3 c. à table (45 ml) de beurre

1 tasse (250 ml) d'oignons, hachés très finement

1 c. à table (15 ml) d'ail, haché très finement

1 livre (500 g) de veau haché

1/4 tasse (60 ml) de chapelure nature

1 c. à thé (5 ml) de sauce Worcestershire

1/4 tasse (60 ml) de crème sure

1/4 tasse (60 ml) d'aneth frais, haché

2 œufs cuits dur, hachés

1/2 tasse (125 ml) de persil frais, haché

1 c. à thé (5 ml) de sel

1/2 c. à thé (2 ml) de poivre

Dorure

1 œuf

1 c. à table (15 ml) d'eau froide

Pâte au fromage

Dans un bol, mélanger le fromage, le beurre et la farine jusqu'à l'obtention d'un mélange sablonneux. Ajouter le zeste de citron, le sel et le lait ; bien mélanger.

Dans le bol, pétrir à la main 2 minutes pour bien amalgamer. Façonner en boule, recouvrir d'une pellicule de plastique et réfrigérer 1 heure.

Remplissage

Dans une casserole, faire fondre le beurre, y faire sauter les oignons et l'ail 5 minutes pour les colorer. Ajouter le veau et cuire 8 minutes en égrenant à la cuillère de bois.

Transférer dans un bol et ajouter tous les autres ingrédients ; bien mélanger.

Préchauffer le four à 400 °F (200 °C).

Dorure

Mélanger l'œuf et l'eau à la fourchette.

Sur une surface enfarinée, abaisser la pâte au fromage en un cercle de 1/8 po (3 mm) d'épaisseur (sortir la pâte du réfrigérateur 30 minutes à l'avance). À l'aide d'un emporte-pièce ou d'un verre, couper des cercles de 3 po (7,5 cm).

Déposer 2 c. à thé (10 ml) de préparation au centre de chaque cercle ; badigeonner légèrement les pourtours de dorure. Refermer à la fourchette et façonner en forme de croissant.

Déposer en rangées sur une plaque de cuisson et badigeonner avec le reste de la dorure. Piquer la surface avec une fourchette pour permettre à la vapeur de s'échapper durant la cuisson.

Cuire au four environ 20 minutes.

Vous pouvez congeler les chaussons, allouez alors 10 minutes de plus au moment de la cuisson.

Servir en bouchée ou en duo comme entrée à la place des tourtières avec un peu de crème sure et de l'aneth frais.

Champignons farcis au fromage fumé

TEMPS DE PRÉPARATION :
30 minutes

TEMPS DE CUISSON : 22 minutes

**PORTIONS : 4 entrées
de 6 champignons**

24 champignons de grosseur moyenne, nettoyés

1 c. à table (15 ml) de beurre

1 échalote française, hachée finement

2 oz (60 g) de gouda fumé, râpé

2 oz (60 g) de fromage à la crème, ramolli

1/2 c. à thé (2 ml) de jus de citron

1 pincée de sel

1 pincée de poivre

1/2 c. à thé (2 ml) de persil frais, haché

1 c. à table (15 ml) de beurre, supplémentaire

1/2 c. à thé (2 ml) de jus de citron, supplémentaire

Retirer la queue des champignons ; la hacher finement.

Dans une petite casserole, faire fondre 1 c. à table (15 ml) de beurre et y fairesuer les queues de champignon hachées ainsi que l'échalote jusqu'à ce que le liquide de cuisson se soit complètement évaporé.

Transférer dans un bol, puis ajouter le gouda, le fromage à la crème, 1/2 c. à thé (2 ml) de jus de citron, le sel, le poivre et le persil ; bien mélanger.

Dans une poêle antiadhésive, faire fondre le beurre supplémentaire et le jus de citron supplémentaire ; retirer du feu et y déposer les champignons. Retourner à la cuillère pour bien les enrober de beurre ; éponger sur du papier essuie-tout.

Disposer en rangs sur une plaque de cuisson et farcir chaque champignon de 1 c. à thé (5 ml) de la préparation au fromage.

Couvrir et réfrigérer jusqu'à 24 heures si désiré.

Préchauffer le four à 425 °F (210 °C).

Cuire au four environ 12 minutes.

Servir 6 champignons par convive sur une assiette garnie d'une feuille de laitue de votre choix.

Mini-pitas garnis de salade de poulet au cari

Accompagnés de crudités, ces mini-pitas font un repas du midi satisfaisant.

TEMPS DE PRÉPARATION :
15 minutes

TEMPS DE CUISSON : aucun

PORTIONS : 4

12 mini-pitas

2 tasses (500 ml) de poulet cuit, coupé en dés

1/4 tasse (60 ml) de mayonnaise

1/2 c. à thé (2 ml) de poudre de cari

2 c. à table (30 ml) de sauce aux canneberges ou de chutney indien

Sel et poivre

1/4 tasse (60 ml) d'amandes grillées, hachées

Cresson ou autre verdure

Couper environ 1/3 de la partie supérieure de chaque mini-pita.

Dans un bol, mélanger tous les ingrédients sauf le cresson.

Garnir les mini-pitas de salade de poulet et de cresson.

Déposer les mini-pitas dans une assiette de service et garnir de crudités. Servir.

Les meilleures recettes de Marie-Josée et Claudette Taillefer

Won Ton frits, sauce aigre-douce aux abricots

TEMPS DE PRÉPARATION :
45 minutes

TEMPS DE CUISSON : 15 minutes

PORTIONS : 48

Farce

4 oz (120 g) de porc haché

1 c. à table (15 ml) de gingembre frais, haché finement

1 gousse d'ail, hachée finement

1 c. à table (15 ml) d'huile de sésame grillé

1 c. à table (15 ml) de sauce soya

2 oignons verts, hachés finement

Won Ton

48 pâtes à Won Ton

1 œuf, battu

Sauce aigre-douce aux abricots

1 boîte de 14 oz (398 ml) d'abricots, rincés, égouttés et réduits en purée

1/2 tasse (125 ml) d'eau

1/3 tasse (75 ml) de sucre

3 c. à table (45 ml) de vinaigre de riz

2 c. à thé (10 ml) de gingembre frais, haché très finement

1/2 c. à thé (2 ml) de sauce chili forte (au goût)

1 c. à thé (5 ml) de fécule de maïs

1 c. à table (15 ml) d'eau froide

Farce

Dans un bol, mélanger tous les ingrédients de la farce.

Farcir chaque pâte à Won Ton en déposant 1 c. à thé (5 ml) de farce au centre. Badigeonner les rebords d'œuf battu ; fermer en repliant les pointes vers le centre.

Cuire les Won Ton dans un bain de friture à 325 °F (170 °C) jusqu'à ce qu'ils soient bien dorés.

Servir avec la sauce aigre-douce aux abricots.

Sauce aigre-douce aux abricots

Dans une casserole, porter tous les ingrédients de la sauce à ébullition, sauf la fécule et 1 c. à table (15 ml) d'eau froide ; réduire le feu et laisser mijoter 5 minutes.

Lier la sauce avec de la fécule de maïs délayée dans l'eau froide.

Laisser tiédir et servir avec les Won Ton chauds.

Prosciutto apéro

Voici trois façons de présenter le prosciutto à l'apéro :

Enrouler une tranche de prosciutto autour d'un bâtonnet de type Grissol ou d'un long bâtonnet italien.

Enrouler une tranche de prosciutto autour d'une tranche de cantaloup.

Enfiler une fraise puis une tranche de prosciutto en serpentin sur une brochette en bois.

Entrées et amuse-gueules

Raviolis au sésame, sauce aux arachides

TEMPS DE PRÉPARATION :
45 minutes

TEMPS DE CUISSON : 20 minutes

PORTIONS : 6

Farce

1/2 livre (250 g) de porc haché

2 c. à thé (10 ml) de gingembre frais, haché finement

1 gousse d'ail, hachée finement

1 c. à thé (5 ml) d'huile de sésame grillé

1 c. à table (15 ml) de sauce soya

1/4 tasse (60 ml) d'oignons verts, émincés finement

1 œuf

Raviolis

48 carrés de pâte à Won Ton

1 œuf, battu

Sauce aux arachides

1 boîte de 10 oz (284 ml) de bouillon de poulet

1 c. à table (15 ml) de pâte de tomates

1 c. à table (15 ml) d'huile de sésame grillé

1/2 c. à thé (2 ml) de sauce chili piquante

1 c. à thé (5 ml) de gingembre frais, haché finement

1 c. à table (15 ml) de vinaigre de riz

1 c. à table (15 ml) de sauce soya

1 c. à thé (5 ml) de sauce Hoisin

1/2 c. à thé (2 ml) d'ail, haché finement

1/2 tasse (125 ml) de beurre d'arachide croquant

Garniture

1/2 tasse (125 ml) d'oignons verts, émincés

2 c. à table (30 ml) de graines de sésame grillées

Farce

Dans un bol, bien mélanger tous les ingrédients de la farce ; réserver.

Raviolis

Disposer 12 feuilles de pâte à Won Ton sur le comptoir ; badigeonner très légèrement les contours de chaque feuille d'œuf battu.

Déposer 1 c. à thé (5 ml) de farce au centre de chaque pâte ; refermer et façonner en forme de raviolis. Répéter ces opérations 3 fois jusqu'à épuisement des pâtes et de la farce.

Porter à pleine ébullition une casserole remplie d'eau ; y plonger les Won Ton farcis et cuire environ 3 minutes. Égoutter.

Servir avec la sauce aux arachides.

Sauce aux arachides

Dans une casserole, déposer tous les ingrédients de la sauce sauf le beurre d'arachide. Porter à ébullition, réduire la chaleur du feu et laisser mijoter à couvert 10 minutes.

Ajouter le beurre d'arachide, porter de nouveau à ébullition et poursuivre la cuisson 1 minute. Ajouter un peu d'eau pour allonger la sauce si nécessaire.

Servir garnis d'oignons verts émincés et de graines de sésame grillées.

Entrées et amuse-gueules

Bruschettas aux olives noires

TEMPS DE PRÉPARATION :
25 minutes

TEMPS DE CUISSON : 10 minutes

PORTIONS : 8

1 pain baguette, tranché finement

10 tomates, épépinées et concassées

3 échalotes vertes, hachées

3/4 tasse (180 ml) de basilic frais, haché

2 gousses d'ail, hachées

3 c. à table (45 ml) de câpres, hachées (facultatif)

1/2 tasse (125 ml) d'olives noires, dénoyautées et hachées

1/2 tasse (125 ml) d'huile d'olive
Sel et poivre

Déposer les tranches de pain sur une plaque à biscuits et faire griller au four à 350 °F (180 °C).

Dans un bol, bien mélanger tous les autres ingrédients sauf le pain et laisser les saveurs se mélanger 1 heure.

Égoutter au besoin et servir sur les croûtons de pain.

Nachos et guacamole

TEMPS DE PRÉPARATION :
15 minutes

TEMPS DE CUISSON : aucun

PORTIONS : 6

6 avocats

2 échalotes vertes, hachées finement

1 c. à table (15 ml) de jus de lime

1 c. à thé (5 ml) de sauce aux piments jalapeños (sauce Tabasco verte)

1/4 tasse (60 ml) de coriandre fraîche, hachée finement
Sel et poivre

Accompagnement

Croustilles de maïs

Couper les avocats en deux, les dénoyauter et retirer la chair avec une cuillère.

À la fourchette, réduire tous les ingrédients en purée plus ou moins homogène.

Servir la guacamole à la température de la pièce avec les croustilles de maïs.

Trempette dans un pain

TEMPS DE PRÉPARATION :
30 minutes

TEMPS DE CUISSON : aucun

PORTIONS : 8

1 tasse (250 ml) de mayonnaise

1 tasse (250 ml) de crème sure

1/2 tasse (125 ml) de crème 15 %

1 paquet de 10 oz (300 g) d'épinards surgelés hachés, décongelés et bien égouttés

1 enveloppe de 62 g de potage de poireaux déshydratés

1 pain rond pumpernickel ou de campagne non tranché

Légumes variés (bouquets de brocoli et de chou-fleur, carotte, céleri, etc.)

Dans un bol, mélanger la mayonnaise, la crème sure, la crème, les épinards et le potage déshydraté.

Faire un trou au centre du pain et couper la mie retirée en cubes.

Verser la trempette au centre du pain.

Déposez les cubes de pain et une grande variété de légumes autour du pain pour faire trempette.

Note :

On peut remplacer la crème 15 % par de la crème sure.

Salades, vinaigrettes et condiments

Salade d'épinards et d'orange

Salade nippone

Les agrumes, reconnus pour leur richesse en vitamine C, font certes d'excellents desserts, mais les avez-vous déjà incorporés dans vos salades, viandes et poissons ?

Les oranges, les tangerines, les pamplemousses, les citrons et les limettes rehausseront vos plats en leur ajoutant une touche de soleil et de raffinement.

Pour un parfum différent, remplacer les oranges par des tangerines.

TEMPS DE PRÉPARATION : 20 minutes
TEMPS DE CUISSON : aucun

PORTIONS : 4

10 oz (284 g) d'épinards, parés ou 2 bouquets de cresson, parés

3 oranges ou tangerines

1/4 d'oignon rouge moyen, émincé (facultatif)

1 c. à table (15 ml) de graines de sésame, grillées

Vinaigrette

1 c. à thé (5 ml) de zeste d'orange, râpé

2 c. à table (30 ml) de jus d'orange

1 c. à thé (5 ml) de gingembre frais, râpé

2 c. à table (30 ml) de vinaigre de riz

3 c. à table (45 ml) d'huile d'olive légère ou d'huile d'arachide

1 c. à thé (5 ml) de sauce soya

Sel

Dans un bol, mettre les épinards ou les feuilles de cresson. Réserver.

Peler les oranges ou les tangerines à vif, lever les segments et éliminer les noyaux. Réserver.

Vinaigrette

Dans un bol, fouetter ensemble tous les ingrédients de la vinaigrette.

Pour servir, mélanger les épinards ou le cresson, les oranges ou les tangerines et l'oignon.

Arroser de vinaigrette, mélanger et saupoudrer de graines de sésame grillées. Servir.

TEMPS DE PRÉPARATION : 20 minutes
TEMPS DE CUISSON : aucun

PORTIONS : 4

1 petit daïkon ou panais, pelé et coupé en fine julienne (facultatif)

1 courgette non pelée, coupée en fine julienne

2 carottes, pelées et coupées en fine julienne

1 tasse (250 ml) de fèves germées fraîches

Vinaigrette

2 c. à thé (10 ml) de vinaigre de riz

3 c. à table (45 ml) d'huile végétale

1/2 c. à thé (2 ml) de gingembre frais, râpé

Sel et poivre

Dans un bol, mélanger tous les légumes.

Dans un autre bol, fouetter les ingrédients de la vinaigrette.

Verser sur la salade et servir.

Note :

Le daïkon est une variété de radis très appréciée en Asie. Il ressemble à une carotte dont la chair et la pelure seraient blanches. Il se mange cru ou cuit. Vous le trouverez dans les épiceries asiatiques.

Les meilleures recettes de Marie-Josée et Claudette Taillefer

Salades, vinaigrettes et condiments

Salade d'oranges et d'avocats

TEMPS DE PRÉPARATION : 20 minutes
TEMPS DE CUISSON : aucun

3 avocats mûrs

3 oranges, pelées à vif

2 oranges sanguines ou 2 oranges, pelées à vif

1/4 d'oignon rouge, tranché très finement

Vinaigrette

1/4 tasse (60 ml) d'huile végétale

1 c. à table (15 ml) de jus d'orange

2 c. à table (30 ml) de vinaigre balsamique

Sel et poivre

Couper les avocats en deux, retirer le noyau et peler. Couper les avocats en tranches de 1/2 po (1 cm) d'épaisseur. Les déposer sur une assiette de présentation.

Déposer les suprêmes d'orange sur les avocats et garnir de tranches d'oignon.

Vinaigrette

Dans un bol, bien mélanger tous les ingrédients de la vinaigrette et verser sur les avocats et les agrumes.

Servir immédiatement.

Confiture de rhubarbe

Quoi faire avec les surplus de rhubarbe ? De la compote et, bien sûr, de la confiture.

TEMPS DE PRÉPARATION : 10 minutes
TEMPS DE CUISSON : environ 35 minutes

PORTIONS : 5 pots de 1 tasse (250 ml)

6 tasses (1,5 l) de rhubarbe en morceaux, fraîche (non pelée) ou surgelée

3 tasses (750 ml) de sucre

2 pommes, pelées, épépinées et hachées

Le zeste et le jus de 2 oranges

1/4 c. à thé (1 ml) de cannelle moulue

1/4 c. à thé (1 ml) de muscade moulue

1/4 c. à thé (1 ml) de tout-épice

Dans une casserole, mélanger tous les ingrédients. Porter lentement à ébullition en remuant souvent. Cuire à feu moyen-doux en remuant de temps à autre pendant environ 35 minutes ou jusqu'à ce que la confiture ait la consistance requise lors du test de l'assiette.

Le test de l'assiette consiste à vérifier la consistance de la confiture.

Retirer d'abord la casserole du feu pour arrêter la cuisson. Déposer environ 1 c. à thé (5 ml) de la confiture dans une soucoupe déposée quelques minutes au congélateur au préalable.

Remettre la soucoupe au congélateur pour quelques minutes. Si la confiture prend en gelée, elle est prête. Si la confiture n'est pas suffisamment consistante, poursuivre la cuisson quelques minutes et refaire le test de l'assiette.

Verser dans des pots chauds et stérilisés. Sceller.

Composée d'une mosaïque de légumes croustillants servis sur un lit de vermicelle de riz, cette salade thaïlandaise piquante est délicieuse.

TEMPS DE PRÉPARATION : 60 minutes
TEMPS DE CUISSON : aucun

PORTIONS : 6

1 livre (500 g) de vermicelle de riz chinois

2 tasses (500 ml) de laitue Iceberg, ciselée

2 tasses (500 ml) de germes de soya

2 tasses (500 ml) de champignons, tranchés

2 tasses (500 ml) de pois mange-tout, blanchis

2 tasses (500 ml) de bouquets de brocoli, cuits al dente

1 poivron rouge, émincé en lanières

1/2 livre (250 g) d'asperges, blanchies 4 minutes (facultatif)

1/2 tasse (125 ml) d'échalotes vertes, finement émincées

1/4 tasse (60 ml) de feuilles de coriandre fraîche

Vinaigrette

1 boîte de 10 oz (284 ml) de bouillon de poulet

2/3 tasse (150 ml) de beurre d'arachide croquant

1/2 tasse (125 ml) de vinaigre de vin rouge

2 c. à table (30 ml) de sauce soya

2 c. à table (30 ml) d'huile de sésame grillé ou d'arachide

1 c. à table (15 ml) de sucre

1 c. à thé (5 ml) de sauce chili piquante

1/4 tasse (60 ml) de gingembre frais, râpé

2 c. à thé (10 ml) d'ail, finement haché

1/4 tasse (60 ml) de graines de sésame grillées

Porter 8 tasses (2 l) d'eau à ébullition. Verser sur le vermicelle de riz dans un bol. Couvrir et laisser reposer 5 minutes. Rincer abondamment à l'eau froide et égoutter. Couper avec les ciseaux (quelques coups) pour sectionner les longues nouilles.

Disposer au centre d'une grande assiette de service. Garnir les pourtours de tous les légumes, sauf les échalotes vertes et la coriandre, à déposer sur les nouilles en décoration.

Vinaigrette

Dans une casserole, porter le bouillon de poulet à ébullition, ajouter le beurre d'arachide et tous les autres ingrédients. Porter de nouveau à ébullition en brassant délicatement à l'aide d'un fouet 1 minute. Réserver et laisser tiédir.

Servir la vinaigrette à part dans une saucière.

Salades, vinaigrettes et condiments

Salade au jarlsberg

Un heureux mélange d'épinards,
de bacon et de fromage formant
un repas complet pour un petit midi.

TEMPS DE PRÉPARATION : 30 minutes
TEMPS DE CUISSON : aucun

PORTIONS : 6

1 paquet (225 g) d'épinards en
feuilles

9 tranches de bacon

3 pommes rouges

2 c. à table (30 ml) de vinaigre de
vin rouge

1 c. à thé (5 ml) de moutarde de Dijon

3/8 tasse (90 ml) d'huile végétale

1/2 c. à thé (2 ml) de sel

1/4 c. à thé (1 ml) de poivre noir,
fraîchement moulu

12 oz (360 g) de fromage jarlsberg
canadien en bâtonnets

Laver les épinards, les essorer et les
déposer dans un bol à mélanger.

Faire cuire le bacon et l'égoutter;
couper en petits morceaux et le
déposer sur les épinards.

Laver les pommes, retirer le cœur,
couper en lamelles et déposer sur
les épinards.

Dans un petit bol, mélanger à la
fourchette le vinaigre, la moutarde,
l'huile végétale, le sel et le poivre.

Verser sur la salade et bien mélanger
à la cuillère. Disposer le fromage
jarlsberg en garniture et servir.

Salade de mesclun, de pleurotes grillés et de fromage

Légumes et fromage, un délice à savourer en entrée. Pour servir en plat principal, calculez 2 oz (60 g) de fromage par portion et accompagnez de bon pain de blé entier.

TEMPS DE PRÉPARATION : 15 minutes
TEMPS DE CUISSON : 5 minutes

PORTIONS : 4

6 tasses (1,5 l) de laitues mélangées (mesclun), lavées et essorées

3 1/2 oz (100 g) de fromage feta, coupé en petits morceaux

1 c. à table (15 ml) d'huile d'olive

3/4 livre (375 g) de pleurotes, les queues retirées, ou de gros champignons

Sel et poivre

Vinaigrette

2 c. à table (30 ml) d'huile d'olive

2 c. à table (30 m) de thé fort

2 c. à table (30 ml) de vinaigre balsamique

1 c. à thé (5 ml) de moutarde de Dijon

Sel et poivre fraîchement moulu

Répartir le mesclun et le fromage dans quatre assiettes.

Dans un bol, fouetter tous les ingrédients de la vinaigrette. Verser sur la salade.

Dans une poêle antiadhésive striée, chauffer l'huile et griller les champignons rapidement. Saler et poivrer.

Répartir les champignons chauds sur la salade.

Assaisonner de poivre fraîchement moulu. Servir en entrée.

Salade de saumon fumé et de céleri

Fraîche et croquante sous la dent.

TEMPS DE PRÉPARATION : 15 minutes
TEMPS DE CUISSON : aucun

PORTIONS : 6

2 cœurs de céleri avec les feuilles

2 pommes Granny Smith, coupées en dés

10 oz (300 g) de saumon fumé, coupé en lanières

Sauce

2 c. à table (30 ml) de crème 35 %

2 c. à table (30 ml) de jus de citron

1/4 tasse (60 ml) d'huile d'olive

1 pincée ou plus de piment de Cayenne moulu, au goût

Sel

Réserver les feuilles de céleri. Couper les branches en tranches de 1/4 po (0,5 cm). Déposer dans un bol et ajouter les dés de pomme. Réserver.

Sauce

Dans un petit bol, fouetter ensemble la crème, le jus de citron, l'huile d'olive, le piment de Cayenne et le sel. Verser la sauce sur le céleri et les pommes.

Pour servir, répartir la salade dans les assiettes. Déposer le saumon fumé au centre de la salade. Garnir de feuilles de céleri.

Note :

Pour servir en buffet, mélanger les feuilles de céleri au céleri et garnir de lanières de saumon fumé.

Asperges vinaigrette à l'orange

Les asperges annoncent le printemps.

TEMPS DE PRÉPARATION : 20 minutes
TEMPS DE CUISSON : 5 minutes

PORTIONS : 4

1 livre (500 g) d'asperges, parées et pelées

3 oranges sanguines ou Navel, pelées à vif et tranchées

Vinaigrette

Zeste râpé de 1 orange sanguine ou Navel

2 c. à table (30 ml) de jus d'orange sanguine ou Navel

2 c. à table (30 ml) de vinaigre de vin

1/4 tasse (60 ml) d'huile d'olive

1/2 c. à thé (2 ml) d'estragon séché **ou 2 c. à table** (30 ml) de basilic frais, haché

Sel et poivre

Cuire les asperges à la vapeur environ 5 minutes ou plus selon la taille. Les plonger dans l'eau glacée pour arrêter la cuisson. Égoutter et les éponger sur du papier essuie-tout. Réserver les asperges sur du papier essuie-tout.

Disposer les tranches d'orange et les asperges sur une assiette de service.

Vinaigrette

Dans un petit bol, fouetter ensemble le zeste et le jus d'orange, le vinaigre de vin, l'huile d'olive, l'estragon ou le basilic, le sel et le poivre.

Verser la vinaigrette sur les asperges et servir.

Une recette classique de la cuisine normande. On peut en faire une entrée colorée et élégante ou de délicieux sandwichs.

TEMPS DE PRÉPARATION : 15 minutes
TEMPS DE CUISSON : aucun

PORTIONS : 4

1 pomme rouge McIntosh
1 pomme verte Granny Smith
1 tasse (250 ml) de céleri, haché finement
2 échalotes vertes (queues seulement), hachées finement
1 livre (500 g) de crevettes de Matane, épongées
Feuilles de laitue Boston

Mayonnaise au vinaigre de cidre

1 jaune d'œuf
Sel et poivre
1 c. à thé (5 ml) de moutarde de Dijon
1/2 tasse (125 ml) d'huile végétale
2 c. à table (30 ml) de vinaigre de cidre
1/2 c. à thé (2 ml) de raifort

Mayonnaise au vinaigre de cidre

Dans un petit bol, mélanger au batteur électrique le jaune d'œuf, le sel, le poivre et la moutarde de Dijon.

Verser l'huile, goutte à goutte, en mélangeant sans arrêt au batteur électrique.

Après avoir incorporé la moitié de l'huile, ajouter 1 c. à table (15 ml) de vinaigre de cidre. Verser le reste de l'huile en filet tout en fouettant. Ajouter le reste du vinaigre de cidre et le raifort. Réserver.

Épépiner les pommes sans les peler (si désiré, réserver quelques fines tranches de pomme badigeonnées de jus de citron pour la présentation). Couper les pommes en dés.

Dans un bol moyen, mélanger les dés de pommes, le céleri, les queues d'échalote, les crevettes et la mayonnaise au vinaigre de cidre.

Servir dans des feuilles de laitue Boston et garnir de fines tranches de quartiers de pomme.

Note :

Pour redonner aux crevettes leur fraîcheur océane, les couvrir de lait froid et les laisser tremper environ 1 heure au réfrigérateur. Au moment de servir, bien rincer les crevettes sous l'eau froide et les éponger.

Mayonnaise express

Mélanger ensemble, 3/4 tasse (180 ml) de mayonnaise légère ou régulière du commerce, 2 c. à table (30 ml) de vinaigre de cidre et 1/2 c. à thé (2 ml) de raifort.

Salade de chou et de pommes

TEMPS DE PRÉPARATION : 20 minutes
TEMPS DE CUISSON : aucun

PORTIONS : 6 à 8

6 tasses (1,5 ml) de chou vert, paré, coupé en quartiers et émincé
2 carottes, râpées
1 poivron rouge, coupé en julienne
2 pommes rouges (non pelées), épépinées et coupées en dés
1 branche de céleri, hachée finement
1/4 tasse (60 ml) de persil frais, haché

Sauce

1/4 tasse (60 ml) de mayonnaise
1/4 tasse (60 ml) de yogourt nature
Zeste râpé de 1 citron
2 c. à table (30 ml) de jus de citron
1 c. à table (15 ml) de vinaigre de cidre ou de vin blanc
1 c. à table (15 ml) de moutarde de Dijon
1/2 c. à thé (2 ml) de graines de céleri
1 pincée de piment de Cayenne broyé
1 c. à thé (5 ml) de sucre
Sel et poivre
1/2 c. à thé (2 ml) de poudre de cari (facultatif)

Sauce

Dans un bol, mélanger la mayonnaise, le yogourt, le zeste de citron, le jus de citron, le vinaigre de cidre, la moutarde de Dijon, les graines de céleri, le piment de Cayenne, le sucre, le sel, le poivre et la poudre de cari, si désiré. Réserver.

Dans un grand bol, mélanger le chou, les carottes, le poivron, les pommes et le céleri.

Verser la sauce sur la salade ajouter le persil, bien mélanger, réfrigérer 1 heure avant de servir.

Les meilleures recettes de Marie-Josée et Claudette Taillefer

Salade tiède de champignons

TEMPS DE PRÉPARATION : 15 minutes

TEMPS DE CUISSON : environ 6 minutes

Vinaigrette

2 c. à table (30 ml) de jus de citron

2 c. à table (30 ml) d'huile

1 c. à table (15 ml) de sauce soya ou tamari

1/4 c. à thé (1 ml) de zeste de citron, râpé

Salade

1 livre (500 g) de champignons café, pleurotes ou shiitake

2 c. à table (30 ml) d'huile

Sel et poivre

1/4 c. à thé (1 ml) d'ail, haché finement

1 c. à table (15 ml) de sauce soya

Jus de 1 citron

8 tasses (2 l) de laitues mélangées (bouts feuillus de roquette, de cresson, feuilles tendres déchiquetées de scarole, de chicorée, de radicchio, d'endive ou de romaine)

Dans un petit bol, mélanger tous les ingrédients de la vinaigrette. Réserver.

Essuyer et trancher les champignons café. Si on a choisi des pleurotes, en couper la partie dure ; si on a opté pour les champignons shiitake, en retirer complètement le pied.

Dans une grande poêle antiadhésive, faire sauter les champignons dans l'huile jusqu'à ce qu'ils s'affaissent. Saler et poivrer.

Cuire en brassant jusqu'à ce que l'eau des champignons se soit évaporée et qu'ils soient dorés. Ajouter l'ail, la sauce soya et le jus de citron ; bien mélanger.

Cuire en brassant jusqu'à évaporation complète.

Dans un grand bol, mélanger les laitues avec 2 c. à table (30 ml) de vinaigrette.

Répartir la laitue dans 4 assiettes. Disposer les champignons sur la salade et arroser avec la vinaigrette qui reste.

Salade de radis et de concombre

Dans un bol, déposer une botte de radis, lavés et coupés en tranches, un demi-concombre anglais tranché et une botte d'oignon vert, haché.

Dans un bol, mélanger 1 tasse (250 ml) de crème sure avec 1/2 tasse (125 ml) de lait ; verser sur les légumes.

Saler et poivrer abondamment ; mélanger.

Vinaigrette au bleu

Et pourquoi pas ! La meilleure recette en ville, pour accompagner une salade ou même une grillade.

TEMPS DE PRÉPARATION : 10 minutes
TEMPS DE CUISSON : aucun

PORTIONS : 1 tasse (250 ml)

2 c. à thé (10 ml) de moutarde de Dijon

2 c. à table (30 ml) de vinaigre de vin rouge

1/2 c. à thé (2 ml) de sel

1/4 c. à thé (1 ml) de poivre blanc

2 c. à table (30 ml) d'huile d'arachide

1/4 tasse (60 ml) de fromage roquefort, émietté

1/2 tasse (125 ml) de yogourt nature

Au robot culinaire ou au mélangeur électrique, mélanger la moutarde, le vinaigre, le sel et le poivre.

Incorporer l'huile en filet. Ajouter le roquefort et le yogourt nature, mélanger jusqu'à texture lisse.

On peut aussi garder le tiers du fromage émietté et l'ajouter à la toute fin pour donner plus de texture.

Salade d'hiver

Dans un bol à salade, mélanger 1 endive défaite en feuilles, le cœur d'une chicorée parée et une petite laitue raddichio déchiquetée.

Arroser d'une vinaigrette composée de vinaigre de framboise, de moutarde et d'huile légère. Saler et poivrer.

Remplacer la chicorée par de la scarole ou une salade verte en feuilles.

Salade césar maison

TEMPS DE PRÉPARATION :
30 minutes
TEMPS DE CUISSON : 15 minutes

PORTIONS : 4

4 tranches de pain

3 c. à table (45 ml) de beurre

1 laitue romaine

4 tranches de bacon

2 jaunes d'œufs

2 c. à thé (10 ml) de jus de citron

1 gousse d'ail, hachée finement

2 filets d'anchois, écrasés
(facultatif)

1/2 tasse (125 ml) d'huile végétale

1 c. à table (15 ml) de câpres,
hachées

1/4 tasse (60 ml) de parmesan frais,
râpé

Sel et poivre

Parmesan frais râpé
supplémentaire, pour garnir

Retirer les croûtes des tranches de
pain. Couper le pain en cubes. Dans
une poêle, faire dorer les cubes de
pain dans le beurre. Laisser refroidir.

Laver, bien assécher les feuilles de
laitue et les déchiqueter dans un bol.

Dans une poêle, cuire le bacon
jusqu'à ce qu'il soit croustillant.
Hacher finement.

Dans un bol, fouetter les jaunes
d'œufs, le jus de citron, l'ail et les
filets d'anchois jusqu'à ce que le
mélange soit plus pâle.

Tout en fouettant, ajouter l'huile en
un mince filet continu. Ajouter les
câpres et le parmesan râpé. Saler et
poivrer.

Verser sur la laitue. Bien mélanger
avec le bacon et les croûtons.

Garnir avec le parmesan frais râpé.
Servir immédiatement.

Chutney d'hiver aux tomates

S'il ne vous reste plus de ketchup d'été, confectionnez celui-ci, il est délicieux avec la tourtière.

TEMPS DE PRÉPARATION : 20 minutes

TEMPS DE CUISSON : 2 heures

PORTIONS : 6 pots de 2 tasses (500 ml)

4 boîtes de 28 oz (796 ml) de tomates entières, hachées (réserver le jus)

2 tasses (500 ml) d'oignons, hachés

2 tasses (500 ml) de céleri, coupé en dés de 1/2 po (1 cm)

Le zeste de 2 citrons, râpé

1 boîte 28 oz (796 ml) de demi-pêches, coupées en dés de 1/2 po (1 cm)

1 tasse (250 ml) de raisins Golden ou Sultana

2 c. à table (30 ml) de graines de moutarde

1 c. à table (15 ml) de gros sel

1 c. à thé (5 ml) de piment rouge broyé

1/2 tasse (250 ml) de vinaigre de cidre

1 tasse (250 ml) de vinaigre blanc

2 tasses (500 ml) de sucre

Dans une grande casserole, combiner tous les ingrédients et porter à ébullition en brassant de temps à autre.

Laisser mijoter à feu doux et à découvert 2 heures en brassant de temps en temps.

Mettre en pots, dans des bocaux stérilisés.

Chutney aux canneberges

Canneberges, abricots, pommes, raisins, gingembre et piments !

TEMPS DE PRÉPARATION : 20 minutes

TEMPS DE CUISSON : 15 minutes

PORTIONS : 3 bocaux de 8 oz (250 ml)

1/2 tasse (125 ml) d'abricots séchés, hachés

1/2 tasse (125 ml) de raisins secs

1/2 tasse (125 ml) de cassonade tassée

1 tasse (250 ml) d'eau

3 tasses (750 ml) de canneberges fraîches, rincées

1 pomme Granny Smith, pelée et coupée en dés de 1/4 po (1/2 cm)

1 c. à thé (5 ml) de zestes de citron

1/4 tasse (60 ml) de jus de citron

1/4 tasse (60 ml) de gingembre confit, en aiguillettes

1/2 c. à thé (2 ml) de piment rouge broyé

Dans une casserole, mélanger les abricots, les raisons secs, la cassonade et l'eau.

Porter à ébullition et laisser mijoter en brassant quelques fois pendant 5 minutes.

Ajouter les canneberges, la pomme et les zestes, porter à ébullition et laisser mijoter 10 minutes.

Ajouter le jus de citron, le gingembre et le piment rouge broyé. Retirer du feu.

Verser dans des bocaux stérilisés.

Note :

Accompagne merveilleusement le porc et la volaille.

Moutarde parfumée aux agrumes

Cette moutarde sera tout à fait délicieuse avec de la volaille, du porc ou du poisson.

TEMPS DE PRÉPARATION : 5 minutes
TEMPS DE CUISSON : aucun

PORTIONS : 3/4 tasse (180 ml)

3/4 tasse (180 ml) de moutarde de Dijon

1 c. à table (15 ml) de miel

1 c. à thé (5 ml) de zeste de citron, lavé, brossé et râpé

1 c. à thé (5 ml) de zeste d'orange, lavé, brossé et râpé

Dans un bol, mélanger tous les ingrédients. Verser dans 1 bocal stérilisé.

Salade verte à l'ail et au parmesan

Mélanger des laitues vertes au choix telles que romaine, roquette, épinards, scarole ou chicorée.

Assaisonner d'une vinaigrette bien relevée en ail. Garnir la salade de copeaux de parmesan. Pour lever les copeaux, utiliser un couteau économe et presser sur un bloc de parmesan.

Vous verrez, c'est facile et à l'avenir vous utiliserez le parmesan de cette façon sur vos pâtes.

Huile d'olive citronnée

On utilisera cette huile dans les vinaigrettes et pour la cuisson du veau, de l'agneau, de la volaille et du poisson.

TEMPS DE PRÉPARATION : 3 minutes
TEMPS DE CUISSON : 3 minutes

PORTIONS : 2 tasses (500 ml)

2 tasses (500 ml) d'huile d'olive

Zeste de 1 citron, lavé, brossé et levé en ruban

1 feuille de laurier

1 c. à table (15 ml) de romarin ou de thym frais, haché, ou 1 c. à thé (5 ml) de romarin ou de thym séché

Dans une casserole moyenne, chauffer l'huile, à laquelle on aura ajouté le zeste, la feuille de laurier, le romarin ou le thym.

Quand le pourtour du zeste est perlé de petites bulles, retirer la casserole du feu.

Laisser reposer 6 heures. Filtrer et verser dans une bouteille stérilisée.

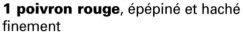

TEMPS DE PRÉPARATION : 1 heure
TEMPS DE CUISSON :
environ 45 minutes

PORTIONS : 8 bocaux de
1 tasse (250 ml)

5 tasses (1,25 l) de tomates rouges, pelées et hachées (environ 8)

3 tasses (750 ml) de pêches, pelées, dénoyautées et hachées (environ 11)

1 1/2 tasse (375 ml) de pommes rouges, pelées, épépinées et hachées (environ 3)

3 tasses (750 ml) de poires, pelées, épépinées et hachées (environ 5)

3 tasses (750 ml) d'oignons, hachés finement (environ 4)

1 tasse (250 ml) de céleri, haché finement

1 poivron rouge, épépiné et haché finement

2 1/2 tasses (625 ml) de cassonade, tassée

1 1/4 tasse (310 ml) de vinaigre de vin blanc

2 c. à thé (10 ml) de gros sel

2 c. à table (30 ml) d'épices à marinade

2 c. à thé (10 ml) de graines de céleri

1/2 c. à thé (2 ml) de clous de girofle entiers

Dans une grande casserole, déposer les fruits et les légumes, la cassonade, le vinaigre et le gros sel.

Mettre les épices à marinade, les graines de céleri et les clous de girofle dans un morceau de coton à fromage noué de façon à former un sac d'épices. Déposer dans la casserole.

Porter à ébullition en remuant de temps à autre. Laisser mijoter à feu doux environ 45 minutes ou jusqu'à épaississement, en remuant fréquemment. Retirer le sac d'épices.

Verser dans des bocaux chauds et stérilisés chauds. Sceller.

Conserver au réfrigérateur, ou dans un endroit frais et sec si les bocaux sont stérilisés.

Mayonnaise maison et ses variations

TEMPS DE PRÉPARATION : 10 minutes
TEMPS DE CUISSON : aucun

PORTIONS : 1 tasse (250 ml)

Mayonnaise de base

2 jaunes d'œufs

1 c. à thé (5 ml) de jus de citron

1 c. à thé (5 ml) de moutarde de Dijon

3/4 tasse (180 ml) d'huile végétale

Sel et poivre

Dans un bol, fouetter les jaunes d'œufs avec le jus de citron et la moutarde. Tout en fouettant, ajouter l'huile en un mince filet continu. Saler et poivrer.

Variations :

Mayonnaise provençale

Ajouter à la mayonnaise de base, 2 c. à thé (10 ml) de pâte de tomates, 1/4 c. à thé (1 ml) de thym séché, 1/2 gousse d'ail, du sel et du poivre.

Mayonnaise au cari

Ajouter à la mayonnaise de base 1/2 c. à thé (2 ml) de cari et le vert d'une petite échalote verte, hachée.

Salade de jambon, fromage et de cresson

Répartir sur 4 petites assiettes, un mélange de feuilles de cresson et de laitue.

Garnir de fines languettes de jambon et de gruyère.

Arroser d'une vinaigrette moutardée

Note :

Pour une salade repas pour 4 personnes, calculer 5 tranches de fromage gruyère et 3/4 de livre (350 g) de jambon cuit au choix.

Les meilleures recettes de Marie-Josée et Claudette Taillefer

Vinaigrette aux agrumes

TEMPS DE PRÉPARATION : 5 minutes

TEMPS DE CUISSON : aucun

PORTIONS : 1 tasse (250 ml)

1/2 gousse d'ail, hachée finement

2 c. à table (30 ml) de jus de citron

1/2 tasse (125 ml) de jus d'orange

1 c. à thé (5 ml) de moutarde de Dijon

1 c. à thé (5 ml) de sucre

1 c. à thé (5 ml) de vinaigre de vin blanc

1/4 tasse (60 ml) d'huile d'olive

Sel et poivre

Dans un bol, fouetter tous les ingrédients, sauf l'huile.

Incorporer l'huile progressivement en fouettant, saler et poivrer.

Vinaigrette française

TEMPS DE PRÉPARATION : 5 minutes

TEMPS DE CUISSON : 5 minutes

PORTIONS : 1 tasse (250 ml)

1 tasse (250 ml) de jus de tomate

2 c. à table (30 ml) de vinaigre de vin blanc

2 c. à table (30 ml) d'huile d'olive

2 c. à thé (10 ml) de cassonade

1 gousse d'ail, hachée finement

1 c. à thé (5 ml) de basilic séché

1 c. à thé (5 ml) d'origan séché

Sel et poivre

1 1/2 c. à thé (7 ml) de fécule de maïs

1 c. à table (15 ml) d'eau froide

Dans une petite casserole, porter tous les ingrédients à ébullition, sauf la fécule de maïs et l'eau.

Ajouter la fécule de maïs délayée dans l'eau en remuant. Brasser jusqu'à épaississement léger.

Retirer du feu et laisser refroidir.

Vinaigrette crémeuse à l'estragon

TEMPS DE PRÉPARATION : 5 minutes

TEMPS DE CUISSON : aucun

PORTIONS : 1 tasse (250 ml)

1/3 tasse (75 ml) de mayonnaise légère

2/3 tasse (150 ml) de babeurre

1 c. à table (15 ml) de vinaigre de vin blanc

1 c. à thé (5 ml) de moutarde de Dijon

1 c. à thé (5 ml) d'estragon séché

1 pincée de sucre

sel et poivre

Dans un bol, fouetter tous les ingrédients.

En vinaigrette, sur les légumes étuvés ou pour déglacer la poêle, utilisons ce petit fruit de Noël...

TEMPS DE PRÉPARATION : 10 minutes
TEMPS DE CUISSON : 5 minutes

PORTIONS : 4 tasses (1 l)

6 tasses (1,5 l) de canneberges fraîches, rincées
4 tasses (1 l) de vinaigre de riz

Dans un grand bol, écraser les canneberges avec un pilon.

Ajouter le vinaigre de riz, couvrir légèrement et laisser macérer pendant 3 jours dans un endroit frais et sombre.

Passer le mélange au travers d'un tamis recouvert de papier essuie-tout en pressant bien les fruits pour en extraire le maximum de liquide.

Dans une casserole, porter à ébullition et verser dans des bouteilles stérilisées. Fermer hermétiquement.

Gelée au porto

Au lieu de la sauce aux canneberges pour la dinde...

TEMPS DE PRÉPARATION : 10 minutes
TEMPS DE CUISSON : 5 minutes

PORTIONS : 4 bocaux de 4 oz (125 ml)

1 sachet (1 c. à table/15 ml) de gélatine neutre
2 c. à table (30 ml) de jus de citron
1 tasse (250 ml) d'eau
1/2 tasse (125 ml) de sucre
1 c. à table (15 ml) de zestes de citron
1 tasse (250 ml) de porto

Faire gonfler la gélatine dans le jus de citron.

Dans une casserole, porter à ébullition l'eau, le sucre et les zestes de citron, remuer jusqu'à ce que le sucre soit dissout.

Ajouter un peu de sirop chaud à la gélatine pour la faire fondre.

Une fois dissoute, incorporer la gélatine dans le sirop, bien mélanger et ajouter le porto.

Verser dans de jolis bocaux.

Soupes et potages

Crème de chou-fleur épicée

TEMPS DE PRÉPARATION :
10 minutes
TEMPS DE CUISSON : 40 minutes

PORTIONS : 8

1 petit oignon, haché

2 c. à table (30 ml) de beurre

2 c. à table (30 ml) de farine

6 tasses (1,5 l) de bouillon de poulet

1 gros chou-fleur, défait en bouquets

1 pomme de terre, pelée et coupée en quartiers

1 pincée de muscade moulue

1 pincée de paprika

Sel et poivre blanc

250 ml (1 tasse) de crème 10 %

4 queues d'échalote verte, émincées

Dans une grande casserole, faire fondre à feu doux l'oignon dans le beurre sans le laisser prendre couleur.

Ajouter la farine et cuire doucement en brassant 2 à 3 minutes sans laisser se colorer.

Incorporer le bouillon en brassant. Porter à ébullition, réduire la chaleur.

Ajouter le chou-fleur, la pomme de terre, la muscade et le paprika. Saler et poivrer. Laisser mijoter jusqu'à ce que les légumes soient tendres.

Passer au mélangeur électrique, puis ajouter la crème.

Au moment de servir, garnir chaque portion de queues d'échalote.

Note :

Pour une soupe plus légère, remplacer la crème par 1 boîte (385 ml) de lait évaporé.

Bouillon de bœuf au porto

Un bouillon de bœuf trouve toujours sa place durant le temps des fêtes. Riche, capiteux, on aura l'impression que vous aurez trimé dur pour le réaliser et pourtant...

TEMPS DE PRÉPARATION :
10 minutes
TEMPS DE CUISSON : 15 minutes

PORTIONS : 6

1 poireau (partie blanche), émincé en fine julienne de 1 po (2,5 cm)

1 c. à table (15 ml) d'huile d'olive

2 boîtes de 10 oz (284 ml) de bouillon de bœuf du commerce

1 tasse (250 ml) de jus de légumes

1 tasse (250 ml) d'eau

1 carotte, pelée et émincée en fine julienne de 1 po (2,5 cm)

1 branche de céleri, émincée en fine julienne de 1 po (2,5 cm)

Sel et poivre

1/2 tasse (125 ml) de porto (facultatif) ou de jus de légumes

Dans une grande casserole, faire fondre doucement le poireau dans l'huile.

Ajouter le bouillon de bœuf, le jus de légumes, l'eau, la carotte et le céleri.

Saler et poivrer, couvrir et laisser mijoter 5 minutes.

Ajouter le porto ou le jus de légumes, réchauffer et servir.

Potage de carotte et de panais

TEMPS DE PRÉPARATION :
10 minutes
TEMPS DE CUISSON :
20 à 25 minutes

PORTIONS : 4

3 carottes, pelées et coupées en morceaux

1 panais, pelé et coupé en morceaux

5 tasses (1,25 l) de bouillon de poulet dégraissé

1 c. à table (15 ml) d'estragon séché

Sel et poivre

Dans une casserole, réunir les carottes, le panais et le bouillon de poulet.

Déposer l'estragon séché dans une boule à thé pour infuser ou dans un morceau de coton à fromage fin, ficelé, puis déposer ce sac d'épices dans la casserole.

Saler et poivrer. Porter à ébullition, couvrir et laisser mijoter de 20 à 25 minutes jusqu'à tendreté des légumes. Retirer l'estragon.

Au mélangeur électrique, réduire en purée et rectifier l'assaisonnement. Servir chaud.

Les meilleures recettes de Marie-Josée et Claudette Taillefer

Fumet de poisson

TEMPS DE PRÉPARATION :
5 minutes
TEMPS DE CUISSON :
20 à 30 minutes

PORTIONS :
environ 10 tasses (2,5 l)

3 livres (1,5 kg) de parures de poisson (têtes, arêtes, queues)

12 tasses (3 l) d'eau

1 oignon, haché

2 branches de céleri, hachées

2 feuilles de laurier

1 c. à thé (5 ml) de poivre noir en grains

Dans une grande casserole, mélanger tous les ingrédients. Laisser mijoter à découvert de 20 à 30 minutes.

Passer dans un tamis fin.

Bouillon de légumes

TEMPS DE PRÉPARATION :
10 minutes
TEMPS DE CUISSON :
1 heure 30 minutes

PORTIONS :
environ 5 tasses (1,25 l)

2 carottes, hachées

1 panais, haché

2 oignons, hachés

6 branches de céleri, hachées

4 feuilles de laurier

1 bouquet de persil frais

2 c. à thé (10 ml) de poivre noir en grains

12 tasses (3 l) d'eau

Dans une grande casserole, mélanger tous les ingrédients. Laisser mijoter à découvert pendant 1 heure 30 minutes.

Passer dans un tamis fin.

Chaudrée de palourdes

Délicieuse chaudrée très crémeuse, elle se mange, accompagnée de persil haché, soit dans une tasse soit dans un bol comme au restaurant.

TEMPS DE PRÉPARATION :
30 minutes
TEMPS DE CUISSON : 55 minutes

PORTIONS : 10

2 boîtes de 5 onces (142 g) de minipalourdes

1/2 tasse (125 ml) de vin blanc sec

3/4 tasse (180 ml) d'oignons, émincés finement

1/2 tasse (125 ml) de céleri, coupé en petits dés

1/2 c. à thé (2 ml) de sauge moulue

1/2 c. à thé (2 ml) de cerfeuil séché

1/2 c. à thé (2 ml) de thym séché

1/2 c. à thé (2 ml) de poivre noir fraîchement moulu

1 1/2 tasse (375 ml) de pommes de terre, coupées en dés de 1/2 po (1 cm)

6 graines de poivre de la Jamaïque

1 1/2 tasse (375 ml) de crème 35 %

1 1/2 tasse (375 ml) de lait

1 c. à table (15 ml) de fécule de maïs, délayée dans 1 c. à table (15 ml) d'eau froide

1/4 c. à thé (1 ml) de cayenne moulue

1/2 c. à thé (2 ml) de sel

3 c. à table (45 ml) de sherry sec

2 c. à table (30 ml) de persil frais, haché

1/4 c. à thé de paprika

Égoutter les palourdes et réserver le jus.

Dans une casserole, combiner le jus des palourdes, le vin, l'oignon, le céleri, la sauge, le cerfeuil, le thym, le poivre, les pommes de terre et le poivre de la Jamaïque. Porter à ébullition.

Couvrir et laisser mijoter 15 minutes. Ajouter la crème, le lait et les palourdes égouttées, puis porter à ébullition de nouveau.

Ajouter la fécule délayée, le poivre de Cayenne et le sel. Porter au point d'ébullition pour lier. Réchauffer sans faire bouillir.

Parfumer au sherry et garnir de persil haché.

Saupoudrer d'un peu de paprika au moment de servir.

Soupes et potages

TEMPS DE PRÉPARATION :
25 minutes
TEMPS DE CUISSON :
25 à 30 minutes

PORTIONS : 4

5 tasses (1,25 l) de consommé de bœuf maison ou en conserve (dilué)

1/4 tasse (60 ml) de champignons, hachés finement

1/4 tasse (60 ml) de carotte, hachée

1/4 tasse (60 ml) de céleri, haché

1 feuille de laurier

1 gousse d'ail, hachée finement

Sel et poivre

1 livre (500 g) de pâte feuilletée du commerce

1 jaune d'œuf, légèrement battu

Préchauffer le four à 400 °F (200 °C).

Dans une casserole, porter à ébullition le consommé de bœuf et les autres ingrédients, sauf la pâte feuilletée et le jaune d'œuf. Laisser mijoter jusqu'à tendreté des légumes, soit de 7 à 10 minutes. Laisser tiédir.

Répartir le consommé dans 4 bols allant au four.

Abaisser la pâte feuilletée à 1/8 po (0,25 cm) d'épaisseur. Y découper 4 cercles assez grands pour couvrir chaque bol et pour que la pâte dépasse de 3/4 po (2 cm) le diamètre du bol.

Déposer un cercle de pâte sur chaque bol en collant bien la pâte sur le rebord externe. Badigeonner le dessus de la pâte de jaune d'œuf.

Déposer les bols sur une plaque et cuire au four de 10 à 15 minutes ou jusqu'à ce que la pâte soit dorée et gonflée.

Servir immédiatement.

Soupe au poulet et à la noix de coco

La noix de coco est un incontournable de la cuisine des îles.

TEMPS DE PRÉPARATION :
15 minutes
TEMPS DE CUISSON : 20 minutes

PORTIONS : 4 à 6

1/4 tasse (60 ml) de beurre

5 échalotes vertes, hachées

1/4 tasse (60 ml) de farine tout usage

3 tasses (750 ml) de lait de coco

1 tasse (250 ml) de lait

1 tasse (250 ml) de bouillon de poulet

Sel et poivre

2 tasses (500 ml) de poulet cuit, coupé en dés

3 c. à table (45 ml) de noix de coco râpée, grillée

Dans une casserole, fondre les échalotes vertes dans le beurre. Saupoudrer la farine et cuire en remuant.

Ajouter graduellement le lait de coco, le lait et le bouillon de poulet en remuant. Saler et poivrer. Porter à ébullition en remuant.

Ajouter le poulet, couvrir et laisser mijoter 10 minutes.

Décorer chaque bol de soupe avec de la noix de coco râpée grillée.

Potage de cresson

TEMPS DE PRÉPARATION :
20 minutes

TEMPS DE CUISSON : 20 minutes

PORTIONS : 4

1 bouquet de cresson

2 poireaux

2 c. à table (30 ml) d'huile d'olive

2 pommes de terre, pelées et coupées en cubes

1 gousse d'ail, hachée grossièrement

1/2 à 1 c. à thé (2 à 5 ml) d'estragon séché

4 tasses (1 l) de bouillon de poulet

Sel et poivre

1/2 tasse (125 ml) de crème 35 % (facultatif)

Laver et effeuiller le cresson. Jeter les tiges dures. Réserver.

Couper les poireaux pour ne conserver qu'environ 2 po (5 cm) de la partie verte. Trancher les poireaux.

Dans une casserole moyenne, faire fondre le poireau dans l'huile.

Ajouter les pommes de terre, l'ail, l'estragon et le bouillon de poulet. Laisser mijoter 15 à 20 minutes ou jusqu'à ce que les pommes de terre soient cuites.

Retirer du feu, ajouter le cresson, couvrir et laisser reposer 5 minutes. Saler et poivrer.

Passer au mélangeur électrique, puis ajouter la crème si désiré. Réchauffer.

Note :

On peut remplacer la crème par du lait évaporé.

Soupe aux haricots

TEMPS DE PRÉPARATION :
5 minutes

TEMPS DE CUISSON : 5 minutes

PORTIONS : 4

10 oz (284 ml) de bouillon de bœuf

2 tasses (500 ml) de jus de tomate

14 oz (398 ml) de haricots blancs en conserve, égouttés et rincés

1/2 tasse (125 ml) de salsa du commerce plus ou moins piquante (au goût)

4 échalotes vertes, émincées

1/4 tasse (60 ml) de coriandre fraîche, hachée (facultatif)

Dans une casserole moyenne, chauffer ensemble le bouillon de bœuf, le jus de tomate, les haricots et la salsa.

Ajouter les échalotes vertes et mélanger.

Verser dans des bols et garnir de coriandre fraîche si désiré.

Les meilleures recettes de Marie-Josée et Claudette Taillefer

Soupe au cheddar

Onctueuse, pleine de légumes, elle vous réunira autour de la table et comblera tous vos convives. Cheddar, cheddar, cheddar.

TEMPS DE PRÉPARATION : 15 minutes
TEMPS DE CUISSON : 20 minutes

PORTIONS : 6

3 c. à table (45 ml) de beurre

1 oignon, émincé

2 carottes, tranchées

1/2 tasse (125 ml) de céleri, coupé

1/3 tasse (75 ml) de farine

4 tasses (1 l) de bouillon de poulet en conserve

2 tasses (500 ml) de fromage cheddar fort, râpé

1 tasse (250 ml) de lait, chaud

Sel et poivre noir, fraîchement moulu

2 c. à table (30 ml) de persil frais, haché

Dans une casserole, faire fondre le beurre et faire revenir l'oignon, les carottes et le céleri à feu moyen pendant 10 minutes en brassant régulièrement.

Ajouter la farine et cuire 3 minutes en brassant constamment.

Incorporer le bouillon de poulet et brasser au fouet, jusqu'à l'obtention d'une crème onctueuse. Porter à ébullition et laisser mijoter 5 minutes.

Ajouter le fromage et le lait. Retirer du feu. Saler et poivrer.

Garnir de persil frais haché.

Crème d'asperges

TEMPS DE PRÉPARATION :
10 minutes
TEMPS DE CUISSON : 30 minutes

PORTIONS : 4 à 6

1 1/4 livre (600 g) d'asperges fraîches

6 tasses (1,5 l) de bouillon de poulet, dégraissé

1/2 tasse (125 ml) de crème 15 %

Sel et poivre

Croûtons

Casser le bout dur des asperges et les peler au besoin.

Dans une casserole, cuire les asperges dans le bouillon de poulet environ 30 minutes. Réduire en purée au mélangeur électrique ou au robot culinaire.

Remettre dans la casserole et incorporer la crème. Saler et poivrer.

Réchauffer et servir. Décorer de croûtons.

Soupe à l'oignon gratinée

Quoi de plus réconfortant après une activité au grand froid qu'une bonne soupe à l'oignon avec sa croûte de fromage.

TEMPS DE PRÉPARATION :
15 minutes
TEMPS DE CUISSON : 60 minutes

PORTIONS : 6

2 livres (1 kg) d'oignons, émincés

2 c. à table (30 ml) de beurre

1 c. à thé (5 ml) de sucre

8 tasses (2 l) de bouillon de bœuf

1 c. à thé (5 ml) de thym séché

1 feuille de laurier

Sel et poivre

4 tranches de pain croûté de 1/2 po (1 cm) d'épaisseur, de la taille de l'ouverture des bols

1 gousse d'ail, coupée en deux

1 1/2 tasse (375 ml) de fromage suisse, râpé grossièrement

Dans une casserole épaisse, faire fondre les oignons dans le beurre à feu doux. Recouvrir de papier ciré et cuire environ 15 minutes.

Découvrir les oignons, saupoudrer de sucre, mélanger. Augmenter la chaleur. Caraméliser les oignons en brassant jusqu'à ce qu'ils soient brun doré.

Ajouter le bouillon de bœuf, le thym et la feuille de laurier. Saler et poivrer au goût.

Couvrir et laisser mijoter à feu doux 20 minutes.

Pendant ce temps, préchauffer le four à 300 °F (150 °C).

Griller les tranches de pain. Les frotter sur les deux faces avec les demi-gousses d'ail. Réserver.

Au moment de servir, préchauffer le four à *broil*.

Verser la soupe chaude dans des bols creux. Déposer une tranche de pain sur chacun. Saupoudrer généreusement de fromage, qui doit couvrir sur le rebord du bol pour s'y encrer...

Faire gratiner au four environ 5 minutes ou jusqu'à ce que le fromage soit fondu et commence à bouillonner.

Soupe miso

Ce potage fait en un tournemain débute bien ce repas japonais.

Chauffer 2 boîtes de 10 oz (284 ml) de bouillon de poulet avec 2 1/2 tasses (625 ml) d'eau.

Ajouter 2 c. à table (30 ml) de miso. Mélanger.

Ajouter 1/2 tasse (125 ml) de tofu nature, coupé en dés de 1/2 po (1 cm), 2 c. à table (30 ml) d'oignons verts, hachés grossièrement, 1/4 tasse (60 ml) de champignons shiitake frais, équeutés et tranchés et 1 c. à table (15 ml) de sauce soya. Porter à ébullition sans remuer.

Servir dans des bols.

Note :

Le miso est une pâte de soya disponible dans les magasins d'aliments naturels ou les épiceries spécialisées en produits asiatiques.

Les meilleures recettes de Marie-Josée et Claudette Taillefer

Crème de carottes

Comme quoi d'humbles carottes peuvent prendre un air exotique !

TEMPS DE PRÉPARATION :
30 minutes
TEMPS DE CUISSON : 30 minutes

PORTIONS : 8

1 gros oignon, haché finement

2 c. à table (30 ml) d'huile

2 gousses d'ail, hachées finement

1/4 c. à thé (1 ml) de Sambal Œlek ou de piment de Cayenne broyé

4 tasses (1 l) de carottes, tranchées (12 moyennes environ)

Sel et poivre

1 c. à thé (5 ml) de cumin moulu

1 morceau de gingembre frais de 1 po (2,5 cm), piqué sur un cure-dents

1 boîte de 14 oz (398 ml) de tomates italiennes

4 tasses (1 l) de bouillon de poulet

1 boîte de 14 oz (398 ml) de lait de coco ou 1 2/3 tasse (400 ml) de crème 15 %

Garniture au choix

Gingembre frais, coupé en fine julienne

Carottes blanchies, coupées en fine julienne

1/2 tasse (125 ml) de crème 35 %, fouettée

Dans une casserole, faire fondre l'oignon dans l'huile à feu moyen. Ajouter l'ail et le Sambal Œlek ; faire revenir en brassant 1 minute.

Ajouter les carottes, du sel, du poivre, le cumin, le gingembre et les tomates; mélanger.

Incorporer le bouillon de poulet et cuire à couvert jusqu'à ce que les carottes soient tendres. Retirer du feu, enlever le morceau de gingembre.

Ajouter le lait de coco ou la crème ; passer au mélangeur électrique.

Servir, décoré de la garniture désirée.

Soupe mexicaine aux haricots noirs

Aussi savoureuse que visuellement dramatique.

TEMPS DE PRÉPARATION :
15 minutes
TEMPS DE CUISSON : 15 minutes

PORTIONS : 6 à 8

1 oignon, haché finement

2 c. à table (30 ml) d'huile

2 gousses d'ail, hachées finement

1 c. à thé (5 ml) de poudre chili

1 c. à thé (5 ml) d'origan séché

Sel et poivre

4 tasses (1 l) de bouillon de légumes

1 boîte de 19 oz (540 g) de haricots noirs, égouttés et rincés

1/2 à 1 tasse (125 à 250 ml) de salsa du commerce, douce ou piquante

Garniture au choix

Chair de 1 avocat, coupée en dés

6 tomates miniatures, coupées en quartiers

Coriandre fraîche, hachée

1/3 tasse (75 ml) de fromage cheddar orange, râpé

Salsa

Dans une grande casserole, faire fondre l'oignon dans l'huile.

Ajouter l'ail, la poudre chili, l'origan, du sel, du poivre et le bouillon de légumes.

Porter à ébullition et couvrir ; laisser mijoter 15 minutes.

Ajouter les haricots noirs et la salsa, poursuivre la cuisson 5 minutes.

Servir et décorer avec la garniture de votre choix.

Potage aux crosses de fougère parfumé au cari

TEMPS DE PRÉPARATION :
10 minutes

TEMPS DE CUISSON :
15 à 20 minutes

PORTIONS : 4

2 tasses (500 ml) de crosses de fougère fraîches ou 1 boîte de 300 g surgelées, décongelées et égouttées

1 pomme de terre, pelée et coupée en morceaux

1 c. à thé (5 ml) de poudre de cari

2 tasses (500 ml) de bouillon de poulet, dégraissé

2 tasses (500 ml) de lait

Sel et poivre

Si vous utilisez des crosses de fougère fraîches, les faire blanchir 2 minutes dans de l'eau bouillante salée pour leur faire perdre leur amertume, puis les égoutter. Omettre cette étape pour les crosses de fougère surgelées.

Dans une casserole, faire cuire les crosses de fougère, la pomme de terre et la poudre de cari dans le bouillon de poulet de 15 à 20 minutes, jusqu'à tendreté de la pomme de terre. Saler et poivrer.

Retirer du feu. Réserver 12 crosses de fougère pour la décoration.

Réduire le reste de la préparation en purée au mélangeur électrique, puis remettre dans la casserole.

Incorporer le lait et réchauffer à feu doux, sans faire mijoter. Rectifier l'assaisonnement.

Servir dans des bols et décorer avec les crosses de fougère réservées.

Soupe repas aux lentilles et au riz

TEMPS DE PRÉPARATION :
30 minutes

TEMPS DE CUISSON :
1 heure 40 minutes

PORTIONS : 12 tasses (3 l)

2 oignons moyens, hachés finement

2 c. à table (30 ml) d'huile

2 gousses d'ail, hachées finement

2 carottes moyennes, tranchées

2 branches de céleri, coupées en dés

1 c. à table (15 ml) de poudre de cari

2 tasses (500 ml) de lait

10 tasses (2,5 l) de bouillon de poulet

2 tasses (500 ml) de lentilles vertes

1 feuille de laurier

1/2 tasse (125 ml) de riz brun

Sel

10 oz (300 g) d'épinards hachés surgelés

Dans une grande casserole, faire fondre les oignons dans l'huile à feu moyen en brassant souvent.

Ajouter l'ail, les carottes, le céleri et la poudre de cari. Cuire en brassant pour bien enrober d'huile.

Ajouter le lait, le bouillon de poulet, les lentilles et la feuille de laurier. Laisser mijoter 45 minutes, partiellement couvert.

Ajouter le riz, saler et continuer la cuisson 45 minutes.

Ajouter les épinards. Réchauffer jusqu'à ce qu'ils soient chauds.

Soupe aux épinards et à la crème

TEMPS DE PRÉPARATION :
20 minutes
TEMPS DE CUISSON : 15 minutes

PORTIONS : 6

1 gros oignon, haché finement

1 c. à table (15 ml) d'huile d'olive

1 c. à table (15 ml) de beurre

1 grosse pomme de terre, pelée et coupée en cubes

Sel et poivre

4 tasses (1 l) de bouillon de poulet

1 paquet de 600 g d'épinards surgelés, décongelés, égouttés et essorés

1/2 c. à thé (2 ml) de muscade fraîche, râpée

1 tasse (250 ml) de crème 35 %

Zeste de 1 citron, râpé (facultatif)

Dans une casserole moyenne, faire fondre l'oignon dans l'huile et le beurre.

Ajouter la pomme de terre, le sel, le poivre et le bouillon de poulet. Porter à ébullition et laisser mijoter à couvert jusqu'à ce que la pomme de terre soit tendre.

Ajouter les épinards et la muscade. Porter à ébullition. Retirer du feu. Ajouter 1/2 tasse (125 ml) de crème et passer au mélangeur électrique.

Fouetter le reste de la crème.

Au moment de servir, garnir chaque portion d'une cuillerée de crème fouettée.

Saupoudrer de zeste de citron râpé ou de muscade râpée.

Crème de tomates au basilic

TEMPS DE PRÉPARATION :
15 minutes
TEMPS DE CUISSON : 30 minutes

PORTIONS : 6 à 8

2 c. à table (30 ml) d'huile d'olive

2 oignons, hachés

1 gousse d'ail, hachée

2 boîtes de 19 oz (540 ml) chacune de tomates en dés (non égouttées)

1/3 tasse (75 ml) de tomates séchées dans l'huile, hachées

1/2 tasse (125 ml) de basilic frais haché ou 1 1/2 c. à table (22 ml) de basilic séché

Sel et poivre

2 tasses (500 ml) de lait, chaud

Basilic frais, pour décorer

Dans une casserole, faire revenir les oignons et l'ail dans l'huile jusqu'à tendreté.

Ajouter les tomates en conserve et les tomates séchées ; porter à ébullition. Couvrir et laisser mijoter à feu doux 25 minutes.

Ajouter le basilic, saler et poivrer.

Réduire en purée au mélangeur électrique. Ajouter le lait chaud et rectifier l'assaisonnement.

Servir décoré de basilic frais.

Note :

Si vous désirez congeler cette crème de tomates au basilic, il est préférable de le faire sans ajouter le lait ; il suffira de l'ajouter au moment de servir.

Les meilleures recettes de Marie-Josée et Claudette Taillefer

Potage d'automne

Cette saison crie pour une bonne soupe au bœuf et aux légumes !

TEMPS DE PRÉPARATION :
30 minutes
TEMPS DE CUISSON : 2 heures

PORTIONS :
18 à 20 tasses (4,5 à 5 l)

4 livres (2 kg) de jarrets de bœuf en tranches de 1 1/4 po (3 cm)
1/2 tasse (125 ml) de farine
1/4 tasse (60 ml) d'huile
2 gros oignons, hachés grossièrement
4 grosses carottes, coupées en cubes
4 branches de céleri, tranchées
Sel
28 oz (796 ml) de tomates italiennes
2 boîtes de 10 oz (284 ml) chacune de bouillon de bœuf
4 tasses (1 l) d'eau
1 grande feuille de laurier
1 c. à thé (5 ml) de thym, séché
Poivre
4 pommes de terre moyennes, pelées et coupées en cubes
1 sac de 300 g d'épinards hachés, surgelés

Enfariner les jarrets de bœuf.

Dans une grande casserole, faire sauter les jarrets de bœuf dans l'huile. Faire dorer 5 minutes de chaque côté. Réserver sur une assiette.

Faire fondre les oignons dans la casserole, ajouter les carottes et le céleri. Saler.

Déposer les jarrets de bœuf sur les légumes, ajouter les tomates, le bouillon de bœuf, l'eau, la feuille de laurier, le thym et le poivre.

Porter à ébullition, couvrir et laisser mijoter 1 heure 30 minutes.

Retirer les jarrets de bœuf, les désosser et les parer. Couper la viande en bouchées, si désiré. Retirer la mœlle des os et remettre la viande dans la soupe avec la mœlle.

Ajouter les cubes de pommes de terre et cuire 20 minutes. Incorporer 2 tasses (500 ml) d'eau au besoin.

Ajouter les épinards et rectifier l'assaisonnement si nécessaire.

Réduire en purée au mélangeur électrique, ajouter le lait puis rectifier l'assaisonnement.

Servir chaud et décorer d'herbes fraîches tels la ciboulette ou l'estragon.

Conseil

Ne pas congeler

Sauces et potages à base de crème
Sandwichs avec œuf, laitue, concombre
Aliments décongelés

Truc

Vous avez un petit reste de pâte de tomates, de sauce ou de bouillon? Faites-le congeler dans un bac à glaçons, puis rangez les cubes dans un sac de plastique étiqueté.

Soupe aux poivrons et ses variations

TEMPS DE PRÉPARATION :
15 minutes

TEMPS DE CUISSON : 1 heure

PORTIONS : 6 à 8

2 oignons, hachés finement

2 gousses d'ail, hachées

2 c. à table (30 ml) d'huile

4 tasses (1 l) de bouillon de poulet

3 tomates rouges, pelées, épépinées et hachées grossièrement

1 feuille de laurier

Sel et poivre

6 poivrons rouges, pelés et épépinés

Dans une casserole épaisse, faire fondre les oignons et l'ail dans l'huile, à feu moyen.

Ajouter le bouillon de poulet, les tomates et la feuille de laurier. Saler et poivrer.

Laisser mijoter 15 minutes et retirer la feuille de laurier.

Ajouter les poivrons, passer la préparation au mélangeur électrique jusqu'à ce que le mélange soit lisse.

Rectifier l'assaisonnement.

Servir au goût selon l'une ou l'autre des variations.

Servir chaque portion avec :

- une cuillerée de pesto et du fromage de chèvre émietté
- une chiffonnade de coriandre, de basilic ou de menthe
- un petit croûton aux fines herbes et du parmesan frais, râpé

*Pour peler les poivrons : les déposer sur une plaque et faire griller au four à 350 °F (180 °C) environ 45 minutes, en retournant les poivrons aux 15 minutes. Réserver les poivrons dans un bol couvert jusqu'à ce qu'ils soient tièdes.

Soupe aux lentilles

TEMPS DE PRÉPARATION :
10 minutes

TEMPS DE CUISSON : 20 minutes

PORTIONS : 6

1 gros oignon, haché finement

2 gousses d'ail, hachées finement

2 c. à table (30 ml) d'huile végétale

2 branches de céleri, tranchées

1 boîte de 19 oz (540 ml) de tomates en dés

4 tasses (1 l) de bouillon de poulet

1/2 tasse (125 ml) de lentilles rouges, rincées

1 feuille de laurier

1 c. à thé (5 ml) de coriandre séchée

Sel et poivre

Dans une grande casserole, faire fondre l'oignon et l'ail dans l'huile. Ajouter le céleri et remuer rapidement.

Ajouter le reste des ingrédients. Saler et poivrer.

Couvrir et laisser mijoter environ 15 minutes ou jusqu'à tendreté des lentilles.

Vérifier l'assaisonnement et accompagner de bon pain ou de muffins au jambon et aux herbes.

Bouillons maison

Rien ne peut remplacer les bons bouillons maison. De plus, ils permettent de récupérer les restes. D'ailleurs, laissez toujours un sac dans le congélateur pour conserver les os et les carcasses. Les bouillons se congèlent très bien.

Crème de poulet et de cresson

TEMPS DE PRÉPARATION :
25 minutes

TEMPS DE CUISSON : 25 minutes

PORTIONS : 6

1 oignon, coupé en dés de 1/4 po (5 mm)

3 c. à table (45 ml) de beurre

3 c. à table (45 ml) de farine

3 tasses (750 ml) de bouillon de poulet

2 tasses (500 ml) de lait

1/4 c. à thé (1 ml) de muscade moulue

Sel et poivre

1 tasse (250 ml) de poulet, coupé en cubes de 1/4 po (5 mm)

2 tasses (500 ml) de cresson, haché grossièrement

1/4 tasse (60 ml) de crème 35 % (facultatif)

Dans une grande casserole, faire cuire l'oignon dans le beurre à feu moyen-doux environ 10 minutes en brassant quelques fois.

Ajouter la farine et continuer la cuisson 3 minutes en brassant constamment.

Ajouter le bouillon de poulet, le lait, la muscade, le sel et le poivre ; porter à ébullition en brassant au fouet.

Réduire la chaleur du feu et laisser mijoter 5 minutes.

Ajouter le poulet et le cresson ; réchauffer 2 minutes. Incorporer la crème et rectifier l'assaisonnement.

Parmentier à la courge musquée

La courge musquée ressemble à une grosse poire. Sa peau lisse de couleur crème se pèle facilement. Sa chair orangée est particulièrement sucrée.

TEMPS DE PRÉPARATION :
20 minutes

TEMPS DE CUISSON : 35 minutes

PORTIONS : 8

2 c. à table (30 ml) d'huile d'olive

2 oignons, coupés grossièrement

4 tasses (1 l) de courge musquée, coupée en cubes moyens (environ 2 petites courges)

2 pommes de terre, pelées et coupées grossièrement

6 tasses (1,5 l) de bouillon de poulet

1/4 c. à thé (1 ml) de muscade moulue (facultatif)

Sel et poivre

1 tasse (250 ml) de lait

Dans une casserole, faire fondre les oignons dans l'huile jusqu'à tendreté, sans les laisser se colorer.

Ajouter le reste des ingrédients, sauf le lait. Porter à ébullition, couvrir et laisser mijoter à feu doux environ 30 minutes ou jusqu'à tendreté des légumes.

Conseil

Lait écrémé, 1 %, 2 %, 3,25 %

Ils ont presque tous la même valeur nutritive, c'est leur contenu en gras qui varie. Les quatre conviennent pour cuisiner. C'est une question de goût.

Soupe à la citronnelle et aux crevettes

TEMPS DE PRÉPARATION :
20 minutes
TEMPS DE CUISSON : 10 minutes

PORTIONS : 6

5 tasses (1,25 l) d'eau

4 échalotes, coupées à la diagonale en tronçons de 1 po (2,5 cm)

2 bâtonnets de citronnelle, coupés en 2

2 c. à table (30 ml) de sauce de poisson

1 c. à table (15 ml) de pâte de crevettes

2 tranches de 1/4 po (1/2 cm) de galangal frais, haché

6 feuilles de lime « kaffir »

18 crevettes, parées

1/2 tasse (125 ml) de champignons volvaires en conserve, rincés, égouttés et coupés en 2

3 c. à table (45 ml) de jus de citron frais

2 tomates, coupées en 10 quartiers chacune

1/4 c. à thé (1 ml) de piment chili, haché finement

Sel et poivre

1/2 tasse (125 ml) de feuilles de coriandre

Dans une casserole, porter l'eau à ébullition. Ajouter les échalotes, la citronnelle, la sauce de poisson, la pâte de crevettes, le galangal et les feuilles de lime ; laisser mijoter 5 minutes.

Ajouter les crevettes, les champignons, le jus de citron, les tomates et le piment ; faire chauffer 2 minutes. Retirer la citronnelle.

Assaisonner et servir avec la coriandre fraîche en garniture.

Note :

On peut ajouter un peu de sauce au piment « piquante » dans un bol.

Velouté de légumes

Voici un potage pour récupérer les restes de légumes et de laitue qui dorment dans le réfrigérateur.

TEMPS DE PRÉPARATION :
20 minutes
TEMPS DE CUISSON : 35 minutes

PORTIONS : 4

2 c. à table (30 ml) de beurre

1 oignon, tranché

Reste de laitue

1 pomme de terre, pelée et coupée en cubes

3 tasses (750 ml) d'un mélange de légumes, hachés

6 tasses (1,5 l) de bouillon de poulet

Sel et poivre

Dans une casserole, faire revenir l'oignon dans le beurre jusqu'à tendreté.

Ajouter la laitue et remuer jusqu'à ce qu'elle ramollisse.

Ajouter le reste des ingrédients ; saler et poivrer.

Porter à ébullition et laisser mijoter 30 minutes. Passer au mélangeur électrique.

Servir avec du bon pain.

Note :

On peut congeler le surplus de potage.

Minestrone

Réchauffé, le minestrone gagne en saveur.

TEMPS DE PRÉPARATION :
45 minutes

TEMPS DE CUISSON :
1 heure 10 minutes

PORTIONS : 8

1 tasse (250 g) de haricots blancs secs

Sel

2 tasses (500 ml) d'oignons, hachés finement

1/4 tasse (60 ml) d'huile d'olive

2 carottes, émincées

2 branches de céleri, émincées

3 gousses d'ail, hachées finement

Sel et poivre

2 tasses (500 ml) de chou, émincé et haché

2 c. à thé (10 ml) de romarin séché ou 2 c. à table (30 ml) de romarin frais, haché

1 boîte de 28 oz (796 ml) de tomates italiennes, broyées

3 tasses (750 ml) de bouillon de bœuf

2 tasses (500 ml) ou plus d'eau

1/2 tasse (125 ml) de petites pâtes courtes

1 tasse (250 ml) de haricots verts, coupés en morceaux

1/4 tasse (60 ml) de persil frais, haché

Parmesan frais, râpé

Dans une casserole, faire tremper les haricots blancs dans beaucoup d'eau froide toute une nuit.

Le lendemain, porter les haricots blancs à ébullition, laisser mijoter 40 minutes ou jusqu'à ce qu'ils soient tendres. Saler après 30 minutes de cuisson.

Égoutter les haricots et en réduire la moitié en purée au robot culinaire (cette étape est facultative). Réserver.

Dans une grande casserole, faire fondre les oignons dans l'huile en brassant. Ajouter les carottes, le céleri et l'ail. Saler et le poivrer. Cuire jusqu'à ce que les légumes se soient affaissés.

Ajouter le chou et le romarin, cuire encore quelques minutes en brassant.

Ajouter les tomates italiennes, le bouillon de bœuf, l'eau, les haricots blancs réservés, la purée d'haricots et les pâtes.

Porter à ébullition, vérifier l'assaisonnement. Cuire de 20 à 30 minutes ; 10 minutes avant la fin de la cuisson, ajouter les haricots verts.

Garnir de persil frais.

Au moment de servir, saupoudrer de parmesan frais.

Note :

Remplacer les haricots blancs secs par 1 boîte de 19 oz (540 ml) de haricots blancs égouttés. Dans ce cas omettre l'étape du trempage et les ajouter en même temps que les haricots verts.

Soupe aigre-douce à la chinoise

TEMPS DE PRÉPARATION :
30 minutes

TEMPS DE CUISSON : 15 minutes

PORTIONS : 8

8 tasses (2 l) de bouillon de légumes

2 grosses tomates, coupées en dés

1 carotte, coupée en bâtonnets

1/2 poivron rouge, coupé en bâtonnets

1 paquet de 100 g de champignons shiitake (sans la queue), tranchés

1/2 tasse (125 ml) de champignons volvaires, coupés en 2

1 c. à table (15 ml) de gingembre frais, haché

2 c. à table (30 ml) d'huile de sésame grillé

2 c. à table (30 ml) de vinaigre de riz

2 c. à table (30 ml) de sauce soya légère

1 c. à table (15 ml) de sauce aux huîtres

1 c. à thé (5 ml) de sauce chili piquante

2 œufs, battus

3 c. à table (45 ml) de fécule de maïs

1/4 tasse (60 ml) d'eau froide

1/2 livre (250 g) de tofu, coupé en julienne

1/4 tasse (60 ml) de coriandre fraîche, hachée

Dans une casserole, porter le bouillon de légumes à pleine ébullition.

Ajouter les tomates, la carotte, le poivron, les champignons et le gingembre ; porter de nouveau à pleine ébullition. Réduire la chaleur du feu et laisser mijoter 5 minutes.

Ajouter l'huile de sésame, le vinaigre de riz, la sauce soya, la sauce aux huîtres et la sauce chili piquante ; porter de nouveau à ébullition.

Verser les œufs battus en filet dans la soupe en brassant avec un fouet, de façon à former des filaments.

Lier de la même manière avec la fécule de maïs délayée dans l'eau froide ; porter à ébullition. Ajouter le tofu à la dernière minute.

Servir garni de coriandre fraîche, hachée.

Bouillon de bœuf

TEMPS DE PRÉPARATION :
10 minutes

TEMPS DE CUISSON : 5 heures

PORTIONS :
environ 10 tasses (2,5 l)

4 livres (2 kg) d'os de bœuf

2 oignons, pelés et coupés en deux

2 branches de céleri, hachées

2 carottes, hachées

3 feuilles de laurier

2 c. à thé (10 ml) de poivre noir en grains

20 tasses (5 l) d'eau

12 tasses (3 l) d'eau, supplémentaire

Déposer les os et les oignons dans un plat allant au four. Cuire au four à 400 °F (200 °C), sans couvrir, pendant 1 heure ou jusqu'à ce que les os et les oignons soient bien brunis. Transférer dans une grande casserole.

Ajouter le céleri, les carottes, les feuilles de laurier, le poivre et les 20 tasses (5 l) d'eau. Laisser mijoter à découvert pendant 3 heures.

Ajouter l'eau supplémentaire. Laisser mijoter à découvert pendant 1 heure.

Passer dans un tamis fin. Dégraisser lorsque refroidi.

Variations :

On peut ajouter une à deux gousses d'ail pelées ou un bouquet de persil frais.

Si vous comptez utiliser ce bouillon pour préparer des soupes à la vietnamienne, ajoutez un morceau de racine de gingembre et un bâton de cannelle dans la dernière heure de cuisson.

Les meilleures recettes de Marie-Josée et Claudette Taillefer

Potage aux pommes et
à la crème parfumée à la cardamome

TEMPS DE PRÉPARATION :
20 minutes

TEMPS DE CUISSON : 45 minutes

PORTIONS : 6

3 c. à table (45 ml) de beurre

3 pommes rouges, coupées grossièrement

2 pommes de terre, pelées et coupées grossièrement

1 poireau (partie blanche), tranché

1 oignon, haché grossièrement

1 branche de céleri, tranchée

6 tasses (1,5 l) de bouillon de poulet

Sel et poivre

2 c. à table (30 ml) de ciboulette, hachée

Crème parfumée à la cardamome (facultatif)

2/3 tasse (150 ml) de crème 35 %

1/2 c. à thé (2 ml) de sel

1 pincée de cardamome moulue

1 pincée de piment de cayenne

Dans une grande casserole, faire revenir les pommes et tous les légumes dans le beurre à feu doux 20 minutes, à couvert ; brasser régulièrement.

Ajouter le bouillon de poulet, du sel et du poivre ; porter à ébullition et laisser mijoter environ 20 minutes, jusqu'à ce que les légumes soient cuits.

Laisser tiédir 10 minutes et réduire en purée au mélangeur électrique ou au robot culinaire.

Remettre la purée dans la casserole et faire chauffer de nouveau ; rectifier l'assaisonnement.

Si désiré, servir avec une cuillerée de crème parfumée à la cardamome en garniture et saupoudrer de ciboulette hachée.

Crème parfumée à la cardamome

Dans un bol, fouetter la crème avec tous les autres ingrédients jusqu'à l'obtention de pics mous.

Soupes et potages

85

Soupe de poisson rapide

Une façon ultrarapide d'apprêter le poisson.

TEMPS DE PRÉPARATION :
10 minutes
TEMPS DE CUISSON : 8 minutes

PORTIONS : 4

1 boîte de 14 oz (400 g) de bisque de homard

2 tasses (500 ml) de jus de palourdes ou 1 tasse (250 ml) d'eau, mélangé avec 1 tasse (250 ml) de bouillon de poisson

2 c. à table (30 ml) de cognac ou de pineau des Charentes (facultatif)

10 oz (300 g) de poisson blanc à chair ferme (lotte), coupé en cubes

4 oz (125 g) de crevettes nordiques (facultatif)

Rouille

1/3 tasse (75 ml) de mayonnaise

1/4 c. à thé (1 ml) de Sambal Œlek ou quelques gouttes de sauce Tabasco

1 gousse d'ail, hachée finement

1 c. à thé (5 ml) de pâte de tomates

Accompagnement

8 petites tranches de pain baguette, grillées

Dans une casserole, mélanger au fouet la bisque de homard avec le jus de palourdes ou le mélange d'eau et de bouillon de poisson.

Ajouter l'alcool choisi et le poisson ; porter à ébullition. Cuire jusqu'à ce que le poisson soit opaque.

Au moment de servir, ajouter les crevettes et réchauffer quelques minutes.

Rouille

Dans un petit bol, mélanger la mayonnaise, le Sambal Œlek ou la sauce Tabasco, l'ail et la pâte de tomates.

Au moment de servir, chaque convive tartine une tranche de pain baguette grillée de rouille et la dépose sur sa soupe.

Potage de champignons

TEMPS DE PRÉPARATION :
20 minutes
TEMPS DE CUISSON : 35 minutes

PORTIONS : 4

2 c. à table (30 ml) de beurre

1/2 tasse (125 ml) d'échalotes françaises, hachées finement ou 1 gros oignon

1 livre (500 g) de champignons, tranchés

1 tomate, pelée, épépinée et hachée
Sel et poivre

1/2 c. à thé (2 ml) de thym séché

3 tasses (750 ml) de bouillon de poulet

1/2 à 3/4 tasse (125 à 180 ml) de crème 15 %

1/4 tasse (60 ml) de persil frais, haché finement
Cubes de pain grillé

Dans une casserole, faire fondre à feu doux les échalotes françaises dans le beurre sans laisser prendre couleur.

Augmenter la chaleur, ajouter les champignons, faire sauter jusqu'à ce qu'ils aient rendu leur eau.

Ajouter la tomate, du sel, du poivre, le thym et le bouillon de poulet ; laisser mijoter mi-couvert environ 20 minutes. Incorporer la crème ; réchauffer.

Servir dans de petits bols, saupoudrer de persil et de petits cubes de pain grillé si désiré.

Soupe orientale au poisson

TEMPS DE PRÉPARATION :
20 minutes

TEMPS DE CUISSON : 7 minutes

PORTIONS : 4 à 6

3 tasses (750 ml) d'eau chaude

2 c. à thé (10 ml) de poudre pour bouillon de poisson et fruits de mer
Sel et poivre

1/3 tasse (75 ml) de vinaigre de riz

2 c. à table (30 ml) de sauce soya

1 c. à table (15 ml) de gingembre frais, haché finement

1/2 c. à thé (2 ml) d'huile de sésame

8 oz (250 g) de filets de poisson blanc, coupés en bâtonnets de 1 x 1/4 po (2,5 x 0,5 cm)

8 oz (250 g) de crevettes nordiques, rincées et égouttées

3 échalotes vertes (partie verte seulement), émincées à la diagonale

1 bouquet de cresson (partie feuillue seulement), bien rincé

Dans une casserole, mélanger l'eau, la poudre pour bouillon de poisson et fruits de mer, du sel, du poivre et le vinaigre de riz ; porter à ébullition et laisser mijoter 1 minute.

Ajouter la sauce soya, le gingembre et l'huile de sésame ; couvrir et laisser mijoter à feu moyen 5 minutes.

Ajouter le poisson, couvrir et laisser mijoter encore 1 minute. Retirer du feu.

Ajouter les crevettes, les échalotes vertes et les feuilles de cresson. Servir.

Soupe froide aux tomates et au concombre

TEMPS DE PRÉPARATION :
15 minutes

TEMPS DE CUISSON : aucun

PORTIONS : 4

1 gros concombre, pelé et épépiné

1 poivron rouge, épépiné

1 petit oignon rouge

1 gousse d'ail, grossièrement hachée

1/2 tasse (125 ml) de chapelure

1/4 tasse (60 ml) de basilic frais, haché grossièrement

2 c. à table (30 ml) d'huile d'olive

1 c. à table (15 ml) de vinaigre de vin rouge

2 tasses (500 ml) de jus de légumes
Sel et poivre

Dans le bol du robot culinaire, hacher finement le concombre, le poivron, l'oignon et l'ail.

Ajouter le reste des ingrédients et mélanger jusqu'à ce que ce soit onctueux. Saler et poivrer.

Servir froid dans des bols à soupe.

Les meilleures recettes de Marie-Josée et Claudette Taillefer

Potage verdurette

Une soupe verte, légère, au goût piquant de cresson.

TEMPS DE PRÉPARATION :
15 minutes

TEMPS DE CUISSON : 30 minutes

PORTIONS : 6

1/4 tasse (60 ml) de beurre

2 tasses (500 ml) d'oignons, hachés

1 gousse d'ail, hachée

3 tasses (750 ml) de pommes de terre, émincées

3 tasses (750 ml) de bouillon de poulet

Sel et poivre noir, fraîchement moulu

1 botte de cresson, coupé en morceaux

1/2 tasse (125 ml) de persil frais, haché

1/2 tasse (125 ml) de crème 15 %

Dans une casserole, faire fondre le beurre. Ajouter les oignons et l'ail, faire revenir à feu moyen en brassant régulièrement à la cuillère de bois pendant 10 minutes.

Ajouter les pommes de terre, le bouillon de poulet, le sel et le poivre. Porter à ébullition, couvrir et laisser mijoter à feu doux, pendant 15 minutes.

Ajouter le cresson et le persil, cuire encore 2 minutes.

Passer le potage au robot culinaire ou au mélangeur électrique, remettre sur le feu, ajouter la crème et rectifier l'assaisonnement.

Légumes et plats d'accompagnement

Sauce aux tomates grillées

Ce qui donne à cette sauce son attrait particulier est certainement sa simplicité ; son petit goût de grillé fait toute la différence.

TEMPS DE PRÉPARATION :
15 minutes

TEMPS DE CUISSON : 30 minutes

PORTIONS : 4

4 gousses d'ail, dégermées, hachées

1 gros oignon rouge, haché

1/3 tasse (75 ml) de câpres

1 c. à table (15 ml) de thym frais, haché ou 1 c. à thé (5 ml) de thym séché

1 pincée de piments de Cayenne rouges broyés

1/4 tasse (60 ml) d'huile d'olive

2 livres (1 kg) de grosses tomates rouges (environ 4)

1/4 tasse (60 ml) d'herbes fraîches, hachées (basilic, origan...)

1 livre (500 g) de spaghettis, cuits

Sel et poivre

Parmesan frais, râpé

Préchauffer le four à 450 °F (230 °C).

Dans une rôtissoire suffisamment grande pour accommoder les tomates sans trop les tasser, déposer l'ail, l'oignon, les câpres, le thym et les piments de Cayenne. Arroser d'huile d'olive et mélanger.

Pratiquer un *X* avec la pointe d'un couteau sur la partie inférieure des tomates. Retirer le pédoncule dur de la partie supérieure des tomates.

Couper les tomates en 2 sur l'épaisseur, presser légèrement pour retirer les graines et l'eau de végétation, saler.

Déposer les demi-tomates, face coupée sur les tranches d'oignon. Cuire au four 20 à 25 minutes ou jusqu'à ce que la peau craquelle et que les tomates soient tendres.

À l'aide d'un petit couteau, retirer la peau des tomates. Écraser grossièrement la chair avec une fourchette ou un pilon à pommes de terre.

Ajouter les herbes choisies, mélanger.

Servir sur les spaghettis cuits, saler et poivrer au goût.

Accompagner de parmesan râpé.

Poivrons colorés et salsa verde

Des poivrons de toutes les couleurs joliment disposés dans une assiette ont de quoi réjouir l'appétit.

TEMPS DE PRÉPARATION :
10 minutes

TEMPS DE CUISSON : 45 minutes

PORTIONS : 4

6 poivrons de couleurs différentes, rouges, jaunes, orange, verts ou violets

Salsa verde

2 ou 3 tranches de pain séché, d'environ **1 po** (2,5 cm) d'épaisseur, coupées en cubes

2 c. à table (30 ml) de vinaigre de vin

1 tasse (250 ml) de feuilles de persil italien

1 ou 2 gousses d'ail, dégermées et hachées grossièrement

1 boîte de 48 g de filets d'anchois

2 c. à table (30 ml) de câpres

1 tasse (250 ml) d'huile d'olive

Sel et poivre

Préchauffer le four à 350 °F (180 °C). Déposer les poivrons sur une plaque, cuire au four 45 minutes en tournant les poivrons 2 fois. Placer les poivrons dans un contenant fermé hermétiquement, laisser refroidir. Passer les poivrons sous l'eau froide pour les peler et les égrainer. Réserver.

Pendant la cuisson des poivrons, préparer la salsa verde.

Imbiber le pain de vinaigre de vin, réserver.

Mettre les feuilles de persil dans le bol du robot culinaire avec l'ail, les filets d'anchois et les câpres. Mettre l'appareil en marche, hacher les ingrédients sommairement en pulsant.

Verser l'huile d'olive en filet dans l'appareil en marche. Racler la paroi du bol du robot culinaire de temps en temps. Égoutter le pain, ajouter à la préparation, mélanger. Verser la salsa dans un bol.

Pour servir, disposer les poivrons en couronne sur une assiette de service, poser la salsa verde au centre et laisser chaque convive se servir.

Note :

Pourquoi ne pas ajouter de fines herbes au persil avant de mettre le robot culinaire en marche. Utiliser la salsa verde comme trempette, comme sauce pour des pâtes ou pour agrémenter une entrée de bocconcini et tomates.

Sauce tomate de base et 3 variations

Cette sauce tomate de base se prête à plusieurs variations, comme démontré plus bas. On pourra aussi en garnir des croûtes à pizza, des bruschettas etc.

TEMPS DE PRÉPARATION :
45 minutes

TEMPS DE CUISSON : 3 heures

PORTIONS : 8 tasses (2 l)

3 oignons, hachés finement

1/4 tasse (60 ml) d'huile d'olive

8 gousses d'ail, dégermées et hachées

8 livres (4 kg) de tomates italiennes, pelées, épépinées et hachées

1 gros bouquet garni (thym, laurier, persil, feuilles de céleri)

Sel et poivre, au goût

2 c. à table (30 ml) de beurre mou

Dans une grande casserole épaisse, faire fondre les oignons dans l'huile, à feu doux, en brassant et sans les laisser prendre couleur.

Ajouter l'ail, poursuivre la cuisson jusqu'à ce que le parfum de l'ail s'en dégage. Ajouter les tomates et le bouquet garni.

Assaisonner et laisser mijoter doucement à découvert, environ 3 heures, en brassant souvent. La sauce devra être épaisse et conserver sa forme quand on la tasse sur un côté de la casserole. Ajouter le beurre en brassant.

Note :

Environ 8 tomates italiennes pèsent 1 livre (500 g) et remplacent 1 boîte de 28 oz (796 ml) de tomates italiennes.

Sauce putanesca :

48 g de filets d'anchois, hachés

3 ou 4 gousses d'ail, hachées

l'huile des anchois + huile d'olive pour donner 2 c. à table (30 ml)

2 tasses (500 ml) de sauce tomate de base

1/4 tasse (60 ml) de câpres, égouttées

1/2 tasse (125 ml) d'olives noires, dénoyautées et hachées

1/4 à 1/2 c. à thé (1 à 2 ml) de piments de Cayenne rouges broyés

Dans une petite casserole, faire fondre doucement les anchois et l'ail dans l'huile jusqu'à ce que les anchois commencent à se défaire.

Ajouter la sauce tomate de base, les câpres, les olives et les piments de Cayenne. Laisser mijoter doucement 15 minutes.

Sauce all'Amatriciana

3 oz (90 g) de pancetta ou de bacon, coupé en allumettes

1/4 tasse (60 ml) d'huile d'olive

2 gousses d'ail, dégermées, hachées

1/2 c. à thé (2 ml) de piments de Cayenne rouges broyés

2 tasses (375 ml) de sauce tomate de base

1/2 tasse (125 ml) de parmesan, râpé

Légumes et plats d'accompagnement

Dans une casserole, faire fondre la pancetta ou le bacon dans 2 c. à table (30 ml) d'huile jusqu'à ce que doré. Égoutter, jeter le gras de cuisson.

Verser le reste de l'huile dans la casserole et ajouter l'ail, cuire doucement sans laisser prendre couleur. Ajouter les piments de Cayenne et la sauce tomate de base. Laisser mijoter 15 minutes. En fin de cuisson, ajouter le parmesan et mélanger.

Note :

La pancetta étant très relevée par rapport au bacon, il faudra augmenter la quantité de piments de Cayenne rouges broyés si on a utilisé ce dernier.

Sauce rosée

Cette sauce accompagne parfaitement les tortellinis et les fruits de mer, qu'on ajoutera 2 ou 3 minutes avant la fin de la cuisson.

3 échalotes françaises, hachées finement

2 gousses d'ail, dégermées, hachées

2 c. à table (30 ml) de beurre

2 tasses (500 ml) de sauce tomate de base

2 c. à table (30 ml) de pâte de tomates

1/2 à 3/4 tasse (125 à 180 ml) de crème 15%, chaude

Pâtes cuites, au choix

Dans une casserole, faire fondre doucement les échalotes et l'ail dans le beurre.

Ajouter la sauce tomate de base, la pâte de tomates et la crème chaude.

Mettre les pâtes cuites al dente dans la sauce, bien enrober.

Les tomates séchées

On pourra servir les tomates séchées à l'apéritif avec des olives, du saucisson et des morceaux de fromage. L'huile sera utilisée pour faire revenir des légumes, pour parfumer les sauces pour les pâtes, pour badigeonner les croûtes de pizza.

TEMPS DE PRÉPARATION :
1 heure 30 minutes
TEMPS DE CUISSON :
environ 6 heures

PORTIONS : 4 tasses (1 l)
10 livres (4,54 kg) de tomates italiennes
Sel

Préchauffer le four à 225 °F (115 °C).

Bien laver et essuyer les tomates, percer 5 ou 6 fois la peau avec la pointe d'un couteau.

Couper les tomates en 2 sur la hauteur, dans le sens opposé à la rainure naturelle, les épépiner avec une petite cuillère.

Déposer les tomates sur des plaques. Saler légèrement. Retourner les tomates, côté coupé sur la plaque.

Sécher les tomates au four environ 6 heures. Les tomates sont à point quand leur chair n'attache plus aux doigts et qu'elles sont souples.

Après 4 à 5 heures, vérifier souvent et retirer, au fur et à mesure, les tomates qui sont à point (ouvrir la porte du four de temps en temps pour laisser échapper la vapeur).

Entreposer les tomates dans un bocal stérilisé, puis déposer au réfrigérateur.

Si désiré, recouvrir les tomates d'huile d'olive « extravierge ». On pourra parfumer l'huile avec quelques gousses d'ail blanchies 30 secondes et des fines herbes fraîches. Conserver au réfrigérateur.

Note :

Il est important d'avoir un thermomètre à four afin de s'assurer du dégré de chaleur, qui est primordial.

Pour utiliser les tomates séchées au naturel, en vrac, verser de l'eau bouillante sur les tomates jusqu'à les couvrir. Laisser reposer 15 minutes, égoutter, presser l'excédent de liquide des tomates et les éponger.

Aubergines au gratin

TEMPS DE PRÉPARATION :
30 minutes

TEMPS DE CUISSON :
environ 1 heure

PORTIONS : 6

1 aubergine moyenne

Gros sel

Environ 1/4 tasse (60 ml) d'huile d'olive

2 tasses (500 ml) de fromage mozzarella, râpé

Sauce bolognaise rapide

2 c. à table (30 ml) d'huile d'olive

1 oignon, haché

3 gousses d'ail, hachées

1 livre (500 g) de bœuf haché maigre

Sel et poivre

1/2 tasse (125 ml) de vin rouge

1 feuille de laurier

2 c. à thé (10 ml) de basilic séché

2 c. à thé (10 ml) d'origan séché

1 boîte de 14 oz (398 ml) de tomates italiennes, en dés

Sauce béchamel

2 c. à table (30 ml) de beurre

2 échalotes vertes, hachées

2 c. à table (30 ml) de farine

1 1/3 tasse (325 ml) de lait, chaud

Sel et poivre

1 pincée de muscade moulue

Sauce bolognaise rapide

Dans une casserole, faire fondre l'oignon et l'ail dans l'huile. Ajouter le bœuf haché et cuire en l'émiettant jusqu'à coloration. Saler et poivrer. Ajouter le vin rouge et laisser mijoter jusqu'à évaporation du liquide. Ajouter la feuille de laurier, les herbes et les tomates. Cuire à feu moyen environ 10 minutes, en remuant de temps à autre. Laisser tiédir. Retirer la feuille de laurier.

Sauce béchamel

Dans une autre casserole, faire fondre les échalotes vertes dans le beurre. Ajouter la farine en remuant à feu doux. Lorsque le mélange est homogène, verser lentement le lait chaud en mélangeant sans interruption. Relever d'une pincée de sel, de poivre et de muscade. Laisser mijoter jusqu'à ébullition en remuant régulièrement.

Couper l'aubergine sur la longueur en tranches de 1 cm (1/2 po) d'épaisseur et les déposer sur une plaque. Saupoudrer de gros sel et laisser dégorger 15 minutes. Rincer sous l'eau froide. Bien égoutter.

Préchauffer le four à 350 °F (180 °C). Dans une grande poêle antiadhésive, chauffer un quart de l'huile et y dorer un quart des tranches d'aubergine. Égoutter sur du papier absorbant. Répéter l'opération avec le reste de l'huile et des aubergines.

Dans un plat rectangulaire de 11 x 7 po (28 x 18 cm), déposer la moitié de la sauce bolognaise. Couvrir de la moitié des tranches d'aubergine, puis de toute la sauce béchamel. Y étendre le reste des tranches d'aubergine, puis le reste de la sauce bolognaise. Saupoudrer de mozzarella. Cuire au four environ 20 minutes ou jusqu'à ce que ce soit doré.

Les meilleures recettes de Marie-Josée et Claudette Taillefer

Casserole de pommes de terre et de fenouil

Cette casserole est délicieuse avec des côtelettes d'agneau ou du poisson grillé.

TEMPS DE PRÉPARATION :
20 minutes

TEMPS DE CUISSON : 1 heure

PORTIONS : 6 à 8

2 bulbes de fenouil, parés

2 c. à table (30 ml) d'huile d'olive

3 poireaux (partie blanche), tranchés

1 tasse (250 ml) de crème 35 %

1 tasse (250 ml) de lait

3 gousses d'ail, écrasées

1/2 tasse (125 ml) de parmesan frais, râpé

1 c. à thé (5 ml) de thym séché

1 1/2 livre (750 g) de pommes de terre, pelées et émincées

2 c. à table (30 ml) de persil frais, haché

Sel et poivre

Préchauffer le four à 375 °F (190 °C).

Couper le fenouil en quartiers puis, sur la hauteur, en tranches de 1/4 de po (0,5 cm) d'épaisseur.

Dans une grande poêle, faire fondre légèrement le fenouil dans l'huile. Ajouter les poireaux, faire revenir quelques minutes. Saler et poivrer. Réserver.

Dans un bol, mélanger la crème, le lait, l'ail, 1/4 tasse (60 ml) de parmesan et le thym. Réserver.

Beurrer un plat à gratin de 13 x 9 x 2 po (33 x 23 x 5 cm). Déposer au fond la moitié des pommes de terre. Saler et poivrer.

Verser le mélange de fenouil et de poireaux sur les pommes de terre. Couvrir avec le reste des pommes de terre. Saler et poivrer.

Verser le mélange liquide sur le tout. Couvrir de papier d'aluminium.

Cuire au four 45 minutes. Découvrir et saupoudrer avec le reste du parmesan.

Cuire de nouveau au four à découvert 15 minutes. Saupoudrer de persil.

Carottes au miel et au thym

Les carottes font partie de nos légumes d'accompagnement traditionnels à Noël, par exemple avec la dinde. Voici une façon différente de les apprêter.

TEMPS DE PRÉPARTION :
10 minutes

TEMPS DE CUISSON : 15 minutes

PORTIONS : 8

1 livre (500 g) de petites carottes fraîches, coupées ou entières

1/2 tasse (125 ml) de bouillon de poulet

1/2 tasse (125 ml) d'eau

1 paquet d'échalotes vertes, partie blanche émincée

2 c. à table (30 ml) de beurre

3 c. à table (45 ml) de miel

1 c. à table (15 ml) de thym frais, haché ou 1 c. à thé (5 ml) de thym séché

Sel et poivre

Dans une casserole moyenne, cuire les carottes dans le bouillon de poulet et l'eau, 15 minutes environ.

Dans une grande poêle, faire fondre les échalotes dans le beurre à feu doux, ajouter les carottes cuites, le miel, le thym, le sel et le poivre.

Mélanger pour bien enrober les carottes. Couvrir, réchauffer doucement 4 ou 5 minutes.

Note :

Préparer les carottes à l'avance et les réchauffer au dernier moment.

Les meilleures recettes de Marie-Josée et Claudette Taillefer

Purée de pommes de terre et tomates

Cette purée se prépare quelques heures à l'avance. Il suffit de la mettre au four les 15 dernières minutes de cuisson d'un rôti de bœuf ou de veau.

TEMPS DE PRÉPARATION :
15 minutes

TEMPS DE CUISSON : 40 minutes

PORTIONS : 6

2 livres (1 kg) de pommes de terre Yukon Gold ou autres

1/4 tasse (60 ml) de crème 35 %

1 œuf

1/4 tasse (60 ml) de lait, si nécessaire

Sel et poivre

2 gousses d'ail, hachées finement

1 c. à table (15 ml) d'huile d'olive

4 grosses tomates italiennes, pelées, épépinées et coupées en tranches épaisses

1 c. à thé (5 ml) d'origan ou de basilic séché

1/3 tasse (75 ml) de parmesan frais, râpé

2 c. à table (30 ml) de chapelure

2 c. à table (30 ml) d'huile d'olive supplémentaire

Préchauffer le four à 350 °F (180 °C). Beurrer un plat de 6 tasses (1,5 l) allant au four.

Dans une casserole, cuire les pommes de terre à l'eau bouillante salée. Égoutter les pommes de terre puis les assécher sur le feu.

Écraser les pommes de terre au pilon, puis réduire en purée au batteur électrique avec la crème et l'œuf.

Ajouter du lait si nécessaire pour assouplir la purée. Saler et poivrer au goût. Réserver.

Pendant ce temps, dans une grande poêle, faire fondre à feu doux l'ail dans l'huile.

Ajouter les tranches de tomate, cuire en les tournant durant 4 à 5 minutes à feu moyen. Saupoudrer d'origan ou de basilic.

Verser la moitié de la purée de pommes de terre dans le plat. Égaliser la surface. Disposer dessus les tomates. Saupoudrer avec la moitié du parmesan.

Répéter avec le reste de la purée. Saupoudrer du reste de parmesan et de chapelure.

Arroser d'huile d'olive et cuire au four 30 minutes.

Mousse au thon et au citron

Au robot culinaire, fouetter ensemble le contenu d'une boîte de 6,5 oz (184 ml) de thon dans l'huile (de préférence) égoutté, 1/2 tasse (125 ml) de beurre mou et le jus de 1/2 citron. Saler et poivrer.

Ajouter 10 olives farcies et 1 à 2 c. à table (15 à 30 ml) de câpres.

Pulser l'appareil juste pour hacher grossièrement les olives.

Verser dans un petit bol, servir avec des biscottes.

Biryani aux légumes

Le biryani est un plat de riz indien qui accompagne entre autres le poulet tandoori. Il est très parfumé, comme le veut la cuisine indienne.

**TEMPS DE PRÉPARATION :
20 minutes
TEMPS DE CUISSON : 35 minutes**

PORTIONS : 4 à 6

2 c. à table (30 ml) d'huile végétale

1 oignon, haché finement

2 gousses d'ail, hachées finement

1 tasse (250 ml) de riz basmati

2 gousses de cardamome (facultatif)

1/2 c. à thé (2 ml) de cumin moulu

2 c. à thé (10 ml) de gingembre frais, râpé

1 carotte, coupée en petits cubes

1 poivron vert, coupé en petits cubes

1 1/2 tasse (375 ml) de petits bouquets de chou-fleur

1/8 c. à thé (0,5 ml) de safran ou 1/2 c. à thé (2 ml) de curcuma

2 tasses (500 ml) de bouillon de poulet

1/4 tasse (60 ml) d'amandes, tranchées

1/4 tasse (60 ml) de raisins secs

Sel et poivre

Dans une casserole, faire chauffer l'huile. Ajouter l'oignon et l'ail. Cuire en remuant jusqu'à tendreté.

Ajouter le riz, les gousses de cardamome, le cumin et le gingembre. Remuer jusqu'à ce que le riz commence à dorer.

Ajouter les légumes, le safran ou le curcuma, le bouillon de poulet, les amandes et les raisins. Saler et poivrer.

Porter à ébullition, couvrir et laisser mijoter à minimum 20 minutes.

Remuer, retirer les gousses de cardamome et servir avec le poulet tandoori.

Raïta au concombre

La raïta est un condiment qui accompagne plusieurs plats de l'Inde.

Pour la préparer, mélanger 1/2 concombre anglais non pelé coupé en petits cubes, 1 tasse (250 ml) de yogourt nature, 1 c. à table (15 ml) de menthe fraîche hachée et 1 c. à table (15 ml) de coriandre fraîche hachée.

Saler et poivrer.
Réfrigérer 30 minutes.

Au moment de servir, saupoudrer légèrement de cumin moulu.

Tyropita

Succulentes bouchées chaudes pour les cocktails, petits triangles de pâte phyllo fourrés de feta et de cœurs d'artichaut.

TEMPS DE PRÉPARATION :
50 minutes

TEMPS DE CUISSON : 10 minutes

PORTIONS : 45 bouchées

1 tasse (250 ml) de fromage feta, émietté

1/2 tasse (125 ml) de fromage à la crème

3/4 tasse (180 ml) de cœurs d'artichaut, émincés

3 c. à table (45 ml) de poivron rouge, haché

1 c. à thé (5 ml) de persil frais, haché

1/4 c. à thé (1 ml) de poivre noir, fraîchement moulu

30 feuilles de pâte phyllo

1/2 tasse (125 ml) de beurre tiède

3 c. à table (45 ml) de beurre tiède, supplémentaire

Préchauffer le four à 400 °F (200 °C).

Dans un bol, bien mélanger les deux fromages.

Ajouter les cœurs d'artichaut, le poivron, le persil et le poivre d'un seul coup, mélanger délicatement à la spatule de caoutchouc.

Déposer une feuille de pâte phyllo sur une planche de bois. À l'aide d'un pinceau, badigeonner de beurre tiède. Couvrir d'une autre feuille de pâte phyllo. Couper sur le sens vertical, en trois bandes égales. Plier ces trois bandes en deux sur le sens de la longueur. Déposer 2 c. à thé (10 ml) de la préparation au fromage dans le coin droit au haut de la bande de pâte. Plier successivement en triangles.

Répéter les opérations pour utiliser toutes les feuilles de pâte phyllo.

Déposer sur une plaque et badigeonner des 3 c. à table (45 ml) de beurre supplémentaire. Cuire au four environ 8 minutes, jusqu'à ce que les bouchées soient bien colorées, tourner et cuire encore 2 minutes. Servir chaud.

Riz parfumé

TEMPS DE PRÉPARATION :
15 minutes

TEMPS DE CUISSON : 10 minutes

PORTIONS : 4

2 c. à table (30 ml) de graines de sésame

1 c. à table (15 ml) d'huile végétale

1 oignon, haché finement

1 gousse d'ail, hachée finement

1 tasse (250 ml) de riz à grains longs

2 tasses (500 ml) de bouillon de poulet, bouillant

2 c. à table (30 ml) de vinaigre de riz

1 c. à table (15 ml) de sauce soya

1 morceau de gingembre de 1 po (2,5 cm), piqué sur un cure-dent

1 c. à thé (5 ml) d'huile de sésame

1/2 c. à thé (2 ml) de pâte chili chinoise (facultatif)

Sel

1/4 c. à thé (1 ml) de Sambal Œlek ou de piment de Cayenne broyé

1 tasse (250 ml) de pois verts surgelés

Dans une casserole moyenne, faire sauter les graines de sésame dans l'huile juste pour dorer. Réduire la chaleur, ajouter l'oignon et l'ail dans l'huile et faire fondre doucement.

Ajouter le riz, mélanger pour bien enrober et cuire en brassant jusqu'à ce que le riz commence à peine à dorer.

Ajouter les autres ingrédients, sauf les pois verts. Porter à ébullition, couvrir. Réduire le feu et cuire environ 15 minutes. Trois minutes avant la fin de la cuisson, ajouter les pois verts.

Les meilleures recettes de Marie-Josée et Claudette Taillefer

Pommes de terre sautées au romarin

TEMPS DE PRÉPARATION :
5 minutes

TEMPS DE CUISSON : 15 minutes

PORTIONS : 4

4 à 6 grosses pommes de terre, coupées en cubes de 1/2 po (1 cm)

3 c. à table (45 ml) de beurre

3 c. à table (45 ml) d'huile d'olive

2 c. à table (30 ml) de romarin frais, haché, ou 1 c. à thé (5 ml) de romarin, séché

Sel

Blanchir les pommes de terre 5 minutes dans l'eau bouillante salée. Égoutter.

Dans une grande poêle, faire sauter les pommes de terre dans le beurre et l'huile à feu vif, en agitant la poêle pour bien les enrober durant 1 à 2 minutes.

Laisser griller 5 minutes, mélanger, réduire le feu à moyen et continuer de faire sauter les pommes de terre en agitant la poêle de temps en temps. Ajouter le romarin.

Au moment de servir, saler les pommes de terre.

Note :

Les pommes de terre sautées sont aussi délicieuses avec les grillades et le poisson.

Pommes de terre au paprika

Peler et couper 4 belles pommes de terre moyennes en deux et les déposer à plat dans un plat de cuisson beurré.

À l'aide d'un petit couteau tranchant, faire de petites incisions à intervalles réguliers dans les pommes de terre, en prenant soin de ne pas les trancher complètement.

Verser environ 3 c. à table (45 ml) de beurre fondu sur celles-ci, saler et poivrer.

Faire cuire au four pendant 30 minutes en les badigeonnant de temps à autre de beurre fondu.

Mélanger 3 c. à table (45 ml) de chapelure et 1 c. à table (15 ml) de paprika. Saupoudrer sur les pommes de terre et poursuivre la cuisson environ 15 minutes.

Légumes et plats d'accompagnement

Tempura de légumes

Le secret de la délicieuse friture japonaise, si légère, est dans la pâte, qu'il faut à peine mélanger !

TEMPS DE PRÉPARATION :
45 minutes

TEMPS DE CUISSON : 20 minutes

PORTIONS : 4

4 tasses (1 l) d'huile d'arachide

8 tranches de 1/2 po (1 cm) de patates sucrées, pelées

4 tranches de 1/2 po (1 cm) d'oignon

8 tranches de 1/2 po (1 cm) de courgette

8 bouquets de brocoli

1 poivron rouge, coupé en 8 lanières

12 haricots verts, parés

12 crevettes, décortiquées et déveinées (conserver la queue)

Pâte

2 tasses (500 ml) d'eau glacée

2 jaunes d'œufs

2 tasses (500 ml) de farine tout usage

2 c. à table (30 ml) de fécule de maïs

Sauce

1 tasse (250 ml) de bouillon de poulet en conserve

3/4 tasse (180 ml) d'eau

1 c. à table (15 ml) de sauce Tamari

1 c. à table (15 ml) de gingembre frais, râpé finement

1 c. à table (15 ml) de saké, de sherry ou de vinaigre de riz

Préchauffer l'huile d'arachide dans une casserole à 350 °F (180 °C) et le four à 250 °F (125 °C).

Pâte

Dans un bol, battre l'eau et les jaunes d'œufs 1 minute.

Dans un autre bol, mélanger la farine et la fécule de maïs, former un puits au centre. Verser le liquide dans le puits. Brasser très légèrement avec un fouet 5 secondes. Il doit rester de la farine sur les rebords et le mélange ne doit pas être homogène.

Tremper les légumes et les crevettes (environ 12 morceaux à la fois) en égouttant bien la pâte sur les rebords du bol.

Faire frire jusqu'à coloration dorée. Déposer sur une plaque et réserver au four pendant la cuisson des autres aliments.

Sauce

Dans un bol, bien mélanger tous les ingrédients.

Servir avec la sauce.

Asperges grillées

Le retour des asperges... Miam !
On les cuit à l'huile d'olive au gril en 4 minutes. Un menu tout en vert pour les Irlandais.

• Parer 60 fines asperges fraîches et les déposer en un seul rang sur une plaque à biscuits.

• Saler, poivrer et badigeonner avec 1 c. à table (15 ml) d'huile d'olive.

• Passer sous le gril environ 2 minutes, faire tourner les asperges et passer sous le gril 2 minutes supplémentaires.

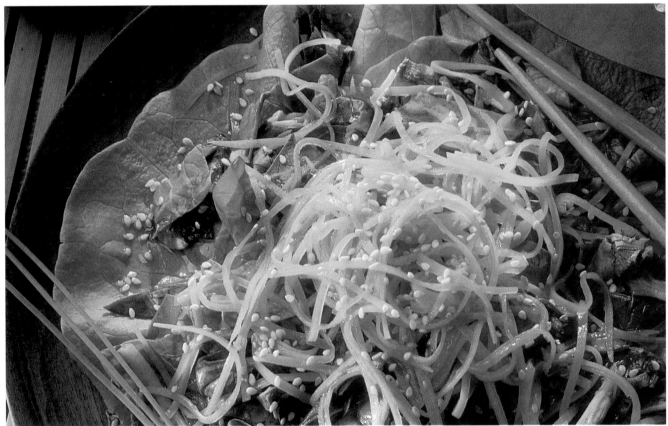

Une heureuse initiation aux parfums japonais que ce mélange parfumé à la sauce soya et à l'huile de sésame.

TEMPS DE CUISSON : aucun
TEMPS DE PRÉPARATION :
20 minutes

PORTIONS : 4

1 paquet de 10 oz (300 g) d'épinards, équeutés et lavés

1/2 tasse (125 ml) de julienne de carotte, blanchie

1 c. à table (15 ml) de graines de sésame, grillées

Vinaigrette

2 c. à thé (10 ml) d'huile de sésame grillé ou d'arachide

1 c. à thé (5 ml) de sucre

4 c. à thé (20 ml) de sauce soya

1 c. à table (15 ml) de vinaigre de riz

1/4 tasse (60 ml) de bouillon de poulet en conserve

Déposer les épinards dans une passoire et verser dessus 6 tasses (1,5 l) d'eau bouillante. Passer à l'eau froide et égoutter sur un linge. Essorer et hacher grossièrement.

Déposer les épinards dans 4 bols, y répartir la julienne de carotte et parsemer de graines de sésame.

Dans un bol, bien mélanger tous les ingrédients de la vinaigrette.

Verser sur les salades.

Pilaf aux légumes

On l'appelle pulao en cuisine indienne. Ce mariage de riz, de noix, de raisins, de fruits, de légumes et d'épices vous épatera.

TEMPS DE PRÉPARATION :
30 minutes

TEMPS DE CUISSON : 25 minutes

PORTIONS : 4

3 c. à table (45 ml) de beurre

1/2 tasse (125 ml) de carottes, coupées en dés de 1/4 po (1/2 cm)

1/2 tasse (125 ml) de poivron vert, coupé en dés de 1/4 po (1/2 cm)

2/3 tasse (150 ml) d'oignons, coupés en dés de 1/4 po (1/2 cm)

1/2 c. à thé (2 ml) de cumin moulu

1/2 c. à thé (2 ml) de curcuma moulu

1/2 c. à thé (2 ml) de coriandre séchée

1/4 c. à thé (1 ml) de cardamome moulue

1/4 c. à thé (1 ml) de poivre noir, fraîchement moulu

2 tasses (500 ml) de riz basmati

3 tasses (750 ml) d'eau

1 c. à thé (5 ml) de sel

1/4 tasse (60 ml) de noix de coco non sucrée, râpée

1/2 tasse (125 ml) de noix de cajou, non salées

1 tasse (250 ml) de bananes, tranchées et citronnées

Dans une casserole, faire fondre le beurre et y faire suer les carottes, le poivron et les oignons 8 minutes sans coloration.

Ajouter les épices et cuire encore 3 minutes en brassant.

Ajouter le riz, l'eau et le sel. Porter à pleine ébullition. Baisser le feu à minimum, couvrir et cuire 17 minutes.

Disposer dans une assiette de service et garnir de noix de coco, de noix de cajou et de tranches de banane.

Légumes et plats d'accompagnement

Humus au citron

Notre version de cette célèbre trempette vous fera redécouvrir et apprécier les pois chiches.

TEMPS DE PRÉPARATION :
10 minutes

TEMPS DE CUISSON : 8 minutes environ pour les croustilles

PORTIONS : 6

Humus

1 boîte de 19 oz (540 ml) de pois chiches

2 gousses d'ail, hachées

Zeste de 1/2 citron, râpé

Jus de 1 citron

1/2 tasse (125 ml) d'huile d'olive

Sel et poivre

Croustilles

30 pâtes Won ton, coupées en deux (en forme de triangle)

Huile d'olive en aérosol

Sel

Cumin, poudre chili, thym ou origan séché

Préchauffer le four à 350 °F (180 °C).

Égoutter les pois chiches et conserver l'eau de végétation.

Au robot culinaire, mélanger les pois chiches, l'ail, le zeste et le jus de citron, puis l'huile d'olive. Saler et poivrer.

Si nécessaire, allonger la purée avec quelques cuillerées d'eau de végétation.

Verser dans un bol, couvrir et réserver au froid.

Croustilles

Disposer les triangles de pâtes Won ton sur une plaque huilée. Vaporiser d'huile d'olive, saler et assaisonner de l'une ou l'autre des épices ou herbes suggérées, au goût.

Cuire au four environ 8 minutes ou jusqu'à ce que les triangles de pâte soient dorés et croustillants.

Les meilleures recettes de Marie-Josée et Claudette Taillefer

Couscous aux légumes

Ses saveurs orientales nous comblent et nous transportent dans la casbah!

TEMPS DE PRÉPARATION :
30 minutes

TEMPS DE CUISSON : 30 minutes

PORTIONS : 6

Légumes

1 gros oignon, coupé en petits quartiers et effeuillé

2 c. à table (30 ml) d'huile d'olive

2 gousses d'ail, hachées finement

4 carottes moyennes, coupées en tronçons

2 petits navets blancs, coupés en quartiers

2 petites courgettes, coupées en tronçons

2 poivrons rouges ou jaunes, parés et coupés en morceaux de 2 po (5 cm)

3 tomates rouges, pelées, épépinées et coupées en quartiers

1 boîte de 19 oz (540 ml) de pois chiches, égouttés et rincés

1 bâton de cannelle

1 c. à thé (5 ml) de curcuma moulu

1 c. à thé (5 ml) de cumin moulu
Sel et poivre

2 tasses (500 ml) de bouillon de poulet

Couscous

1 oignon moyen, haché finement

1 c. à table (15 ml) d'huile d'olive

2 rubans de zeste d'orange de 3 x 1 po (7,5 x 2,5 cm)

1/2 tasse (125 ml) de raisins de Corinthe (facultatif)

1/4 à 1/2 c. à thé (1 à 2 ml) de harissa ou de piment de Cayenne broyé

1 1/2 tasse (375 ml) de couscous

2 c. à table (30 ml) de beurre

1/4 tasse (60 ml) de persil plat, haché finement

1/4 tasse (60 ml) de menthe fraîche, hachée (facultatif)

1 sachet de 60 g d'amandes tranchées, grillées

Légumes

Dans une casserole moyenne, faire fondre l'oignon dans l'huile à feu moyen.

Ajouter les autres légumes, les pois chiches, les assaisonnements et le bouillon de poulet.

Couvrir et cuire à feu moyen-doux 20 minutes. Égoutter en prenant soin de réserver 1 1/2 tasse (375 ml) de jus de cuisson pour le couscous. Réserver les légumes.

Couscous

Dans une autre casserole, faire fondre l'oignon dans l'huile.

Ajouter les rubans de zeste d'orange, les raisins, la harissa ou le piment de Cayenne. Mélanger.

Incorporer le jus de cuisson des légumes réservés.

Ajouter le couscous et porter à ébullition. Ajouter le beurre, couvrir.

Retirer du feu et laisser gonfler 5 minutes. Mélanger avec une fourchette pour alléger.

Déposer le couscous dans un grand plat creux, ajouter le persil et la menthe. Mélanger.

Verser les légumes sur le couscous, saupoudrer d'amandes. Servir sans attendre.

Légumes et plats d'accompagnement

Tarte à la tomate

Un classique autour duquel on peut tourner sans fin!

TEMPS DE PRÉPARATION :
15 minutes

TEMPS DE CUISSON :
45 minutes à 1 heure

PORTIONS : 4 à 6

8 tomates italiennes, pelées, épépinées et coupées en tranches épaisses

1/2 tasse (125 ml) d'huile d'olive

2 gousses d'ail, écrasées

2 échalotes françaises, hachées finement

Sel et poivre

1/3 tasse (75 ml) de basilic frais, émincé, ou 1 c. à thé (5 ml) d'herbes de Provence ou d'origan séché

1/2 paquet de 411 g de pâte feuilletée du commerce

2 c. à table (30 ml) de moutarde de Dijon

1 tasse (250 ml) de fromage Cantal, mozzarella ou Saint-Benoît, râpé

1/3 de tasse (75 ml) de parmesan frais, râpé

Dorure

1 jaune d'œuf

1 c. à table (15 ml) d'eau

Dans un sac de plastique hermétique, mélanger les tomates, l'huile d'olive, l'ail, les échalotes, le sel, le poivre, le basilic et les herbes de Provence ou l'origan. Laisser mariner environ 2 heures sur le comptoir en retournant le sac de temps en temps.

Préchauffer le four à 375 °F (180 °C).

Abaisser la pâte pour former un rectangle d'environ 10 x 12 po (25 x 30 cm).

Replier le pourtour pour former une bordure de 1/2 po (1 cm) et la badigeonner de dorure (jaune d'œuf et eau).

Badigeonner le fond de la pâte avec la moutarde de Dijon et saupoudrer du fromage choisi.

Égoutter les tranches de tomate et les répartir sur le fromage. Passer la marinade au tamis et ajouter les résidus solides sur les tomates.

Saupoudrer de parmesan et cuire au four 45 minutes à 1 heure.

Note :

La tarte aux tomates se mange chaude, tiède ou froide.

Ajouter du vinaigre de vin ou du jus de citron à la marinade et l'utiliser sur une salade comme vinaigrette.

Remplacer les tomates italiennes par 3 tomates rouges tranchées et soigneusement épongées sur du papier essuie-tout.

Pommes de terre au four

Peler 4 pommes de terre, rouges de préférence, et les cuire à l'eau bouillante salée.

Égoutter et couper les pommes de terre en deux.

Strier la chair de la pomme de terre avec une fourchette. Déposer à plat sur une plaque généreusement beurrée.

Garnir chaque morceau de pommes de terre d'une noisette de beurre. Saler et poivrer.

Cuire au four à 400 °F (200 °C) de 30 à 40 minutes.

Note :

Cuire les pommes de terre au four en même temps, par exemple, que du poulet.

Les meilleures recettes de Marie-Josée et Claudette Taillefer

Vermicelles de riz aux légumes

Avec une sauce au cari, voici l'accompagnement idéal pour le porc.

TEMPS DE PRÉPARATION :
25 minutes
TEMPS DE CUISSON : 8 minutes

PORTIONS : 4

8 oz (250 g) de vermicelles de riz

4 c. à table (60 ml) d'huile végétale

3 carottes, coupées en julienne

1 brocoli, en bouquets
(environ 3 tasses/750 ml)

1 poireau, coupé en julienne, ou
4 échalotes vertes

1 oignon rouge moyen, coupé en 2,
puis en fines tranches

1/2 tasse (125 ml) de bouillon de
poulet

1 c. à thé (5 ml) de fécule de maïs

4 c. à table (60 ml) de sauce soya

2 c. à table (30 ml) de brandy ou de
mirin (facultatif)

1 c. à table (15 ml) de sucre

1 c. à thé (5 ml) d'huile de sésame
grillé

2 gousses d'ail, émincées

1 1/2 c. à table (22 ml) de
gingembre frais, coupé en aiguillettes

1 c. à table (15 ml) de poudre de cari

1/4 c. à thé (1 ml) de curcuma
(facultatif)

Dans un grand bol, déposer les
vermicelles de riz et les recouvrir
d'eau bouillante. Laisser tremper
5 à 10 minutes ou jusqu'à ce qu'ils
soient blancs et tendres. Égoutter et
réserver.

Dans un wok, chauffer 1 c. à table
(15 ml) d'huile à feu moyen-élevé et
ajouter les carottes. Cuire 2 minutes à
couvert, en brassant 1 ou 2 fois.

Ajouter les bouquets de brocoli et le
poireau, cuire 2 minutes à couvert en
brassant 1 ou 2 fois.

Ajouter l'oignon et cuire 1 minute à
couvert en brassant 1 ou 2 fois.

Retirer les légumes du wok et réserver
dans un bol.

Dans un petit bol, mélanger le
bouillon de poulet et la fécule de maïs
jusqu'à ce que celle-ci soit dissoute.
Ajouter la sauce soya, le brandy ou le
mirin, le sucre et l'huile de sésame.

Chauffer le wok à feu élevé et faire
sauter l'ail et le gingembre dans
l'huile environ 30 secondes. Ajouter la
poudre de cari et le curcuma et bien
mélanger.

Ajouter la sauce en s'assurant qu'elle
soit bien dissoute. Porter à ébullition
en brassant régulièrement.

Ajouter les nouilles et les légumes en
mélangeant délicatement. Servir bien
chaud.

Brocoli à l'ail

1 brocoli, défait en bouquets

2 gousses d'ail, hachées

1 pincée de piment de Cayenne
broyé

3 c. à table (45 ml) d'huile d'olive
Sel

1 citron, coupé en quartiers

Cuire les bouquets de brocoli à la
vapeur environ 4 minutes.

Dans une poêle, faire sauter l'ail et le
piment de Cayenne dans l'huile.

Ajouter les bouquets de brocoli, faire
sauter 1 minute pour bien enrober.
Saler.

Servir avec des quartiers de citron.

Carottes braisées aux câpres

La carotte, un légume indispensable. Voici deux savoureuses façons de l'apprêter.

TEMPS DE PRÉPARATION :
10 minutes
TEMPS DE CUISSON :
10 à 15 minutes

PORTIONS : 4

4 carottes moyennes, coupées en bâtonnets, ou 1 livre (500 g) de carottes miniatures

2 gousses d'ail, hachées finement

1 c. à table (15 ml) d'huile

1 c. à table (15 ml) de beurre

1/2 c. à thé (2 ml) de thym séché

Sel et poivre

1/2 tasse (125 ml) de bouillon de poulet

2 c. à table (30 ml) de câpres, égouttées

Dans une poêle, faire fondre les carottes et l'ail dans l'huile et le beurre 4 minutes en remuant la poêle de temps en temps.

Ajouter le thym, le sel, le poivre et le bouillon de poulet.

Couvrir partiellement et laisser mijoter 10 minutes en remuant la poêle de temps à autre.

Ajouter les câpres et poursuivre la cuisson jusqu'à complète évaporation du bouillon de poulet.

Carottes à la crème et aux herbes

TEMPS DE PRÉPARATION :
10 minutes
TEMPS DE CUISSON :
10 à 15 minutes

PORTIONS : 4

1 livre (500 g) de carottes, coupées à la diagonale

1 c. à table (15 ml) de beurre

Sel et poivre

1/4 tasse (60 ml) de crème 35 %

1/4 tasse (60 ml) de basilic, d'estragon ou de menthe fraîche, émincé

Dans une poêle, faire fondre les carottes dans le beurre à feu moyen. Saler et poivrer.

Couvrir et réduire la chaleur. Cuire jusqu'à ce que les carottes soient tendres.

Ajouter la crème et la fine herbe choisie.

Laisser réduire pour bien enrober les carottes et vérifier l'assaisonnement.

Note :

Cette recette est délicieuse servie avec une viande grillée ou rôtie.

Épis de maïs grillés sur BBQ

Retirer la moitié de la pelure des épis de maïs et faire tremper ces derniers dans l'eau froide. Submerger pendant 30 minutes.

Cuire sur la grille du barbecue à intensité moyenne environ 15 minutes en les retournant.

Peler, badigeonner de beurre, saler et poivrer ; remettre sur la grille en les retournant pour les griller légèrement.

Les meilleures recettes de Marie-Josée et Claudette Taillefer

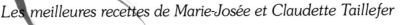

Mini-aubergines grillées, vinaigrette asiatique

TEMPS DE PRÉPARATION :
10 minutes
TEMPS DE CUISSON : 6 minutes

PORTIONS : 4

Vinaigrette asiatique

1/4 tasse (60 ml) d'huile d'arachide

1 c. à table (15 ml) d'huile de sésame grillé

3 c. à table (45 ml) de vinaigre de riz

2 c. à thé (10 ml) de pâte de miso

1 c. à thé (5 ml) de sauce hoisin

1 c. à thé (5 ml) de gingembre frais, haché finement

Légumes

8 petites aubergines, coupées en 2 sur le sens de la longueur

2 c. à table (30 ml) d'huile d'olive

Sel et poivre

2 tasses (500 ml) de laitue chinoise, finement émincée

Dans un bol, mélanger tous les ingrédients de la vinaigrette asiatique. Réserver.

Préchauffer le barbecue à intensité maximale.

Badigeonner les aubergines d'huile d'olive et les assaisonner.

Déposer les aubergines sur la grille du barbecue (côté chair directement sur la grille), refermer le couvercle et cuire à intensité moyenne 4 minutes. Retourner et continuer la cuisson environ 2 minutes à couvert.

Déposer dans un plat de service sur un lit de laitue chinoise et arroser de vinaigrette asiatique.

Sauté de brocoli et de champignons

Des recettes de légumes en cette période d'abondance, on n'en a jamais trop!

TEMPS DE PRÉPARATION :
15 minutes
TEMPS DE CUISSON : 8 minutes

PORTIONS : 4

8 oz (250 g) de bouquets de brocoli (4 tasses/1 l)

3 c. à table (45 ml) d'huile

1/2 livre (250 g) de champignons, coupés en quartiers

6 échalotes vertes, émincées

1 c. à thé (5 ml) de gingembre frais, râpé

2 c. à table (30 ml) de vinaigre de riz

2 c. à table (30 ml) de sauce soya

1/3 tasse (75 ml) de bouillon de poulet

Dans un wok ou dans une grande poêle, faire sauter les bouquets de brocoli dans 2 c. à table (30 ml) d'huile en brassant jusqu'à ce qu'ils soient vert foncé.

Ajouter le reste de l'huile, les champignons, les échalotes et le gingembre ; faire sauter jusqu'à ce que les champignons soient dorés.

Ajouter le vinaigre de riz, la sauce soya et le bouillon de poulet.

Couvrir et laisser mijoter jusqu'à ce que les bouquets de brocoli soient cuits al dente. Servir immédiatement.

Tarte aux épinards (Torta di verdura)

TEMPS DE PRÉPARATION :
40 minutes

TEMPS DE CUISSON : 35 minutes

PORTIONS : 6

1 1/2 tasse (375 ml) de farine

1/2 c. à thé (2 ml) de sel

2 c. à thé (10 ml) de marjolaine séchée

1/2 tasse (125 ml) de beurre froid, coupé en petits morceaux

2 c. à table (30 ml) de graisse végétale froide, coupée en petits morceaux

1/3 à 1/2 tasse (75 à 125 ml) d'eau glacée

Garniture

8 échalotes vertes, hachées finement

1 c. à table (15 ml) d'huile d'olive

1 c. à table (15 ml) de beurre

1/2 livre (250 g) de champignons émincés

1 paquet de 600 g d'épinards surgelés, décongelés et soigneusement essorés

Sel et poivre

1 1/2 tasse (375 ml) de ricotta

3 œufs, légèrement battus

1/2 c. à thé (2 ml) de muscade fraîche, râpée

1/2 tasse (125 ml) de parmesan frais, râpé

Dans le bol du robot culinaire, mélanger la farine, le sel et la marjolaine. Répartir le beurre et la graisse sur les ingrédients secs.

Pulser l'appareil afin de réduire le gras à la taille de petits pois. Puis, pendant que l'appareil est en marche, incorporer 1/3 tasse (75 ml) d'eau glacée.

Ajouter le reste d'eau au besoin ou jusqu'à ce que la pâte forme une boule. Envelopper la pâte dans une pellicule de plastique et laisser reposer au réfrigérateur 1 ou 2 heures.

Préchauffer le four à 350 °F (180 °C).

Garniture

Pendant ce temps, dans une casserole moyenne, faire fondre les échalotes dans l'huile et le beurre.

Ajouter les champignons, laisser cuire jusqu'à ce qu'ils aient perdu leur eau. Ajouter les épinards. Mélanger et cuire en brassant jusqu'à ce que les épinards soient asséchés. Saler et poivrer. Retirer du feu. Laisser tiédir.

Mélanger la ricotta, les œufs, la muscade et le parmesan, incorporer aux épinards.

Abaisser la pâte sur une surface enfarinée. Déposer l'abaisse dans une assiette à tarte ou à quiche de 10 po (25 cm) et foncer le pourtour.

Verser la garniture refroidie dans la croûte et cuire au four environ 35 minutes.

Strudel aux épinards et au maïs

TEMPS DE PRÉPARATION :
45 minutes

TEMPS DE CUISSON : 24 minutes

PORTIONS : 4 entrées

1 tasse (250 ml) de fromage ricotta

2 c. à table (30 ml) de parmesan frais, râpé

1 1/2 tasse (375 ml) de grains de maïs surgelés, décongelés

2 blancs d'œufs

1/2 c. à thé (2 ml) de zeste de citron, râpé finement

1/4 c. à thé (1 ml) de muscade moulue

1/2 c. à thé (2 ml) de sel

1/2 c. à thé (2 ml) de poivre

4 feuilles de pâte phyllo

1/3 tasse (80 ml) de beurre, fondu et tiédi

2 paquets de 10 oz (300 g) chacun d'épinards frais, parés, cuits et essorés

1 1/2 tasse (375 ml) de sauce tomate

4 bouquets de persil italien frais

Dans un bol, mélanger la ricotta, le parmesan, les grains de maïs, les blancs d'œufs, le zeste de citron, la muscade, le sel et le poivre. Réserver.

Préchauffer le four à 400 °F (200 °C).

Étaler une feuille de pâte phyllo ; bien badigeonner de beurre fondu. Poursuivre cette opération pour chacune des feuilles de pâtes phyllo en terminant avec du beurre.

Étaler le mélange au fromage sur la longueur de la feuille de pâte phyllo en couvrant un tiers de la surface. Ajouter les feuilles d'épinard cuites sur le mélange au fromage et rouler en un long cylindre.

On peut emballer le strudel et le réfrigérer jusqu'à deux jours.

Déposer sur une plaque de cuisson légèrement enfarinée ; badigeonner du reste de beurre. Cuire au four 12 minutes ; retourner le strudel et poursuivre la cuisson 12 minutes ou jusqu'à ce qu'il soit bien doré.

Trancher le strudel à la diagonale et déposer dans quatre assiettes garnies de sauce tomate, d'un bouquet de persil frais et dequelques grains de maïs.

Pommes de terre Duchesse

TEMPS DE PRÉPARATION :
20 minutes

TEMPS DE CUISSON : 50 minutes

PORTIONS : 10

6 grosses pommes de terre Idaho, pelées et coupées en morceaux

3 c. à table (45 ml) de beurre

2 jaunes d'œufs

1/4 tasse (60 ml) de crème 35 %

1/2 c. à thé (2 ml) de sel

1/2 c. à thé (2 ml) de poivre

1/4 c. à thé (1 ml) de muscade moulue

Garniture

1 c. à table (15 ml) de beurre, fondu

2 c. à thé (2 ml) de paprika

Cuire les pommes de terre à l'eau bouillante salée, puis les égoutter.

Remettre immédiatement les pommes de terre dans la casserole avec le beurre et piler en purée.

Ajouter tous les autres ingrédients et battre au batteur électrique afin d'obtenir une purée lisse.

Déposer dans un plat rond en pyrex de 8 po (20 cm) et aplanir la surface à l'aide de l'endos d'une cuillère.

Arroser la purée de beurre fondu et parsemer de paprika ; réfrigérer.

Au moment de servir, cuire au four à 375 °F (190 °C) environ 30 minutes.

Papillotes de légumes au vinaigre balsamique

TEMPS DE PRÉPARATION :
20 minutes

TEMPS DE CUISSON : 40 minutes

PORTIONS : 6

3 courgettes moyennes (non pelées), coupées en rondelles de 1/2 po (1 cm)

1 poivron rouge, épépiné et coupé en lanières de 1/2 po (1 cm)

2 panais, pelés et coupés en rondelles de 1/4 po (1/2 cm)

2 c. à table (30 ml) de vinaigre balsamique

2 c. à table (30 ml) d'huile d'olive

2 c. à table (30 ml) de basilic frais, haché

Sel et poivre

Disposer les légumes sur 3 épaisseurs de papier d'aluminium de 2 pi (60 cm) de long.

Arroser les légumes de vinaigre balsamique, d'huile d'olive et de basilic. Saler et poivrer.

Refermer le papier d'aluminium hermétiquement de manière à bien emprisonner la vapeur et le jus de cuisson.

Déposer sur la grille du barbecue, couvrir et cuire à intensité moyenne environ 40 minutes en retournant la papillote de légumes aux 10 minutes.

Au moment de servir, défaire la papillote et présenter les légumes dans un plat de service.

Brocoli au gingembre

TEMPS DE PRÉPARATION :
10 minutes

TEMPS DE CUISSON : 5 à 7 minutes

PORTIONS : 6

1 gros brocoli

Beurre au gingembre

1/2 tasse (125 ml) de beurre mou

2 c. à table (10 ml) de gingembre frais, râpé

Zeste râpé et jus de 1/2 lime (si elle est petite, utiliser tout le jus)

Sel et poivre

Beurre au gingembre

Dans un bol, mélanger le beurre, le gingembre, le zeste et le jus de lime, le sel et le poivre. Réserver.

Défaire le brocoli en bouquets de 2 1/2 po (6 cm) de long. Peler les tiges avec un couteau éplucheur.

Cuire les bouquets de brocoli à la vapeur environ 5 à 7 minutes ou jusqu'à ce qu'ils soient al dente.

Déposer le brocoli dans un bol, ajouter le beurre au gingembre et mélanger délicatement.

Note :

Préparer le beurre quelques jours à l'avance. Façonner le beurre en rondin, envelopper dans une pellicule plastique et conserver au réfrigérateur ou congeler. Utiliser sur des suprêmes de poulet ou sur du riz.

Feuilles de vigne farcies

TEMPS DE PRÉPARATION : 1 heure

TEMPS DE CUISSON : 2 heures

RENDEMENT : 50

1 livre (454 g) de feuilles de vigne en saumure, bien rincées

3 c. à table (45 ml) d'huile d'olive

2 tasses (500 ml) d'eau

Le jus de 1 citron

Farce

1/4 tasse (60 ml) d'huile d'olive

2 oignons, hachés finement

1/4 tasse (60 ml) de pignons

1 tasse (250 ml) de riz

1/4 tasse (60 ml) de raisins de Corinthe

1 c. à table (15 ml) de cumin moulu

Poivre

1 1/2 tasse (375 ml) de bouillon de poulet

1/4 tasse (60 ml) de persil italien frais, haché

1/4 tasse (60 ml) d'aneth frais, haché

2 c. à table (30 ml) de menthe fraîche, hachée

Dans une grande casserole remplie d'eau bouillante, faire blanchir les feuilles de vigne 5 minutes. Égoutter, déposer sur un linge et laisser refroidir. Réserver quelques feuilles abîmées pour la cuisson.

Dans une casserole, faire chauffer l'huile à feu moyen. Ajouter les oignons, les pignons et le riz ; faire revenir 8 minutes, jusqu'à ce que les oignons soient translucides.

Ajouter les raisins, le cumin, du poivre et le bouillon de poulet ; porter à ébullition. Couvrir et laisser mijoter 10 minutes ou jusqu'à ce que le liquide soit évaporé. Retirer du feu et laisser refroidir ; ajouter les herbes fraîches.

Disposer les feuilles de vigne à plat, l'endroit vers le bas, et déposer 1 c. à thé (15 ml) de farce au centre.

Rabattre la base de la feuille sur la farce, plier les deux côtés adjacents et rouler jusqu'au haut de la feuille.

Dans une casserole à rebord droit, verser l'huile d'olive et recouvrir de quelques feuilles de vigne abîmées réservées.

Déposer les feuilles de vigne farcies par couches successives, l'ouverture vers le bas, dans la casserole, en les serrant les unes contre les autres.

Verser l'eau et le jus de citron dans la casserole, recouvrir les feuilles de vigne d'une assiette inversée et couvrir la casserole. Porter à ébullition et baisser le feu aussitôt ; faire cuire à feu doux environ 1 heure 30 minutes.

Pommes de terre en éventail

Peler 4 pommes de terre Idaho et couper une fine tranche horizontale sur chacune. Réserver dans de l'eau froide.

Essuyer 1 pomme de terre, introduire une pique de métal horizontalement un peu plus bas que la mi-hauteur. À l'aide d'un couteau coupant, couper de fines tranches dans la pomme de terre jusqu'à pique.

Enrober la pomme de terre d'un mélange de 2 c. à table (30 ml) de beurre fondu et de 1 c. à table (15 ml) d'huile.

Déposer la pomme de terre dans une assiette à tarte et procéder de la même façon avec les autres.

Cuire au four à 400 °F (200 °C) de 1 heure à 1 heure 15 minutes, ou jusqu'à ce que les pommes de terre soient dorées, tendres et s'ouvrent en accordéon. Retirer la pique de métal.

Agneau

Shish kebabs à l'agneau

Brochettes de savoureux cubes d'agneau servies sur salade.

TEMPS DE PRÉPARATION : 15 minutes
TEMPS DE CUISSON : 5 minutes

PORTIONS : 6

1 1/2 livre (750 g) d'agneau dans l'épaule, en cubes de 2 po (4 cm)

Marinade

2 c. à thé (10 ml) d'ail, haché
1/2 tasse (125 ml) d'huile végétale
1/4 tasse (60 ml) de jus de citron
2 c. à thé (10 ml) d'origan séché
1/2 c. à thé (2 ml) de sel
1/2 c. à thé (2 ml) de poivre noir, fraîchement moulu

Salade

1 tasse (250 ml) de chou rouge, émincé
3 tasses (750 ml) de laitue Iceberg, ciselée
1/2 tasse (125 ml) de votre vinaigrette préférée

Dans un bol ou un sac de plastique, mélanger tous les ingrédients de la marinade.

Déposer les cubes de viande dans la marinade. Réfrigérer et laisser mariner 12 heures.

Sur des brochettes de bois préalablement trempées dans l'eau, enfiler les cubes d'agneau.

Cuire sur le gril du barbecue jusqu'à la cuisson désirée.

Servir sur un mélange de chou rouge et de laitue Iceberg, arrosé de vinaigrette.

Accompagner d'un riz pilaf garni de noix de pin rôties.

Côtelettes d'agneau aux poivrons

TEMPS DE PRÉPARATION : 20 minutes
TEMPS DE CUISSON : 1 heure 40 minutes

PORTIONS : 6

2 c. à table (30 ml) d'huile
12 côtelettes d'agneau
1 gousse d'ail, hachée finement
3 oignons, coupés en tranches de 1/4 po (0,5 cm)
3 carottes, coupées en tranches de 1/4 po (0,5 cm)
1 poivron vert, coupé en rondelles de 1/4 po (0,5 cm)
1 poivron rouge, coupé en rondelles de 1/4 po (0,5 cm)
1 poivron jaune, coupé en rondelles de 1/4 po (0,5 cm)
1 c. à thé (5 ml) de sel
Poivre
2 petites branches de romarin frais
1/4 tasse (60 ml) d'eau

Préchauffer le four à 350 °F (180 °C)

Dans une cocotte allant au four, faire chauffer l'huile ; y faire revenir les côtelettes des deux côtés. Réserver.

Ajouter l'ail et cuire 30 secondes ; retirer du feu.

Mettre la moitié des légumes dans la cocotte ; saler, poivrer et y déposer une branche de romarin.

Couvrir les légumes avec les côtelettes, puis terminer la casserole en couvrant avec le reste des légumes et des assaisonnements.

Couvrir et cuire au four 1 heure 30 minutes.

Servir tel quel ou en épaississant le jus de cuisson avec un peu de farine, si désiré.

Les meilleures recettes de Marie-Josée et Claudette Taillefer

Gigot de 7 heures

Une viande tendre, gorgée de saveur... Une casserole réconfortante facile à réaliser, agréable à servir.

TEMPS DE PRÉPARATION : 20 minutes
TEMPS DE CUISSON : 7 heures

PORTIONS : 6

1 gigot d'agneau d'environ 4 livres (2 kg)

3 gros oignons, coupés en quartiers

3 grosses carottes, coupées en morceaux

2 c. à table (30 ml) d'huile d'olive

2 clous de girofle

6 gousses d'ail

6 feuilles de laurier

1 c. à table (15 ml) de thym séché

Sel et poivre

3 tasses (750 ml) de bouillon de bœuf

Préchauffer le four à 425 °F (220 °C). Parer le gigot, réserver.

Dans une rôtissoire, faire revenir les oignons et les carottes dans l'huile.

Ajouter le gigot, les clous de girofle, l'ail, le laurier et le thym ; retourner le gigot pour bien l'enrober.

Saisir au four 30 minutes.
Saler, poivrer, ajouter le bouillon.

Réduire la chaleur à 300 °F (150 °C). Couvrir la rôtissoire, cuire le gigot 6 heures 30 minutes.

Tourner le gigot 1 fois au cours de la cuisson.

Note :

Accompagner le gigot de flageolets parfumés à la menthe.

Ragoût d'agneau irlandais, pour la Saint-Patrick !

Si facile à réaliser, il cuit pendant que vous vaquez à d'autres occupations.

TEMPS DE PRÉPARATION : 30 minutes
TEMPS DE CUISSON :
1 heure 45 minutes

PORTIONS : 6

2 c. à table (30 ml) de beurre

12 côtelettes d'agneau dégraissées

6 pommes de terre moyennes, pelées, coupées en tranches de 1/2 po (1 cm)

2 tasses (500 ml) d'oignons, tranchés mince

1 c. à table (15 ml) de sel

1 c. à thé (5 ml) de poivre

1 c. à table (15 ml) de brindilles de thym frais ou 1 c. à thé (5 ml) de thym séché

2 c. à thé (10 ml) de persil frais, haché

1/2 tasse (125 ml) d'orge perlé

5 tasses (1,25 l) d'eau bouillante

Dans une grande poêle, faire colorer les côtelettes d'agneau dans le beurre. Dégraisser et réserver.

Disposer la moitié des tranches de pommes de terre dans le fond d'une casserole ronde de 10 po (25 cm). Ajouter les côtelettes en une seule rangée et couvrir de tranches d'oignon.

Saler, poivrer et ajouter le thym, le persil et l'orge. Couvrir avec les pommes de terre restantes.

Déglacer la poêle avec un peu d'eau bouillante pour récupérer les sucs et verser dans la casserole. Ajouter le reste de l'eau.

Déposer sur le feu et porter à pleine ébullition. Couvrir et cuire au four préchauffé à 350 °F (180 °C) pendant 1 heure 45 minutes.

Avant de servir, dégraisser la surface avec une petite louche.

Note :

Servir avec des petits pois à la menthe.

TEMPS DE PRÉPARATION : 20 minutes
TEMPS DE CUISSON : 10 minutes

PORTIONS : 4

8 côtelettes d'agneau de 1 po (2,5 cm) d'épaisseur

Marinade

1 c. à thé (5 ml) de thym séché

3 gousses d'ail, hachées finement

Zeste râpé et jus de 1 citron

Sel et poivre

1/4 tasse (60 ml) d'huile d'olive

Accompagnement

2 oignons, émincés

8 tomates italiennes, coupées en 2 sur la hauteur et épépinées

2 c. à thé (10 ml) de menthe séchée

Sel et poivre

Huile d'olive en aérosol

Retirer le surplus de gras des côtelettes d'agneau.

Dans un grand sac de plastique qui ferme hermétiquement, mettre les côtelettes et tous les ingrédients de la marinade. Refermer le sac, laisser mariner au réfrigérateur 6 à 8 heures.

Préchauffer le four à 425 °F (220 °C). Tapisser une plaque de papier d'aluminium.

Quinze minutes avant de servir les côtelettes, disposer les oignons et les tomates sur la plaque. Saupoudrer de menthe, saler et poivrer.

Vaporiser d'huile en aérosol et cuire au four 10 à 15 minutes en mélangeant de temps en temps.

Pendant ce temps, éponger les côtelettes, les griller à chaleur vive dans une poêle striée environ 4 minutes de chaque côté.

Servir les côtelettes avec les légumes.

Pommes de terre sautées au romarin

TEMPS DE PRÉPARATION : 5 minutes
TEMPS DE CUISSON : 15 minutes

PORTIONS : 4

4 à 6 grosses pommes de terre, coupées en cubes de 1/2 po (1 cm)

3 c. à table (45 ml) de beurre

3 c. à table (45 ml) d'huile d'olive

2 c. à table (30 ml) de romarin frais, haché, ou 1 c. à thé (5 ml) de romarin séché

Sel

Blanchir les pommes de terre 5 minutes dans l'eau bouillante salée. Égoutter.

Dans une grande poêle, faire sauter les pommes de terre dans le beurre et l'huile à feu vif, en agitant la poêle pour bien les enrober durant 1 à 2 minutes.

Laisser griller 5 minutes, mélanger, réduire le feu à moyen et continuer de faire sauter les pommes de terre en agitant la poêle de temps en temps. Ajouter le romarin.

Au moment de servir, saler.

Note :

Les pommes de terre sautées sont délicieuses servies avec les grillades et le poisson.

Les meilleures recettes de Marie-Josée et Claudette Taillefer

Navarin d'agneau printanier

TEMPS DE PRÉPARATION : 30 minutes
TEMPS DE CUISSON :
1 heure 30 minutes

PORTIONS : 6

1/4 tasse (60 ml) de farine

1 1/2 livre (750 g) de cubes d'agneau dans le gigot, dégraissés

2 c. à table (30 ml) d'huile végétale

2 c. à table (30 ml) de beurre

1 oignon, haché

2 c. à table (30 ml) de pâte de tomates

5 tasses (1,25 l) de bouillon de poulet, dégraissé

2 gousses d'ail, hachées

1 bouquet garni (thym, laurier, persil)

2 pommes de terre, pelées et coupées en bâtonnets

2 carottes, coupées en bâtonnets

1 petit rutabaga, coupé en bâtonnets

12 petits oignons blancs à mariner

20 haricots verts, équeutés

1/2 tasse (125 ml) de petits pois surgelés

Sel et poivre

Dans un sac de plastique, enfariner les cubes d'agneau.

Dans une grande casserole, faire chauffer l'huile et le beurre. Y faire sauter les cubes d'agneau.
Saler et poivrer.

Ajouter l'oignon et cuire 1 minute en remuant.

Ajouter la pâte de tomates, le bouillon de poulet, l'ail et le bouquet garni. Laisser mijoter 1 heure à feu doux-moyen.

Ajouter les légumes et poursuivre la cuisson 30 minutes, ou jusqu'à ce qu'ils soient cuits.

Rectifier l'assaisonnement.

Côtelettes d'agneau au romarin

TEMPS DE PRÉPARATION : 30 minutes
TEMPS DE CUISSON : 30 minutes

PORTIONS : 4

16 côtelettes d'agneau

1 œuf, légèrement battu

2 c. à table (30 ml) de romarin frais, haché

Farine tout usage

Huile d'olive, sel et poivre

Sauce

1 c. à table (15 ml) d'huile d'olive

3 gousses d'ail, hachées

5 échalotes françaises, hachées

1/3 tasse (75 ml) de consommé de bœuf

1/3 tasse (75 ml) de vin rouge ou de consommé de bœuf

3 c. à table (45 ml) de gelée de groseilles

1 branche de thym frais

Sel et poivre

Sauce

Dans une casserole, faire revenir l'ail et les échalotes françaises dans l'huile jusqu'à tendreté des échalotes.

Ajouter le reste des ingrédients ; saler et poivrer. Laisser mijoter quelques minutes, jusqu'à épaississement, puis retirer la branche de thym.

Tremper les côtelettes dans l'œuf battu ; saupoudrer un peu de romarin de chaque côté des côtelettes et les enfariner.

Dans une poêle, faire chauffer un peu d'huile ; cuire les côtelettes jusqu'à cuisson rosée. Saler et poivrer.

Servir environ 4 côtelettes par personne en les nappant de la sauce.

TEMPS DE PRÉPARATION : 20 minutes

TEMPS DE CUISSON : 1 heure 20 minutes

PORTIONS : 8

2 livres (1 kg) de cubes de gigot d'agneau de 1 po (2,5 cm) d'épaisseur

4 c. à table (60 ml) d'huile d'olive

1 oignon, coupé en dés

2 carottes, coupées en dés

1 tasse (250 ml) de vin blanc ou de bouillon de poulet

Sel et poivre

1 1/2 tasse (375 ml) de riz

2 tasses (500 ml) de bouillon de poulet

1/3 tasse (75 ml) de raisins de Corinthe

1 c. à thé (5 ml) de sauge séchée

1 c. à thé (5 ml) de menthe séchée

1/2 tasse (125 ml) d'amandes effilées, grillées

Dans une grande casserole, faire revenir les cubes d'agneau par petites quantités, dans l'huile à feu vif, jusqu'à ce qu'ils soient bien colorés. Réserver.

Ajouter l'oignon et les carottes ; faire revenir en brassant régulièrement pendant 8 minutes.

Remettre les cubes d'agneau dans la casserole et ajouter le vin blanc ; saler et poivrer. Porter à ébullition, couvrir et laisser mijoter 45 minutes.

Ajouter le riz, le bouillon de poulet, les raisins, la sauge et la menthe ; porter à ébullition.

Laisser mijoter, à couvert, 15 minutes, jusqu'à ce que le riz soit cuit.

Garnir d'amandes grillées et servir.

Brochettes d'agneau à la sud-américaine

TEMPS DE PRÉPARATION : 45 minutes

TEMPS DE CUISSON : 8 minutes

PORTIONS : 6

6 côtelettes d'agneau de 3/4 po (2 cm) d'épaisseur

6 rognons d'agneau

6 merguez à l'agneau, coupées en 2

12 cubes de 11/2 po (4 cm) de foie de veau

Sel et poivre

1 c. à table (15 ml) d'huile d'olive

Enfiler la viande et les abats sur 6 brochettes de métal dans l'ordre suivant : 1 côtelette d'agneau, 1 rognon d'agneau, 1/2 saucisse, 1 cube de foie, 1/2 saucisse et 1 cube de foie

Assaisonner et badigeonner d'huile d'olive.

Préchauffer le barbecue à intensité maximale.

Cuire les brochettes sur la grille du barbecue à intensité maximale environ 8 minutes en les retournant régulièrement.

Servir sur une salade de tomates persillées.

Gigot d'agneau

TEMPS DE PRÉPARATION : 10 minutes
TEMPS DE CUISSON : 40 minutes

1 gigot d'agneau de 2 1/2 livres (1,25 kg)

2 petites gousses d'ail, coupées en lamelles

1 c. à table (15 ml) de moutarde de Dijon

1 c. à table (15 ml) d'huile d'olive

1 c. à table (15 ml) de cassonade

1/4 tasse (60 ml) de chapelure

Sel et poivre

Préchauffer le four à 500 °F (250 °C).

Retirer tout le gras visible du gigot d'agneau ; piquer la viande à plusieurs endroits et insérer les lamelles d'ail dans les incisions.

Étendre successivement la moutarde de Dijon, l'huile d'olive, la cassonade et la chapelure sur le gigot. Saler et poivrer.

Déposer le gigot sur une plaque allant au four.

Cuire au four 15 minutes, puis abaisser la chaleur à 400 °F (200 °C) et poursuivre la cuisson environ 25 minutes pour une viande rosée.

Couper de fines tranches et servir avec les crosses de fougère sautées aux lardons.

Crosses de fougère sautées aux lardons

TEMPS DE PRÉPARATION : 10 minutes
TEMPS DE CUISSON : 10 minutes

1 paquet de 10 oz (300 g) de crosses de fougère fraîches ou surgelées

2 1/2 oz (75 g) de lardons, coupés en petits morceaux, ou 4 tranches de bacon

2 c. à table (30 ml) de beurre

3 échalotes françaises, hachées

1 gousse d'ail, hachée

Sel et poivre

Blanchir les crosses de fougère de 2 à 3 minutes ; refroidir à l'eau glacée. Réserver.

Dans une poêle, cuire les lardons jusqu'à ce qu'ils soient presque croustillants ; retirer les lardons de la poêle et la nettoyer.

Dans la même poêle, faire fondre le beurre et attendrir les échalotes françaises. Ajouter les crosses de fougère blanchies, les lardons et l'ail ; faire sauter jusqu'à tendreté des crosses de fougère. Saler et poivrer.

Note :

Servir en accompagnement de l'agneau. Délicieux aussi avec la volaille, le veau et le bœuf.

Bœuf et veau

Steak de flanc grillé et légumes sautés

TEMPS DE PRÉPARATION : 20 minutes
TEMPS DE CUISSON : 22 à 28 minutes

PORTIONS : 4

1 steak de flanc d'environ 1 livre (500 g)

1/2 tasse (125 ml) de sauce soya

1/2 tasse (125 ml) de vinaigre de riz ou de sherry sec

Zeste râpé et jus de 1 orange

1 c. à table (15 ml) d'huile végétale

1 c. à table (15 ml) de gingembre frais, râpé

2 gousses d'ail, écrasées

Légumes

1/2 livre (250 g) de petits champignons, essuyés et tranchés

1 poivron rouge, épépiné et émincé

2 c. à table (30 ml) d'huile végétale

4 oz (125 g) de pois mange-tout, parés

1 branche de céleri, coupée à la diagonale en tranches de 1 cm (1/2 po)

1 gros oignon, émincé

1/2 livre (250 g) de fèves germées, rincées et égouttées

Dans un sac de plastique qui ferme hermétiquement, déposer le steak de flanc, en sauce soya, le vinaigre de riz, le zeste et le jus d'orange, l'huile, le gingembre et l'ail. Laisser mariner au moins 1 heure.

Préchauffer le four à *broil*.

Égoutter le steak de flanc, inciser les 2 faces en croisillons avec un couteau bien coupant.

Déposer la viande sur une grille dans une petite rôtissoire, griller à 4 po (10 cm) de la source de chaleur, 5 à 8 minutes. Retourner le steak, griller encore 5 à 8 minutes, selon la cuisson désirée.

Pendant ce temps, dans une casserole, réchauffer la marinade et la passer au tamis. Réserver au chaud.

Les légumes

Dans une grande poêle, faire sauter les champignons et le poivron rouge dans 1 c. à table (15 ml) d'huile jusqu'à ce que le liquide soit évaporé. Réserver au chaud.

Dans la même poêle, sauter les pois mange-tout, le céleri et l'oignon dans 1 c. à table (15 ml) d'huile, environ 3 minutes. Ajouter les fèves germées, cuire en brassant 2 minutes.

Ajouter aux légumes réservés. Servir.

Sandwichs ouverts au rosbif

TEMPS DE PRÉPARATION : 5 minutes
TEMPS DE CUISSON : 10 minutes

PORTIONS : 4

2 c. à table (30 ml) de beurre

1 oignon rouge espagnol, tranché finement

1 c. à table (15 ml) de vinaigre de vin rouge

2 c. à thé (10 ml) de sucre

Moutarde de Dijon

4 grandes tranches de pain pumpernickel ou de campagne

12 fines tranches de rosbif

Sel et poivre

1 bouquet de cresson

Dans une poêle, faire fondre le beurre. Ajouter l'oignon, le vinaigre et le sucre.

Poivrer et cuire à feu doux jusqu'à tendreté.

Étendre la moutarde sur les tranches de pain.

Répartir le rosbif, saler, poivrer et garnir de cresson et d'oignons cuits.

Sauce à la viande mexicaine

Un vrai chili avec plein d'épices et sans haricots ! On le fait en grosse quantité pour qu'il soit meilleur !

Accompagnée de tortillas en entrée ou de riz en plat principal.

TEMPS DE PRÉPARATION : 30 minutes
TEMPS DE CUISSON : 1 heure 50 minutes

TEMPS DE PRÉPARATION : 30 minutes
TEMPS DE CUISSON : 25 minutes

PORTIONS : 15

3 oignons moyens, hachés finement

2 c. à table (30 ml) d'ail, haché

3 c. à table (45 ml) d'huile végétale

4 livres (2 kg) de bœuf haché

1/3 tasse (75 ml) de poudre de chili mexicaine douce

2 c. à table (30 ml) de paprika

2 c. à thé (10 ml) de cumin moulu

1 c. à thé (5 ml) de coriandre moulue

1 c. à thé (5 ml) d'origan séché

1 c. à thé (5 ml) de poivre de Cayenne

1 feuille de laurier

3 tasses (750 ml) d'eau

1 boîte de 24 oz (680 ml) de sauce tomate

2 c. à table (30 ml) de vinaigre de vin rouge

2 c. à table (30 ml) de mélasse

PORTIONS : 6

2 livres (1 kg) de bœuf haché

3 c. à table (45 ml) d'huile d'olive

2 tasses (500 ml) d'oignons, hachés

1 gousse d'ail, hachée

2 tasses (500 ml) de pommes, pelées, épépinées et coupées en cubes (environ 2)

1 boîte de 28 oz (796 ml) de tomates en dés

3 c. à table (45 ml) de piments Jalapeño en conserve, hachés grossièrement

1/2 tasse (125 ml) de raisins secs

1/2 tasse (125 ml) d'olives vertes farcies, coupées en 2 (environ 20)

1/2 c. à thé (2 ml) de cannelle moulue

1/4 c. à thé (1 ml) de clou de girofle, moulu

Sel et poivre

1/2 tasse (125 ml) d'amandes effilées

1 c. à table (15 ml) d'huile d'olive, supplémentaire

Tortillas ou riz blanc cuit

Dans une très grande casserole, faire revenir les oignons et l'ail dans l'huile 6 minutes à feu moyen en brassant.

Ajouter le bœuf et faire revenir environ 10 minutes en brassant, tout en brisant les morceaux de viande avec la spatule de bois.

Ajouter tous les autres ingrédients et porter à ébullition. Couvrir, baisser le feu et laisser mijoter 90 minutes en brassant à l'occasion. À la fin de la cuisson, dégraisser la surface.

Servir avec du riz, des pommes de terre bouillies, des pâtes ou des haricots garnis de fromage râpé et d'oignon haché.

Dans une casserole, faire cuire la viande dans l'huile à feu vif en remuant constamment à la cuillère de bois.

Lorsque la viande est cuite, ajouter les oignons et l'ail, cuire 2 minutes.

Ajouter tous les autres ingrédients sauf les amandes et l'huile d'olive supplémentaire, porter à ébullition et laisser mijoter pendant 20 minutes en brassant régulièrement.

Dans une poêle, faire dorer les amandes dans l'huile pendant 2 à 3 minutes. Égoutter et ajouter dans la casserole, cuire 2 à 3 minutes.

Servir avec des tortillas ou du riz.

Rosbif au jus

Si vous servez 4 personnes, il vous restera suffisamment de rosbif pour préparer des sandwichs le lendemain.

TEMPS DE PRÉPARATION : 5 minutes
TEMPS DE CUISSON : 30 à 35 minutes

PORTIONS : 4 à 6

1/4 tasse (60 ml) de beurre
4 oignons, tranchés
1 rôti du roi de 3 livres (1,5 kg)
Sel et poivre
3 tasses (750 ml) de consommé de bœuf
1 bouquet garni (persil, laurier, thym)

Préchauffer le four à 350 °F (180 °C).
Dans une poêle, faire revenir les oignons dans le beurre jusqu'à tendreté. Retirer les oignons et les déposer dans un plat peu profond allant au four.

Dans la même poêle, saisir le rôti de toute part. Saler et poivrer. Déposer sur les oignons. Ajouter le consommé de bœuf et le bouquet garni.

Cuire au four, sans couvrir, de 25 minutes à 30 minutes. Calculer 10 minutes de cuisson par livre (0,5 kg) pour une viande saignante.

Retirer du four. Laisser reposer 5 à 10 minutes. Trancher finement et accompagner du bouillon de cuisson et des oignons.

Gratin dauphinois

TEMPS DE PRÉPARATION : 20 minutes
TEMPS DE CUISSON : 1 heure

PORTIONS : 6

6 à 7 pommes de terre moyennes
1 tasse (250 ml) de cheddar blanc extra fort, râpé
1 tasse (250 ml) de crème 35 %
Sel et poivre

Préchauffer le four à 350 °F (180 °C).
Peler et laver les pommes de terre. Les trancher très finement, idéalement à la mandoline. Ne pas relaver les pommes de terre pour conserver l'amidon.

Dans un plat allant au four de 11 x 7 po (28 x 11 cm), étendre la moitié des pommes de terre. Couvrir de la moitié du cheddar, puis y verser la moitié de la crème. Saler et poivrer.
Répéter l'opération avec le reste des ingrédients.

Couvrir de papier d'aluminium et cuire au four 1 heure. Laisser reposer 10 minutes avant de couper en carrés.

Les meilleures recettes de Marie-Josée et Claudette Taillefer

Roulé de bœuf «Bista en rollo»

TEMPS DE PRÉPARATION : 40 minutes

TEMPS DE CUISSON : 2 heures

PORTIONS : 8

1 tranche épaisse (2 livres/1 kg) de steak de ronde de bœuf

1 c. à thé (5 ml) de sel

1/2 c. à thé (2 ml) de poivre noir, fraîchement moulu

1 c. à table (15 ml) de jus de lime ou de citron

1 c. à thé (5 ml) d'ail, haché

3 tranches de jambon de 1/4 de po (1/2 cm) d'épaisseur, coupées en lanières de 1/2 po (1 cm)

1 tasse (250 ml) de carottes, tranchées mince et trempées 5 minutes dans 3 c. à table (45 ml) de jus de lime

1 c. à thé (5 ml) de sucre

1 c. à table (15 ml) de beurre, coupé en dés

1 c. à table (15 ml) de vinaigre de vin

3 c. à table (45 ml) de vin rouge

3 c. à table (45 ml) d'huile végétale

1 feuille de laurier

1 oignon moyen, tranché mince

1 poivron vert, tranché mince

1 poivron rouge, tranché mince

1/2 c. à thé (2 ml) d'origan séché

10 oz (284 ml) de consommé de bœuf

4 tomates moyennes, pelées, épépinées et hachées grossièrement

Assaisonner le steak avec le sel et le poivre sur les deux surfaces. Arroser du jus de lime et parsemer avec l'ail haché sur les deux surfaces. Disposer le jambon sur le steak.

Égoutter les carottes. Disposer sur le jambon, parsemer de sucre et de dés de beurre. Rouler et attacher.

Déposer dans un plat et arroser du vinaigre de vin et du vin rouge. Laisser mariner 30 minutes.

Chauffer l'huile dans une casserole.

Égoutter la viande, la tamponner avec des essuie-tout et la faire colorer sur toutes ses surfaces.

Ajouter la marinade et tous les autres ingrédients et porter à pleine ébullition.

Couvrir, laisser mijoter pendant 2 heures et retourner à mi-cuisson. Après avoir retiré les ficelles, servir dans un plat de service.

Bavette à l'échalote et frites

La bavette à l'échalote est le plat que l'on retrouve le plus souvent dans les bistrots français. Les frites, quant à elles, sont indissociables de la bavette.

TEMPS DE PRÉPARATION : 5 minutes
TEMPS DE CUISSON : 6 à 10 minutes

PORTIONS : 4

1 bavette d'aloyau de 8 oz (300 g)
Poivre
1 c. à table (15 ml) d'huile végétale
1 c. à table (15 ml) de beurre
1/2 tasse (125 ml) d'échalotes françaises, émincées
1 c. à table (15 ml) de vinaigre de vin rouge

Frites

4 pommes de terre, pelées et coupées en bâtonnets
Huile végétale, pour la friture
Sel

Éponger et poivrer la viande.

Dans une grande poêle, à chaleur vive, chauffer l'huile jusqu'à ce qu'elle commence à fumer.

Y faire sauter la bavette d'aloyau de chaque côté pour bien colorer la viande.

Réduire la chaleur, ajouter le beurre, laisser fondre et ajouter les échalotes.

Poursuivre la cuisson en agitant la poêle et en retournant la viande jusqu'à la cuisson désirée.

Réserver au chaud.

Augmenter la chaleur, déglacer avec le vinaigre de vin, environ 30 secondes, jusqu'à ce que l'acidité du vinaigre se soit dissipée.

Verser les échalotes et la sauce sur la viande. Partager en 2 portions.

Frites

Tremper les pommes de terre 1 heure dans l'eau froide en changeant l'eau une ou deux fois.

Dans une grande casserole, chauffer l'huile à 375 °F (190 °C).

Égoutter et éponger les pommes de terre dans une serviette.

Frire les pommes de terre pour les dorer légèrement. Égoutter et réserver.

Les frites précuites peuvent attendre quelques heures.

Au moment de servir, déposer les frites dans l'huile bouillante, cuire de nouveau jusqu'à la couleur désirée. Égoutter sur du papier essuie-tout, saler et servir.

On peut aussi accompagner la bavette à l'échalote d'un gratin de pommes de terre.

Note :

L'huile ne doit pas excéder la mi-hauteur de la casserole.

Filets de bœuf au poivre rose

TEMPS DE PRÉPARATION :
10 minutes
TEMPS DE CUISSON : variable

PORTIONS : 4

1 c. à table (15 ml) de beurre

1 c. à table (15 ml) d'huile végétale

4 tranches de bœuf dans le filet de 1 po (2,5 cm) d'épaisseur

Sel et poivre

Sauce au poivre rose

1 c. à table (15 ml) de beurre

1/4 tasse (60 ml) de cognac ou de vin rouge

1/2 tasse (125 ml) de bouillon de bœuf

1/2 tasse (125 ml) de crème 15 % ou 35 %

1 c. à table (15 ml) de baies de poivre rose

Environ 1 c. à thé (5 ml) de poivre noir, fraîchement moulu

Sel

Dans une poêle, faire chauffer le beurre et l'huile. Saisir les filets de bœuf à feu élevé. Saler et poivrer. Poursuivre jusqu'à la cuisson désirée. Retirer de la poêle et réserver au chaud.

Sauce au poivre rose

Ajouter le beurre à la poêle. Déglacer avec l'alcool en grattant bien le fond de la poêle. Ajouter le bouillon de bœuf et porter à ébullition. Incorporer la crème, les baies de poivre rose, le poivre noir et le sel. Laisser mijoter quelques minutes jusqu'à épaississement.

Napper les filets de bœuf de sauce au poivre rose et servir avec la purée de carottes au gingembre.

Purée de carottes au gingembre

TEMPS DE PRÉPARATION : 10 minutes
TEMPS DE CUISSON : 20 minutes

PORTIONS : 4 à 6

1 1/2 livre (750 g) de carottes, pelées, hachées grossièrement

1 c. à table (15 ml) de gingembre frais, râpé

2 c. à table (30 ml) de beurre

1/4 c. à thé (1 ml) de muscade moulue

1/4 c. à thé (1 ml) de gingembre moulu

Sel et poivre

Dans une casserole, déposer les carottes et le gingembre frais. Couvrir d'eau. Saler. Couvrir et laisser mijoter jusqu'à tendreté des carottes, soit environ 20 minutes. Égoutter.

Réduire en purée au robot culinaire. Ajouter le beurre, la muscade, le gingembre moulu, le sel et le poivre.

Servir en accompagnement des filets de bœuf au poivre rose.

Les meilleures recettes de Marie-Josée et Claudette Taillefer

Cipaille du Bas-du-fleuve

Cette succession de couches de viandes et de pommes de terre est cuite en croûte pendant au moins 5 heures.

TEMPS DE PRÉPARATION : 1 heure
TEMPS DE CUISSON : 5 heures 30 minutes

PORTIONS : 12

Pâte

6 tasses (1,5 l) de farine

4 c. à thé (20 ml) de sel

4 c. à thé (20 ml) de poudre à pâte

2 c. à thé (10 ml) de bicarbonate de soude

2 tasses (500 ml) de graisse végétale

2/3 tasse (150 ml) d'eau froide

Garniture

5 livres (2,5 kg) au total de bœuf et/ou de veau, porc, poulet, perdrix, lièvre, orignal et chevreuil, en cubes de 1 po (2 cm)

2 tasses (500 ml) d'oignons, hachés grossièrement

3 tasses (750 ml) de pommes de terre, coupées en cubes

1/4 livre (125 g) de lard salé, en tranches minces

Sel et poivre

Eau, en quantité suffisante

Pâte

Dans un bol, tamiser les ingrédients secs. À l'aide d'un coupe-pâte, mélanger la graisse avec les ingrédients secs jusqu'à l'obtention d'une pâte granuleuse de la grosseur de pois. Incorporer l'eau rapidement et former une boule, envelopper avec une pellicule de plastique. Réfrigérer pendant 2 heures.

Garniture

Dans un bol, mélanger la viande et les oignons. Réfrigérer pendant 6 heures ou durant toute la nuit.

Préchauffer le four à 400 °F (200 °C).

Abaisser la pâte à 1/4 po (1/2 cm) d'épaisseur et en foncer une lèchefrite ou une grande marmite.

Déposer successivement la moitié de la viande et la moitié des pommes de terre. Assaisonner. Déposer le lard salé et quelques morceaux de pâte (les chutes de pâte feront l'affaire). Recouvrir avec le reste de la viande et des pommes de terre. Terminer avec la pâte. Sceller et pratiquer des incisions au centre de la pâte de façon à pouvoir y verser de l'eau jusqu'au bord. Couvrir.

Cuire au four à 400 °F (200 °C) 1 heure, jusqu'à ce que le liquide bout. Baisser la température du four à 325 °F (160 °C) et continuer la cuisson pendant 4 heures. Ajouter de l'eau durant la cuisson de façon à maintenir le niveau de liquide. Découvrir et cuire pendant 30 minutes.

Les meilleures recettes de Marie-Josée et Claudette Taillefer

Carbonade à la flamande

TEMPS DE PRÉPARATION : 25 minutes

**TEMPS DE CUISSON :
3 heures 15 minutes**

PORTIONS : 4

1 1/2 livre (750 g) de bœuf dans la pointe de surlonge (en un morceau)

1 c. à table (15 ml) de beurre

2 c. à table (30 ml) d'huile végétale

4 oignons, tranchés

2 tasses (500 ml) de bière brune

1 tasse (250 ml) de bouillon de poulet

2 c. à thé (10 ml) de moutarde de Dijon

2 feuilles de laurier

1 c. à thé (5 ml) de thym séché

1/2 c. à thé (2 ml) de marjolaine séchée

2 c. à table (30 ml) de vinaigre de vin rouge

2 c. à table (30 ml) de cassonade

Sel et poivre

Préchauffer le four à 350 °F (180 °C).

Couper le bœuf en tranches de 1/2 po (1 cm) d'épaisseur et tailler la viande pour obtenir des morceaux de 2 x 2 1/2 po (5 x 6 cm).

Dans une casserole, cuire les oignons dans l'huile et le beurre jusqu'à tendreté. Retirer de la casserole et réserver.

Saisir quelques morceaux de bœuf à la fois dans la casserole. Ajouter un peu d'huile au besoin. Saler et poivrer.

Dans une cocotte ou une casserole allant au four, superposer une couche d'oignons, une couche de viande, une couche d'oignons et le reste de la viande.

Dans un bol, mélanger le reste des ingrédients et verser dans la cocotte.

Couvrir et cuire au four 3 heures. Servir avec du riz et des légumes colorés tels des haricots verts ou des rondelles de carotte.

Bœuf et veau

Sauté de bœuf aux carottes

Le secret d'un sauté réussi est d'avoir tous les ingrédients prêts, à la portée de la main. Pas question de râper une carotte durant l'opération, tout doit aller très vite.

TEMPS DE PRÉPARATION : 30 minutes
TEMPS DE CUISSON : 15 à 20 minutes

PORTIONS : 4

3 c. à table (45 ml) d'huile

1 livre (500 g) de steak de flanc, coupé en tranches fines

1/4 c. à thé (1 ml) de piment de Cayenne broyé ou de Sambal Œlek

1 gousse d'ail, hachée finement

2 c. à thé (10 ml) de gingembre frais, coupé en fine julienne

2 grosses carottes, râpées

1 oignon, coupé en 2 et émincé

Zeste de 1 orange coupé en julienne

Sel et poivre

Jus de 1 orange

1 c. à table (15 ml) de sauce hoisin

1 c. à table (15 ml) de fécule de maïs

1 c. à table (15 ml) de sauce soya

Dans un wok ou dans une grande poêle, faire chauffer 2 c. à table (30 ml) d'huile à feu vif. Sauter la moitié du steak 3 à 4 minutes ou jusqu'à ce que la viande ait perdu sa teinte rosée. Réserver au chaud.

Faire sauter le reste de la viande dans l'huile qui reste.

Remettre la viande en réserve dans le wok, ajouter le piment de Cayenne, l'ail, le gingembre, les carottes, l'oignon et le zeste d'orange.

Saler et poivrer, cuire en brassant sans arrêt.

Ajouter le jus d'orange et la sauce hoisin. Délayer la fécule dans la sauce soya, ajouter aux autres ingrédients et mélanger rapidement.

Servir avec du riz nature ou parfumé au zeste râpé de 1 lime.

Accompagner d'une salade de chou chinois aromatisée d'une vinaigrette faite de 2 c. à table (30 ml) de sauce soya, 1 c. à table (15 ml) de vinaigre de riz et 1 c. à table (15 ml) d'huile de sésame douce.

Mini-Wellington

**TEMPS DE PRÉPARATION : 20 minutes
+ 30 minutes de réfrigération**
**TEMPS DE CUISSON : environ
45 minutes**

PORTIONS : 4

1 c. à table (15 ml) d'huile végétale

1 c. à table (15 ml) de beurre

4 filets mignon de 5 oz (150 g) chacun

Sel et poivre

1 paquet de 400 g de pâte feuilletée
du commerce, décongelée

1/4 livre (125 g) de pâté de foie au
poivre

1 tasse (250 ml) de champignons,
tranchés

8 grandes feuilles d'épinard frais

1 oeuf, légèrement battu

Sauce aux champignons

3 c. à table (45 ml) de beurre

4 tasses (1 l) de champignons,
tranchés

3 oignons verts, tranchés

2 c. à table (30 ml) de farine tout
usage

1 tasse (250 ml) de bouillon de boeuf

1/3 tasse (75 ml) de vin rouge sec ou
de bouillon de boeuf

1/4 tasse (60 ml) de crème 15 %
épaisse ou 35 %

2 c. à table (30 ml) d'estragon frais,
haché ou 2 c. à thé (10 ml) d'estragon
séché

Sel et poivre

Préchauffer le four à 375 °F (190 °C).

Dans une poêle, chauffer l'huile et le
beurre. Y saisir le boeuf sur tous les
côtés, saler et poivrer. Poursuivre la
cuisson jusqu'à ce la viande soit
rosée. Retirer de la poêle et laisser
refroidir.

Abaisser la pâte feuilletée à 1/8 po
(0,25 cm) d'épaisseur. Couper en

carrés suffisamment grands pour
pouvoir envelopper les filets mignon.

Diviser le pâté de foie en 4 tranches.
Déposer une tranche de pâté de foie au
centre de chaque carré de pâte feuilletée.
Répartir les champignons et les épinards
sur les morceaux de pâté de foie et y
déposer un filet de boeuf. Rabattre la
pâte pour bien fermer hermétiquement.

Les tourner de côté de sorte que la
garniture se trouve sur le dessus et
les déposer sur une plaque huilée ou
vaporisée d'huile en aérosol.
Réfrigérer 30 minutes.

Décorer chaque mini-Wellington avec
le reste de pâte. Vous pouvez y
découper de petits coeurs avec un
couteau ou un emporte-pièce.

Badigeonner d'oeuf battu et cuire au
four de 20 à 25 minutes ou jusqu'à ce
que la pâte soit dorée.

Sauce aux champignons

Pendant la cuisson des mini-
Wellington, préparer la sauce. Dans
une casserole, faire sauter les
champignons et les oignons verts
dans le beurre.

Ajouter la farine et cuire en remuant.
Ajouter graduellement le bouillon de
boeuf et le vin. Laisser mijoter 5 minutes.

Ajouter la crème et l'estragon. Saler et
poivrer. Poursuivre la cuisson
quelques minutes.

Accompagner les mini-Wellington de
sauce aux champignons et d'une
salade de verdure et de radicchio à la
couleur de Cupidon.

Note :

Pour ceux qui préfère une viande
saignante, réduire le temps de cuisson lorsqu'on fait saisir la viande, à
la première étape de la recette.

Pour un goût plus relevé, essayer
cette recette avec un pâté de foie au
poivre.

Une grillade de bœuf et de légumes enroulée dans une tortilla chaude que l'on garnit à l'envi.

TEMPS DE PRÉPARATION : 15 minutes
TEMPS DE CUISSON : 10 minutes

PORTIONS : 6

1 1/2 lb (750 g) de steak de flan ou de bavette, paré

Marinade

1/4 tasse (60 ml) d'huile végétale

2 c. à table (30 ml) de jus de citron

2 c. à table (30 ml) de sauce soya

2 c. à table (30 ml) d'échalote verte, émincée

1 gousse d'ail, hachée

1 c. à thé (5 ml) de poivre noir, fraîchement moulu

1 c. à thé (5 ml) de sel de céleri

1 piment jalapeño

Bien éponger les morceaux de viande avec du papier essuie-tout.

Dans un bol, bien mélanger tous les ingrédients de la marinade.

Dans un plat peu profond, déposer la viande et la marinade. Couvrir et laisser mariner pendant 12 heures en tournant régulièrement ou toute une nuit.

Retirer la viande de la marinade et l'éponger. Cuire sur le gril du barbecue ou au four (sur la grille supérieure du four en laissant la porte entrouverte) 5 minutes de chaque côté.

Couper la viande en lanières diagonales.

Servir avec des tortillas chaudes, des salsas, de la guacamole, de la purée de haricots, des oignons grillés et du fromage râpé.

Bœuf en daube

La daube est un mode de cuisson provençal où la viande est braisée dans le vin.

TEMPS DE PRÉPARATION : 30 minutes
TEMPS DE CUISSON : 2 heures 30 minutes

PORTIONS : 6

Farine tout usage

2 livres (1 kg) de bœuf dans la cuisse, coupé en cubes

Huile d'olive

Sel et poivre

2 oignons, hachés

6 gousses d'ail, hachées

4 tomates, épépinées et hachées

2 tasses (500 ml) de vin rouge

2 tasses (500 ml) de bouillon de bœuf

2 feuilles de laurier

1 c. à thé (5 ml) de thym séché

2 tasses (500 ml) de flageolets cuits, en conserve ou surgelés

2 tasses (500 ml) de haricots verts, parés

Enfariner les cubes de bœuf. Dans une grande casserole, les colorer dans de l'huile chaude. Saler et poivrer. Retirer de la casserole et nettoyer celle-ci au besoin.

Ajouter un peu d'huile d'olive dans la casserole, faire cuire les oignons et l'ail jusqu'à ce que les oignons soient transparents.

Remettre le bœuf dans la casserole ; ajouter le reste des ingrédients, sauf les flageolets et les haricots verts. Porter à ébullition, couvrir et laisser mijoter à feu doux 1 heure 30 minutes en remuant à l'occasion.

Ajouter les flageolets et les haricots verts ; poursuivre la cuisson 1 heure. Remuer de temps à autre. Accompagner de riz ou de pommes de terre en purée.

Note :

À défaut de flageolets, on peut utiliser des haricots de Lima. Se congèle très bien.

Tournedos, sauce aux baies de genièvre

TEMPS DE PRÉPARATION : 15 minutes
TEMPS DE CUISSON : variable

PORTIONS : 4

4 tournedos

Beurre

Huile

Sauce aux baies de genièvre

1 c. à table (15 ml) de beurre

1 1/2 tasse (375 ml) de champignons, tranchés

4 échalotes vertes, hachées

2 c. à thé (10 ml) de baies de genièvre

1 tasse (250 ml) de consommé de bœuf

1 1/2 c. à thé (7 ml) de fécule de maïs

1 c. à table (15 ml) d'eau froide

1/4 tasse (60 ml) de crème 15 % ou 35 %

Sel et poivre

Sauce aux baies de genièvre

Dans une casserole, faire fondre le beurre. Y faire sauter les champignons et les échalotes vertes jusqu'à tendreté. Ajouter les baies de genièvre et le consommé de bœuf ; porter à ébullition et laisser mijoter 2 minutes.

Ajouter la fécule de maïs délayée dans l'eau ; remuer jusqu'à épaississement léger.

Incorporer la crème ; saler et poivrer, poursuivre la cuisson 2 à 3 minutes.

Dans une poêle, faire fondre un peu de beurre et d'huile. Saisir les tournedos à feu vif des deux côtés et poursuivre la cuisson à feu moyen-élevé jusqu'à la cuisson désirée.

Napper la sauce aux baies de genièvre sur les tournedos et servir.

Note :

Pour encore plus de saveurs, on peut concasser légèrement les baies de genièvre.

Repas économique. On prépare les garnitures à l'avance et chacun se sert selon son appétit...

TEMPS DE PRÉPARATION : 30 minutes
TEMPS DE CUISSON : 18 minutes

PORTIONS : 6

2 tasses (500 ml) d'oignons espagnols, en demi-tranches fines

1 poivron vert, émincé finement

3 c. à table (45 ml) d'huile d'olive

1 3/4 livre (875 g) de bœuf haché

2 c. à table (30 ml) d'ail, haché grossièrement

1/4 tasse (60 ml) de poudre de chili mexicaine douce

1 c. à table (15 ml) de paprika moulu

1 c. à thé (5 ml) de poivre de Cayenne moulu

1 c. à thé (5 ml) de sel

1 c. à thé (5 ml) de cumin moulu

1/2 c. à thé (2 ml) de poivre noir, fraîchement moulu

2 tasses (500 ml) d'eau

Garniture

12 coquilles à tacos, chaudes

2 tomates, coupées en dés de 1/2 po (1 cm)

1/4 de concombre anglais, coupé en dés de 1/4 po (1/2 cm)

1 1/2 tasse (375 ml) de cheddar fort, râpé

2 tasses (500 ml) de laitue ciselée

Dans une grande poêle antiadhésive, faire suer les oignons et le poivron vert dans l'huile 8 minutes.

Ajouter la viande et l'ail, cuire 8 minutes jusqu'à évaporation des liquides. Bien égrener la viande avec la cuillère de bois.

Ajouter les épices puis l'eau, bien mélanger. Porter à ébullition et cuire environ 10 minutes, jusqu'à évaporation presque complète des liquides.

Servir dans un bol avec les garnitures.

Salade tiède de bœuf à la coriandre

**TEMPS DE PRÉPARATION : 30 minutes
+ 8 heures de macération**
TEMPS DE CUISSON : 10 à 15 minutes

PORTIONS : 4

1 1/4 livre (600 g) de filet de bœuf
(en un morceau), dégraissé

2 gousse d'ail, hachées

2 c. à table (30 ml) d'huile d'olive

1/2 tasse (125 ml) de vin rouge

Sel et poivre

10 tasses (2,5 l) de laitues mélangées
(Boston, raddichio, frisée, etc.)

Sauce à la coriandre

1/3 tasse (75 ml) de coriandre
fraîche, hachée

3 c. à table (45 ml) d'huile d'olive

1 c. à table (15 ml) d'oignon rouge,
haché finement

Sel et poivre

Vinaigrette

1/4 tasse (60 ml) d'huile végétale

1 c. à table (15 ml) de vinaigre de
vin rouge

Sel et poivre

Dans un bol, mélanger le filet de
bœuf, l'ail, l'huile d'olive et le vin
rouge. Poivrer.

Laisser macérer pendant 8 heures, au
réfrigérateur. Retourner à l'occasion.

Sauce à la coriandre

Dans un bol, mélanger tous les
ingrédients de la sauce et laisser
reposer 30 minutes à la température
de la pièce.

Vinaigrette

Dans un bol, mélanger tous les
ingrédients.

Dans une poêle striée antiadhésive ou
sur la grille du barbecue, cuire le
bœuf à feu moyen-élevé environ
10 minutes pour une viande saignante. Saler et poivrer. Tourner la
viande une seule fois pendant la cuisson puis la badigeonner de sauce à la
coriandre. Retirer du feu et laisser
reposer 2 à 3 minutes.

Répartir les laitues dans 4 assiettes.
Couper le bœuf à la diagonale en
fines tranches.

Déposer la viande sur la salade.
La napper du reste de sauce à la
coriandre et arroser la salade de
vinaigrette.

Bruschetta

Arroser d'huile d'olive des tranches de
pain baguette, grillées.

Les frotter avec une gousse d'ail, saler
et poivrer.

Servir tel quel avec la salade tiède de
bœuf à la coriandre.

Pour servir en entrée, saupoudrer de
basilic frais, haché, et ajouter des dés
de tomates fraîches.

Steak de flanc et sauce au persil

TEMPS DE PRÉPARATION : 20 minutes
TEMPS DE CUISSON : 10 minutes

PORTIONS : 4

1 steak de flan de 1 livre (500 g) environ

2 c. à table (30 ml) de vinaigre balsamique

1 c. à table (15 ml) d'huile d'olive

Sel et poivre

Sauce au persil

3 tasses (750 ml) de feuilles de persil frais

1/4 tasse (60 ml) de ciboulette fraîche ou d'autre herbe fraîche

1 c. à table (15 ml) de câpres, égouttés

Zeste de 1 citron, râpé

1/2 c. à thé (2 ml) de moutarde de Dijon

2 c. à thé (10 ml) de jus de citron

1 petite gousse d'ail

Sel et poivre

1/2 tasse (125 ml) d'huile d'olive

Déposer le steak de flan dans un sac de plastique hermétique avec le vinaigre balsamique et l'huile d'olive. Laisser mariner 1 heure.

Sauce au persil

Pendant ce temps, au robot culinaire, mélanger les feuilles de persil, la ciboulette, les câpres, le zeste de citron, la moutarde de Dijon, le jus de citron, l'ail, le sel et le poivre. Pulser et incorporer l'huile en filet jusqu'à ce que la sauce soit presque lisse. Réserver dans un bol.

Placer la grille dans la partie supérieure du four et préchauffer à *broil*.

Déposer le steak de flan sur une plaque huilée et cuire au four environ 5 minutes de chaque côté. Saler et poivrer.

Laisser reposer à couvert 5 minutes. Trancher le steak de flan sur la diagonale dans le sens contraire de la fibre.

Servir avec la sauce au persil.

Note :

On peut également utiliser du steak de contre-filet, de bavette ou autre, cuit à la poêle.

Pommes de terre et poivrons grillés

Pour 4 portions, couper 4 pommes de terre en quartiers de 1 po (2,5 cm).

Déposer sur une plaque huilée avec 2 poivrons de couleurs différentes, coupés en cubes de 1 po (2, 5 cm), et 2 c. à table (30 ml) d'huile d'olive. Saler et poivrer.

Cuire au four à 400 °F (200 °C) environ 45 minutes. Mélanger les pommes de terre et les poivrons 1 fois durant la cuisson.

Les meilleures recettes de Marie-Josée et Claudette Taillefer

Bœuf teriyaki et salade orientale

TEMPS DE PRÉPARATION : 30 minutes

TEMPS DE CUISSON : 10 minutes

PORTIONS : 4

1 1/2 livre (750 g) de steak de flanc

Marinade

1/3 tasse (75 ml) de sauce teriyaki du commerce

1/4 tasse (60 ml) d'échalotes vertes, émincées

1 c. à table (15 ml) de gingembre frais, râpé

1 gousse d'ail, écrasée

1 c. à thé (5 ml) d'huile de sésame

Salade de chou

1/2 livre (250 g) de chou vert, émincé (environ 5 tasses/1,25 l) ou un sac de **10 oz** (300 g) de salade de chou «cheveux d'ange»

1 poivron rouge, paré et coupé en fine julienne

2 carottes, râpées

4 échalotes vertes, hachées finement

1/3 tasse (75 ml) de vinaigre de riz

1 c. à table (15 ml) de sucre ou de miel

1 c. à thé (5 ml) de gingembre frais, râpé

3 c. à table (45 ml) d'huile

Sel et poivre

2 c. à table (30 ml) de graines de sésame grillées (facultatif)

Marinade

Dans un sac hermétique, placer la sauce teriyaki, les échalotes, le gingembre, l'ail et l'huile de sésame. Mélanger.

Déposer le bœuf dans le sac, bien l'enrober de marinade et refermer. Laisser mariner 2 heures au réfrigérateur.

Salade de chou

Dans un bol, mélanger le chou, le poivron, les carottes et les échalotes.

Dans un petit bol, fouetter ensemble le vinaigre de riz, le sucre ou le miel, le gingembre, l'huile, le sel et le poivre.

Verser sur les légumes, mélanger. Garnir de graines de sésame si désiré.

Placer la grille dans la partie supérieure du four et préchauffer à *broil*.

Tapisser une plaque d'une feuille de papier d'aluminium. Égoutter la viande, la déposer sur la plaque et faire griller 5 minutes de chaque côté.

Retirer du four, couvrir et laisser reposer la viande quelques minutes avant de la trancher. Découper le steak à la diagonale à contresens du grain de la viande.

Servir avec la salade de chou.

Note :

Avec le reste, préparer un délicieux sandwich le lendemain !

Pot-au-feu

Pour les grands jours, on fait le pot-au-feu avec les parties nobles du bœuf. Cependant, pour un mardi soir économique, un morceau de rôti de palette fera très bien l'affaire.

TEMPS DE PRÉPARATION : 30 minutes
TEMPS DE CUISSON : 3 heures

PORTIONS : 8

4 livres (2 kg) de bœuf (de bas ou de haut de ronde)

2 c. à table (30 ml) d'huile d'olive

2 gros oignons, hachés

2 gousses d'ail, hachées

2 c. à table (30 ml) de beurre

1 gros bouquet garni (persil, thym, laurier)

Zeste de 1 orange, levé au couteau économe

6 clous de girofle

1/2 c. à thé (2 ml) de graines de fenouil

10 grains de poivre noir

2 tasses (500 ml) de bouillon de bœuf

2 tasses (500 ml) de vin rouge

1/4 tasse (60 ml) de pâte de tomates
Sel

2 tasses (500 ml) de carottes, coupées en tronçons

8 petits oignons jaunes, pelés

1 livre (500 g) de rutabaga, pelé et coupé en cubes

1 livre (500 g) de haricots verts, parés et attachés en 8 fagots

Dans une grande casserole, dorer la viande dans l'huile environ 10 minutes. Réserver sur une assiette.

Dans la même casserole, à feu moyen, faire fondre en brassant les oignons et l'ail dans le beurre. Ajouter le bouquet garni et le zeste.

Placer les clous, les graines de fenouil et le poivre dans un infuseur à thé ou dans une étamine (coton à fromage), nouer et ajouter dans la casserole.

Incorporer le bouillon de bœuf, le vin et la pâte de tomates.

Saler et amener à ébullition. Réduire la chaleur, couvrir et laisser mijoter 1 heure. Remettre la pièce de bœuf dans la casserole et poursuivre la cuisson encore 1 heure.

Ajouter les carottes, les oignons jaunes et le rutabaga. Continuer la cuisson 45 minutes. Ajouter les haricots verts et cuire encore 15 minutes.

C'est la recette idéale à congeler en portions individuelles ou pour recevoir sans problème.

Fricassée au veau

TEMPS DE PRÉPARATION : 30 minutes
TEMPS DE CUISSON : 1 heure 30 minutes

PORTIONS : 6

3 livres (1,5 kg) de veau dans l'épaule, coupé en cubes

1/2 tasse (125 ml) de farine

2 c. à table (30 ml) de beurre

2 c. à table (30 ml) d'huile d'olive

1 tasse (250 ml) de vin blanc ou de bouillon de poulet

1 poireau (partie blanche), émincé

4 carottes, coupées en dés

1 barquette d'oignons nains ou 6 à
8 petits oignons jaunes, pelés et parés

2 gousses d'ail, hachées

1 bouquet garni (thym, laurier et persil) enfoui dans le vert de poireau

1 c. à thé (5 ml) d'estragon séché

28 oz (796 ml) de tomates italiennes

10 oz (284 ml) de bouillon de poulet

Préchauffer le four à 350 °F (180 °C).

Enfariner le veau. Dans une grande poêle, faire dorer les morceaux de veau dans le beurre et l'huile. Réserver dans une grande casserole épaisse au fur et à mesure.

Si désiré, jeter le gras de cuisson. Déglacer avec le vin blanc, verser sur le veau.

Ajouter le poireau, les carottes, les petits oignons, l'ail, le bouquet garni, l'estragon, les tomates et le bouillon dans la casserole.

Amener à ébullition, couvrir et cuire au four 45 minutes. Découvrir et cuire encore 15 minutes.

Servir avec une purée de céleri-rave et de pommes de terre

Médaillons de veau aux tomates séchées

TEMPS DE PRÉPARATION : 10 minutes
TEMPS DE CUISSON : 15 minutes

PORTIONS : 4

4 médaillons de veau (filet) d'environ 3/4 po (2 cm) d'épaisseur
1 c. à table (15 ml) d'huile d'olive

Sauce

4 échalotes vertes, hachées
1 1/2 tasse (375 ml) de champignons portobello ou de Paris, tranchés
2 c. à table (30 ml) d'huile de tomates séchées
3 c. à table (45 ml) de tomates séchées dans l'huile, hachées très finement (environ 5 tomates)
1/4 tasse (60 ml) de vin blanc ou de bouillon de poulet
1/2 tasse (125 ml) de bouillon de poulet
1/4 tasse (60 ml) de crème 15 % ou 35 %
Sel et poivre

Sauce

Dans une casserole, faire revenir les échalotes vertes et les champignons dans l'huile de tomates séchées. Ajouter les tomates séchées, le vin, le bouillon de poulet et la crème.

Saler et poivrer ; laisser mijoter jusqu'à épaississement léger.

Dans une poêle striée de préférence, cuire les médaillons de veau dans l'huile d'olive à feu moyen-élevé jusqu'à ce qu'ils soient d'une cuisson rosée.

Napper de sauce et servir avec les croquettes de pommes de terre.

Croquettes de pommes de terre

TEMPS DE PRÉPARATION : 45 minutes
TEMPS DE CUISSON : 40 minutes

PORTIONS : 18

Purée

4 tasses (1 l) de purée de pommes de terre lisse
1/2 poivron rouge, haché finement
2 échalotes vertes, hachées
2 gousses d'ail, hachées
1 œuf
1/2 tasse (125 ml) de chapelure de pain
1/4 tasse (60 ml) de crème 35 %
1/4 à 1/2 c. à thé (1 à 2 ml) de poivre de Cayenne
1/2 c. à thé (2 ml) de poudre de cari
Sel et poivre

Panure

1 œuf, battu
3 c. à table (45 ml) de lait
Environ 3/4 tasse (175 ml) de chapelure
Huile

Dans un bol, mélanger tous les ingrédients de la purée ; réfrigérer 1 heure.
Façonner environ 18 croquettes de 3 x 2 x 1 po (7,5 x 5 x 2,5 cm) ; remettre au réfrigérateur 1 heure.

Panure

Dans un bol, mélanger l'œuf et le lait. Tremper une croquette à la fois dans cette préparation ; égoutter et enrober de chapelure.

Dans une poêle contenant un peu d'huile chaude, faire dorer quelques croquettes à la fois des deux côtés.

Terminer la cuisson sur une plaque au four à 350 °F (180 °C) environ 5 minutes.

Servir chaudes.

Escalopes de veau aux tomates et aux olives

Après les pizzas et les pâtes, les Italiens nous ont fait découvrir les escalopes de veau apprêtées de mille et une façons.

TEMPS DE PRÉPARATION : 30 minutes
TEMPS DE CUISSON : 20 minutes

PORTIONS : 4

1/2 tasse (125 ml) de farine

1 livre (500 g) d'escalopes de veau

1/4 tasse (60 ml) d'huile d'olive

1 petit oignon, coupé en 2 et émincé

2 gousses d'ail, hachées finement

Sel et poivre

1 c. à table (15 ml) de romarin frais, haché finement, ou 1 c. à thé (5 ml) d'origan, séché

6 grosses tomates italiennes, pelées, épépinées et coupées en dés ou 1 boîte de 14 oz (398 ml) de tomates italiennes, égouttées et coupées en dés

2/3 tasse (150 ml) de bouillon de poulet

1/4 tasse (60 ml) d'olives Kalamata, dénoyautées et coupées en quartiers

1/4 tasse (60 ml) de persil italien frais, haché finement

2 c. à table (30 ml) de beurre froid

Enfariner les escalopes de veau.

Dans une grande poêle, à feu moyen-élevé, faire sauter les escalopes dans la moitié de l'huile d'olive. Réserver les escalopes au fur et à mesure sur une assiette chaude ; couvrir.

Jeter l'excédent du gras de cuisson si désiré et ajouter le reste de l'huile.

Faire fondre l'oignon dans l'huile. Ajouter l'ail et cuire en brassant 1 minute.

Saler et poivrer. Ajouter le romarin frais ou l'origan séché, les tomates italiennes et le bouillon de poulet. Laisser mijoter 5 minutes à couvert.

Remettre les escalopes dans la sauce avec les olives, porter à ébullition, couvrir et laisser mijoter 3 minutes.

Déposer les escalopes dans un plat de service.

Retirer la poêle du feu. Ajouter le persil frais et le beurre, mélanger jusqu'à ce que le beurre soit fondu. Verser la sauce sur les escalopes.

Servir avec des spaghettis enrobés d'huile d'olive et saupoudrer de parmesan frais, râpé.
Poivrer au goût.

TEMPS DE PRÉPARATION : 15 minutes
TEMPS DE CUISSON : 30 minutes

PORTIONS : 4

3 échalotes vertes, hachées

2 tasses (500 ml) de champignons, tranchés finement

2 c. à table (30 ml) de beurre

1/2 tasse (125 ml) de vin rouge ou de bouillon de poulet

1 tasse (250 ml) de tomates en dés en conserve non égouttées

1 c. à thé (5 ml) de sucre

1 tasse (250 ml) de crème 15 % ou 35 %

1 livre (500 g) de scaloppines de veau minces

Farine tout usage

1 c. à table (15 ml) de beurre

1 c. à table (15 ml) d'huile d'olive

Sel et poivre

Dans une casserole, sauter les échalotes vertes et les champignons dans le beurre jusqu'à tendreté des champignons.

Ajouter le vin rouge et laisser réduire de moitié. Ajouter les tomates et le sucre. Couvrir et laisser mijoter 15 minutes à feu doux-moyen, en remuant de temps à autre.

Ajouter la crème, saler et poivrer. Poursuivre la cuisson environ 5 minutes à découvert.

Aplatir les scaloppines de veau et les enfariner.

Dans une poêle, chauffer le beurre et l'huile. Cuire les scaloppine de 1 à 2 minutes de chaque côté. Saler et poivrer.

Pour servir, napper de sauce et accompagner de pâtes au beurre citronné.

Note :

Vous pouvez aussi utiliser des escalopes de porc.

Veau bourguignon

Pour préparer un bœuf bourguignon, procéder de la même façon en remplaçant les cubes de veau par des cubes de bœuf.

TEMPS DE PRÉPARATION : 40 minutes
TEMPS DE CUISSON : 2 heures

PORTIONS : 6

4 tranches de bacon, hachées

2 1/2 livres (1,2 kg) de petits cubes de veau
(environ 1 po / 2,5 cm)

Sel et poivre

1 c. à table (15 ml) d'huile végétale

1 c. à table (15 ml) de beurre

1 contenant d'environ 1/2 livre (284 g) de petits oignons rouges à mariner, épluchés (voir Note)

2 tasses (500 ml) de champignons, tranchés

3 grosses carottes, coupées en rondelles

2 gousses d'ail, hachées

1/4 tasse (60 ml) de farine tout usage

1 tasse (250 ml) de bouillon de bœuf

2 tasses (500 ml) de vin rouge sec

2 feuilles de laurier

2 c. à thé (10 ml) d'herbes de Provence ou de thym séché

Dans une grande casserole, cuire le bacon jusqu'à ce qu'il commence à être croustillant. Ajouter les cubes de viande, une petite quantité à la fois, et bien les colorer de tous les côtés. Saler et poivrer. Retirer les cubes de viande et leur jus de la casserole. Réserver.

Dans la même casserole, chauffer l'huile et le beurre. Ajouter les oignons, les champignons, les carottes et l'ail. Cuire en remuant jusqu'à ce que les oignons soient légèrement colorés.

Saupoudrer la farine et cuire en remuant jusqu'à ce qu'elle soit légèrement colorée.

Ajouter graduellement le bouillon de bœuf en remuant jusqu'à épaississement. Ajouter le vin rouge, les feuilles de laurier, les herbes et les cubes de viande avec leur jus de cuisson.

Couvrir et laisser mijoter 1 heure 30 minutes en remuant de temps à autre. Retirer les feuilles de laurier et rectifier l'assaisonnement.

Le veau bourguignon se congèle très bien.

Note :

Pour éplucher facilement les petits oignons à mariner, laissez-les reposer quelques minutes dans l'eau bouillante.

Les meilleures recettes de Marie-Josée et Claudette Taillefer

Bœuf et veau

TEMPS DE PRÉPARATION : 15 minutes
TEMPS DE CUISSON : 8 minutes

PORTIONS : 4

4 escalopes de veau (1/4 livre/150 g chacune)

1/3 tasse (75 ml) de farine

Sel et poivre

1/4 tasse (60 ml) d'huile d'olive

1 gousse d'ail, émincée

1/2 tasse (125 ml) de tomates italiennes épépinées et coupées en cubes de 1/4 po (1/2 cm)

1/4 tasse (60 ml) d'olives noires, coupées en 2

1 c. à table (15 ml) de filets d'anchois, hachés

1 c. à table (15 ml) de sauge fraîche, hachée

2 c. à thé (10 ml) de câpres

Poivre noir, fraîchement moulu

Assaisonner les escalopes et les enfariner en les tapotant pour enlever le surplus de farine.

Dans une poêle antiadhésive, chauffer l'huile à feu vif, en réservant 1 c. à table (15 ml) d'huile pour la garniture.

Déposer les escalopes en prenant garde aux éclaboussures et cuire à feu vif 1 1/2 minute de chaque côté. Retirer et garder au chaud.

Dans la même poêle, chauffer le reste d'huile et y faire fondre l'ail à feu doux pendant 2 minutes.

Ajouter tous les autres ingrédients et cuire 2 minutes à feu moyen.

Verser sur les escalopes de veau. Servir avec des pâtes à la crème.

Enchiladas

TEMPS DE PRÉPARATION : 25 minutes
TEMPS DE CUISSON : 30 minutes

PORTIONS : 6

1 c. à table (15 ml) d'huile végétale

1 oignon, haché finement

1 poivron vert, haché finement

3 gousses d'ail, hachées

1 c. à thé (5 ml) de piment jalapeño frais ou mariné, haché finement

1 livre (500 g) de bœuf haché maigre
Sel et poivre

1/4 c. à thé (1 ml) de cumin moulu

1 c. à thé (5 ml) de poudre de chili

1 c. à thé (5 ml) d'origan séché

1 c. à thé (5 ml) de basilic séché

1 tasse (250 ml) de haricots rouges en conserve, rincés, égouttés, écrasés (facultatif)

2/3 tasse (150 ml) de bouillon de poulet

1/4 tasse (60 ml) de coriandre fraîche, hachée

6 tortillas fraîches

1 tasse (250 ml) de cheddar jaune, râpé

Salsa verte ou rouge du commerce
Crème sure

Préchauffer le four à 400 °F (200 °C).

Dans une poêle, faire fondre l'oignon et le poivron dans l'huile. Ajouter l'ail, le piment jalapeño et le bœuf. Cuire en émiettant la viande jusqu'à ce qu'elle soit colorée. Saler et poivrer.

Ajouter les épices et les herbes, les haricots rouges et le bouillon de poulet. Poursuivre la cuisson à feu moyen jusqu'à évaporation complète du liquide. Retirer du feu et ajouter la coriandre.

Pour assembler les enchiladas, répartir la viande sur les tortillas et les rouler. Les déposer dans un plat allant au four, l'ouverture des tortillas enchiladas en-dessous.

Saupoudrer de fromage. Cuire au four environ 10 minutes ou jusqu'à ce que le fromage soit fondu.

Pour servir, napper chaque enchilada de salsa et de crème sure.

Poissons et crustacés

Filets de saumon grillés

TEMPS DE PRÉPARATION :
10 minutes

TEMPS DE CUISSON : 10 minutes

PORTIONS : 4

1 c. à table (15 ml) de moutarde de Dijon

2 c. à table (30 ml) de cassonade

1 c. à thé (5 ml) de sauce soya

2 c. à table (30 ml) de jus de citron

1 c. à table (15 ml) d'huile végétale

2 c. à table (30 ml) d'échalotes vertes (partie verte), hachées

4 filets de saumon de 6 oz (185 g) chacun

Sel et poivre

Dans un petit bol, mélanger la moutarde, la cassonade, la sauce soya, le jus de citron, l'huile et les échalotes.

Saler et poivrer les filets de saumon, les badigeonner de marinade. Laisser reposer 30 minutes au réfrigérateur.

Préchauffer le four à 425 °F (220 °C). Tapisser une petite plaque de papier aluminium.

Poser le saumon sur la plaque, cuire au four 10 minutes.

Suggestion :

Accompagner le saumon d'épinards juste tombés dans un peu de beurre ou d'une salade de cresson.

Filets de sole aux tomates

Vous pouvez utiliser n'importe quel genre de filets de poisson blanc comme la morue ou l'aiglefin.

TEMPS DE PRÉPARATION :
15 minutes

TEMPS DE CUISSON : 20 minutes

PORTIONS : 4

1 livre (500 g) de filets de sole

1 grosse tomate rouge, épépinée, en dés

1/2 tasse (125 ml) de cœurs d'artichaut dans l'huile, bien égouttés, en quartiers

1 échalote verte, hachée

1 gousse d'ail, hachée

1 c. à thé (5 ml) de thym frais, haché, ou 1/2 c. à thé (2 ml) de thym séché

1 c. à thé (5 ml) d'origan frais, haché, ou 1/2 c. à thé (2 ml) d'origan séché

3 c. à table (45 ml) de câpres, égouttées et hachées

Sel et poivre

Huile d'olive, en quantité suffisante

Préchauffer le four à 350 °F (180 °C). Huiler un plat carré de 8 po (20 cm) allant au four.

Déposer les filets de poisson dans le plat. Ajouter la tomate, les cœurs d'artichaut, l'échalote verte, l'ail, le thym, l'origan et les câpres.

Saler et poivrer. Arroser d'un filet d'huile d'olive.

Couvrir hermétiquement de papier d'aluminium et cuire au four pendant 20 minutes.

Sauté aux légumes et aux crevettes

TEMPS DE PRÉPARATION :
15 minutes

TEMPS DE CUISSON : 10 minutes

PORTIONS : 4

2 c. à table (30 ml) de fécule de maïs

2 blancs d'œufs, légèrement battus

1 c. à thé (5 ml) de poudre à pâte

1 livre (500 g) de grosses crevettes fraîches, décortiquées et déveinées

1 c. à table (15 ml) d'huile d'arachide

2 c. à table (30 ml) d'huile de sésame

3 oignons verts, hachés finement

1 poivron rouge, coupé en fines lanières

1/4 livre (125 g) de pois mange-tout

2 gousses d'ail, hachées finement

2 c. à table (30 ml) de sauce soya

2 c. à table (15 ml) de sirop de maïs

1/2 livre (250 g) de vermicelles de riz

Graines de sésame

Dans un bol, mélanger au fouet la fécule de maïs, les blancs d'œufs et la poudre à pâte. Ajouter les crevettes et mélanger.

Dans un wok ou une grande poêle, chauffer les huiles d'arachide et de sésame. Ajouter les oignons verts, le poivron, les pois mange-tout et l'ail. Faire sauter rapidement.

Ajouter le mélange de crevettes et faire sauter 1 à 2 minutes, jusqu'à ce qu'elles changent de couleur. Ajouter la sauce soya et le sirop de maïs. Mélanger.

Dans une casserole d'eau bouillante salée, cuire les vermicelles de riz 1 à 2 minutes, jusqu'à tendreté.

Pour servir, déposer la préparation de légumes et de crevettes sur les vermicelles de riz égouttés et saupoudrer de graines de sésame.

Poissons et crustacés

Huîtres Rockefeller

Quand vient le temps des huîtres, rien de tel que de les cuisiner pour ses invités. Un grand classique.

TEMPS DE PRÉPARATION :
30 minutes
TEMPS DE CUISSON : 15 minutes

PORTIONS : 36

4 tasses (1 l) de laitue Boston, émincée

3 tasses (750 ml) d'épinards, émincés

1 tasse (250 ml) d'échalotes vertes, émincées

1/2 tasse (125 ml) de chapelure

1/2 tasse (125 ml) de persil frais, haché

2 gousses d'ail, hachées

3/4 tasse (250 ml) de beurre

2 c. à table (30 ml) de Pernod

1 c. à table (15 ml) de pâte d'anchois

1 pointe de poivre de Cayenne

Sel et poivre

12 tranches de bacon

36 huîtres, grosses

Gros sel

1 tasse (250 ml) de chapelure

Préchauffer le four à 450 °F (220 °C)

Dans un bol, mélanger la laitue, les épinards, les échalotes vertes, la chapelure, le persil et l'ail.

Dans une casserole, faire fondre le beurre à feu moyen et y cuire le mélange de légumes pendant 2 minutes.

Incorporer le Pernod, la pâte d'anchois, le poivre de Cayenne, le sel et le poivre. Refroidir.

Cuire le bacon, l'égoutter et le couper en petits morceaux.

Ouvrir les coquillages et déposer les huîtres et leur jus dans un bol. Réserver la partie creuse du coquillage.

Sur une plaque à biscuits, étendre une bonne couche de gros sel pour maintenir les coquillages droit.

Dans chaque cavité, déposer une huître avec un peu de jus. Couvrir avec 1 c. à thé (5 ml) du mélange de légumes, saupoudrer de morceaux de bacon et recouvrir du mélange de légumes.

Garnir de chapelure et cuire au four pendant 12 minutes jusqu'à ce que les huîtres soient bien dorées.

Rouleaux de printemps aux crevettes

TEMPS DE PRÉPARATION :
30 minutes
TEMPS DE CUISSON : 5 minutes

PORTIONS : 4

Rouleaux

4 oz (120 g) de vermicelles de riz
(1/2 paquet de 227 g)

12 grosses crevettes, cuites

8 feuilles de pâte à rouleaux de
printemps de 8 po (20 cm) de
diamètre

5 feuilles de laitue Iceberg, finement
ciselées

16 feuilles de coriandre ou de
menthe fraîche

Sauce aux arachides rapide

1/4 tasse (60 ml) de beurre
d'arachide

1/4 tasse (60 ml) de bouillon de
légumes, tiède

Environ 1/2 c. à thé (2 ml) de pâte
Harissa (facultatif)

Rouleaux

Faire cuire les vermicelles de riz dans
de l'eau bouillante jusqu'à ce qu'ils
soient tendres, environ 1 minute.
Rincer à l'eau froide et égoutter.

Couper les crevettes en deux horizontalement.

Réhydrater une feuille de pâte à
rouleaux de printemps en la trempant
dans de l'eau chaude, jusqu'à ce
qu'elle soit tendre. Déposer la feuille
devant soi.

Déposer trois demi-crevettes bout à
bout sur la pâte, un peu de laitue, une
petite poignée de vermicelle de riz et
deux feuilles de coriandre ou de menthe. Plier les côtés de la pâte vers le
centre, puis rouler vers l'avant pour
former un rouleau. Répéter l'opération
avec les autres feuilles de pâte.

Garder les rouleaux sous un linge
humide frais au réfrigérateur. Pour
servir, les accompagner de sauce aux
arachides.

Sauce aux arachides rapide

Dans un bol, mélanger tous les ingrédients jusqu'à consistance homogène.
Servir à la température de la pièce.

Filets de truite au fenouil

TEMPS DE PRÉPARATION :
10 minutes
TEMPS DE CUISSON : 20 minutes

PORTIONS : 4

1 c. à table (15 ml) de beurre

1 c. à table (15 ml) d'huile d'olive

1 bulbe de fenouil, tranché finement

3 échalotes vertes, hachées

1 gousse d'ail, hachée

1 tasse (250 ml) de vin blanc

1/2 tasse (125 ml) de crème 15 %
ou 35 %

1 tomate, épépinée et coupée en
petits cubes

1 livre (500 g) de filets de truite, sans
la peau

Sel et poivre

Dans une grande poêle, faire revenir le
fenouil, les échalotes vertes et l'ail dans
le beurre et l'huile de 3 à 4 minutes,
sans laisser se colorer. Saler et poivrer.

Ajouter le vin blanc, couvrir et laisser
mijoter 5 minutes.

Ajouter la crème et les cubes de
tomate, mélanger.

Déposer les filets de truite, saler et
poivrer. Couvrir et poursuivre la
cuisson 10 minutes.

Servir les filets de truite avec la sauce.
Accompagner de riz et de choux de
Bruxelles.

Poissons et crustacés

Homard à la Newburg

Un grand classique qui allie crème, jaunes d'œufs et chair de homard. Divin!

TEMPS DE PRÉPARATION :
20 minutes

TEMPS DE CUISSON : 12 minutes

PORTIONS : 4

1 1/4 livre (625 g) de chair de homard (l'équivalent de 3 homards vivants de 1 à 1 1/2 livre/500 à 750 g)

1/4 tasse (60 ml) de beurre

1/4 tasse (60 ml) de brandy

3 c. à table (45 ml) de sherry ou de vin blanc

1 1/2 tasse (375 ml) de crème 35 %

1/4 c. à thé (1 ml) de muscade moulue

1 pointe de poivre de Cayenne

2 jaunes d'œufs

Si on utilise des homards vivants, plonger les tête première dans une grande marmite remplie d'eau bouillante salée, couvrir et compter 8 minutes à partir du moment où l'ébullition recommence pour une cuisson à point. Retirer aussitôt de l'eau bouillante et laisser tiédir avant de retirer la chair.

Couper la chair de homard en beaux morceaux.

Dans une poêle, faire revenir la chair de homard dans le beurre à feu moyen pendant 2 minutes. Ajouter le brandy et flamber.

Incorporer le sherry ou le vin blanc en remuant 2 minutes. Retirer la chair de homard à l'aide d'une cuillère trouée et réserver au chaud.

Ajouter la crème, la muscade et le poivre de Cayenne, porter à ébullition et laisser réduire 2 minutes.

Dans un petit bol, briser les jaunes d'œufs. Ajouter un peu de sauce chaude en remuant bien pour éviter que les jaunes ne coagulent.

Lorsque le mélange d'œufs est tiède, l'ajouter-le à la sauce et cuire 2 minutes en évitant de porter à ébullition.

Remettre la chair de homard, réchauffer et servir sur un nid de riz avec des croûtons.

Saumon teriyaki

TEMPS DE PRÉPARATION :
10 minutes

TEMPS DE CUISSON :
environ 15 minutes

PORTIONS : 4

4 darnes de saumon fraîches

Sauce

3 c. à table (45 ml) de sauce soya

1/4 tasse (60 ml) d'eau

1 c. à thé (5 ml) de vinaigre de riz

3 c. à table (45 ml) de sucre

1 gousse d'ail, hachée finement

1 morceau de gingembre frais de 1 po (2,5 cm), tranché grossièrement

Dans une poêle antiadhésive striée, griller les darnes de saumon à feu moyen des deux côtés, jusqu'à ce qu'elles soient encore mœlleuses. Calculer 10 minutes de cuisson par pouce d'épaisseur (5 minutes par centimètre).

Sauce

Pendant la cuisson du saumon, préparer la sauce. Dans une petite casserole, porter à ébullition tous les ingrédients de la sauce.

Laisser mijoter 2 minutes puis passer la sauce dans un tamis fin.

Napper le saumon de sauce et servir.

Les meilleures recettes de Marie-Josée et Claudette Taillefer

Poissons et crustacés

Vol-au-vent aux huîtres

Onctueuse sauce aux huîtres servie sur des timbales de pâte feuilletée.

TEMPS DE PRÉPARATION :
10 minutes
TEMPS DE CUISSON : 10 minutes

PORTIONS : 6

3 c. à table (45 ml) de beurre

3 c. à table (45 ml) de farine

1 boîte de conserve de 4,7 oz (133 g) d'huîtres entières (réserver le jus pour la sauce)

2 tasses (500 ml) de lait

Sel et poivre

6 timbales de pâte feuilletée

Préchauffer le four à 350 °F (180 °C).

Dans une casserole, faire fondre le beurre et laisser cuire jusqu'à ce qu'il soit noisette.

Ajouter la farine en mélangeant au fouet et cuire pendant 2 minutes.

Ajouter le jus des huîtres et le lait et porter à ébullition en brassant avec le fouet.

Cuire à feu moyen pendant 5 minutes. Ajouter les huîtres, assaisonner, réchauffer.

Sur une plaque à biscuits, réchauffer les timbales 5 minutes au four.

Verser la sauce sur les timbales et servir immédiatement.

Note :

On peut remplacer les huîtres par du saumon, des palourdes ou tout autre coquillage ou crustacé en conserve.

Morue poêlée à la mode gaspésienne

Une recette à la fois simple et délicieuse.

TEMPS DE PRÉPARATION :
10 minutes
TEMPS DE CUISSON : 6 minutes

PORTIONS : 4

1/3 tasse (75 ml) de farine

1 c. à thé (5 ml) de paprika

1/2 c. à thé (2 ml) de poivre noir, fraîchement moulu

1/2 c. à thé (2 ml) de sel

4 filets de morue très fraîche de 5 oz (150 g) chacun

1/4 tasse (60 ml) de beurre

4 quartiers de citron

Dans un plat, mélanger la farine, le paprika, le poivre et le sel.

Bien enfariner chacun des morceaux de poisson et secouer pour enlever l'excédent de farine.

Dans une poêle antiadhésive, faire fondre le beurre et cuire les filets de morue environ 3 minutes chaque côté, à feu moyennement élevé.

Servir avec des quartiers de citron.

Mouclade

Cette soupe aux moules qui nous vient des Charentes est parfumée au Pineau qui lui apportera une saveur toute particulière. Même sans pineau, la mouclade est absolument délicieuse.

TEMPS DE PRÉPARATION :
15 minutes
TEMPS DE CUISSON : 10 minutes

PORTIONS : 4

2 livres (1 kg) de moules
1 1/2 tasse (375 ml) de vin blanc sec
1/2 tasse (125 ml) de Pineau des Charentes ou de vin blanc sec
1 bouquet garni
5 échalotes françaises, émincées
2 c. à table (30 ml) de beurre
2/3 tasse (150 ml) de crème 35 %
1 pincée de poivre de Cayenne
1 pincée de safran (facultatif)
1 c. à thé (5 ml) de poudre de cari
3 jaunes d'œufs

Dans une casserole, mettre ensemble les moules, le vin, le Pineau des Charentes et le bouquet garni.

Cuire à chaleur vive, en agitant la casserole, jusqu'à ce que les moules ouvrent, environ 4 minutes. Réserver au chaud.

Filtrer le jus de cuisson des moules, remettre dans la casserole et réduire à 2 tasses (500 ml).

Dans une autre casserole, faire fondre les échalotes dans le beurre à feu doux.

Ajouter le jus de cuisson des moules, la crème et les assaisonnements.

Porter à ébullition, réduire la chaleur au plus bas, battre les jaunes d'œufs dans un petit bol, les réchauffer avec un peu de bouillon chaud.

Remettre les œufs dans la casserole, cuire doucement en brassant 2 ou 3 minutes sans laisser bouillir.

Servir les moules dans des assiettes creuses chaudes et verser la sauce sur les moules.

Note :
Pour faciliter l'opération, on pourra lier la sauce avec 1 1/2 c. à table (22 ml) de farine saupoudrée sur les échalotes fondues.

Poissons et crustacés

Cari de crevettes

Un sauté de crevettes, de poivrons et d'oignons dans une sauce onctueuse au cari.

TEMPS DE PRÉPARATION :
10 minutes

TEMPS DE CUISSON : 5 minutes

PORTIONS : 4

1 poivron rouge, coupé en lanières

1 poivron vert, coupé en lanières

1 1/4 livre (625 g) de crevettes grosseur 21/25, décortiquées et déveinées (environ 28)

1 tasse (250 ml) de crème 35 %

2 c. à thé (10 ml) de poudre de cari

Sel et poivre noir, fraîchement moulu

Blanchir les poivrons à l'eau bouillante salée pendant 3 minutes jusqu'à ce qu'ils soient tendres. Retirer du feu et refroidir immédiatement. Égoutter sur du papier essuie-tout.

Dans une casserole, combiner les crevettes, la crème et la poudre de cari, porter à ébullition et laisser mijoter à couvert 2 minutes jusqu'à ce que les crevettes changent de couleur. Retirer les crevettes avec une cuillère trouée et réserver au chaud.

Porter la sauce à ébullition et laisser réduire jusqu'à la consistance désirée. Ajouter les poivrons, le sel et le poivre et réchauffer.

Ajouter les crevettes et servir.

Les meilleures recettes de Marie-Josée et Claudette Taillefer

Crevettes au vinaigre balsamique

Des crevettes sautées dans l'huile d'olive parfumée d'ail, mariées aux effluves enivrants du vinaigre balsamique. Voilà une recette toute simple qui promet.

TEMPS DE PRÉPARATION :
15 minutes

TEMPS DE CUISSON : 5 minutes

PORTIONS : 8 à 10

3 c. à table (45 ml) d'huile d'olive

3 gousses d'ail, dégermées et hachées grossièrement

1 feuille de laurier, coupée en morceaux

1/4 c. à thé (1 ml) de piment de Cayenne broyé

1 1/4 livre (560 g) de crevettes, parées, rincées et épongées

2 c. à table (30 ml) de vinaigre balsamique

4 échalotes vertes, émincées

Dans une grande poêle, chauffer à feu vif l'huile avec l'ail, la feuille de laurier et le piment de Cayenne.

Ajouter les crevettes, faire sauter rapidement en agitant la poêle jusqu'à ce que les crevettes commencent à devenir opaques.

Ajouter le vinaigre balsamique, laisser évaporer l'acidité. Retirer du feu, ajouter les échalotes vertes.

Servir sans attendre.

Note :

Si désiré, refroidir les crevettes, les servir avec la trempette aux poivrons rouges.

Pour déguster les crevettes froides, conserver la coquille de la queue pour tenir plus facilement la crevette.

Poissons et crustacés

Salade verte d'agrumes et de crevettes

Cette salade a sa place sur la table de Noël. Elle est aussi délicieuse sans les crevettes.

TEMPS DE PRÉPARATION :
30 minutes
TEMPS DE CUISSON : aucun

PORTIONS : 8

1 livre (500 g) de crevettes nordiques

Lait, en quantité suffisante (facultatif)

1 chicorée

1 bouquet de cresson, bouts feuillus

1 raddichio, déchiquetée

2 endives, coupées en julienne fine

4 oranges navel, pelées à vif et défaites en quartiers

2 gros pamplemousses roses, pelés à vif et défaits en quartiers

1/4 tasse (60 ml) d'aneth frais, haché finement, ou 4 c. à thé (20 ml) d'aneth séché

Vinaigrette

Zeste râpé de 1 orange

1/4 tasse (60 ml) de jus d'orange frais

2 c. à table (30 ml) de vinaigre de vin blanc

2 c. à thé (10 ml) de moutarde de Dijon

Sel et poivre

1/2 tasse (125 ml) d'huile végétale légère

Si désiré, faire tremper les crevettes dans du lait froid quelques heures pour leur redonner de la fraîcheur. Les rincer, les égoutter, les éponger et les réserver au réfrigérateur, bien couvertes, jusqu'au moment de servir.

Laver la chicorée, la débarrasser de ses feuilles extérieures. Ne conserver que la partie tendre, retirer la côte centrale. Réserver dans un linge au réfrigérateur.

Vinaigrette

Dans un bocal, mélanger tous les ingrédients de la vinaigrette, couvrir. Réserver jusqu'au moment de servir.

Pour servir, disposer les laitues sur des assiettes individuelles. Garnir de quartiers d'orange et de pamplemousse. Répartir les crevettes sur les salades.

Secouer le bocal de vinaigrette pour bien mélanger. Verser quelques cuillerées sur chaque portion. Saupoudrer d'aneth.

Note :

Les laitues amères sont la scarole, la chicorée, la raddichio, l'endive, la roquette, le cresson, etc. On ne mange que les cœurs de la scarole et de la chicorée, qui sont moins amères, ainsi que les bouts feuillus du cresson.

On peut cependant utiliser 8 tasses (2 l) de mesclun (mélange de laitues) déjà tout prêt ou tout simplement une laitue verte en feuilles.

On peut aussi remplacer les oranges par 3 boîtes de 10 oz (284 ml) de mandarines égouttées, rincées et épongées.

Les meilleures recettes de Marie-Josée et Claudette Taillefer

Flétan à l'orientale

TEMPS DE PRÉPARATION :
15 minutes
TEMPS DE CUISSON : 10 minutes

PORTIONS : 4

4 darnes de flétan, de 3/4 po (2 cm) d'épaisseur

Marinade

Zeste râpé et jus de 1 grosse lime
1/4 tasse (60 ml) de vinaigre de riz
3 c. à table (45 ml) d'huile de soya
1 c. à table (15 ml) de sauce soya
Sel et poivre
1/4 tasse (60 ml) d'échalotes vertes (partie blanche), émincées
1 c. à table (15 ml) de gingembre frais, râpé
2 gousses d'ail, écrasées
1/4 c. à thé (1 ml) de Sambal Œlek ou de piment de Cayenne broyé

Dans un sac de plastique qui ferme hermétiquement, déposer les darnes de flétan.

Ajouter les ingrédients de la marinade, fermer le sac, agiter pour mélanger et bien enrober le poisson. Laisser mariner au réfrigérateur environ 1 heure.

Préchauffer le four à *broil*. Tapisser une plaque de papier d'aluminium et garnir d'une grille. Placer l'une des grilles du four à la position la plus haute.

Égoutter le poisson et le déposer sur cette grille. Faire griller 5 minutes de chaque côté.

Accompagner le flétan de légumes à l'orientale sautés avec de l'ail et du gingembre. Servir avec du riz basmati parfumé à la lime.

Note :

Remplacer le flétan par du thon, de l'espadon ou du requin.

Filets de sole pochés à l'orange

Chaque petit paquet de julienne de légumes est maintenu par deux rubans de filets de sole. Coloré et savoureux à souhait, ce plat se prépare à l'avance. Il reste à pocher le poisson au dernier moment.

TEMPS DE PRÉPARATION :
30 minutes

TEMPS DE CUISSON : 15 minutes

PORTIONS : 4

1 petit poivron rouge, paré et coupé en longues lanières

2 petites courgettes, parées et coupées en longues lanières

2 poireaux (partie blanche), coupé en longues lanières

8 grands filets de sole

4 tasses (1 l) de jus d'orange

2 tasses (500 ml) de jus de pamplemousse

2 c. à table (30 ml) de gingembre frais, coupé en julienne

2 échalotes françaises, émincées

Sel et poivre

Couper le bout arrondi des lanières de poivron et les réserver. Partager en 8 les lanières de poivron, de courgette et de poireau.

Découper la ligne d'arête au centre de chaque filet de sole. Enrouler les deux parties du filet autour de chaque fagot de légumes. Fixer avec un cure-dents ou une ficelle.

Dans une grande casserole, verser le jus d'orange et le jus de pamplemousse. Ajouter les retailles de poivron rouge, le gingembre et les échalotes, saler et poivrer. Déposer les filets de sole dans le jus, porter à ébullition. Couvrir, retirer la casserole du feu et laisser pocher 10 minutes.

Au moment de servir, retirer les cure-dents ou la ficelle et accompagner de riz basmati parfumé au citron ou à la limette et de haricots verts.

Arroser le poisson de quelques cuillerées de jus de cuisson.

Poissons et crustacés

Escalopes de lotte au gingembre

Un si bon poisson méconnu que l'on surnomme « le homard des pauvres ».

TEMPS DE PRÉPARATION :
20 minutes

TEMPS DE CUISSON : 15 minutes

PORTIONS : 6

1 1/2 lb (750 g) de filet de lotte

1/2 c. à thé (2 ml) de sel

1/4 c. à thé (1 ml) de poivre

3 c. à table (45 ml) de beurre

1/2 tasse (125 ml) de vin blanc doux

1 c. à table (15 ml) de gingembre frais, en aiguillettes

1/4 tasse (60 ml) de crème 35 %

1 tasse (250 ml) de beurre froid, coupé en cubes

1 c. à table (15 ml) de carotte blanchie en julienne

Couper le filet de lotte en belles tranches de 1/2 po (1 cm) d'épaisseur. Assaisonner.

Dans une poêle antiadhésive, faire chauffer le beurre et y faire revenir les escalopes 1 à 2 minutes de chaque côté. Réserver au four préchauffé à 250 °F (120 °C).

Dans une casserole, porter à ébullition le vin blanc et le gingembre, faire réduire de moitié. Ajouter la crème et garder l'ébullition.

Ajouter quelques cubes de beurre en fouettant jusqu'à ébullition. Continuer le processus avec le reste des cubes de beurre (monter au beurre).

Ajouter la julienne de carotte. Assaisonner. Napper le poisson.

Les meilleures recettes de Marie-Josée et Claudette Taillefer

Homards grillés au gingembre et au miel

TEMPS DE CUISSON : 16 minutes
**TEMPS DE PRÉPARATION :
10 minutes**

PORTIONS : 4 entrées

2 homards vivants de 1 livre (500 g) chacun, coupés en 2 sur la longueur

2 c. à table (30 ml) de beurre, fondu

1 c. à table (15 ml) de jus de citron frais

1 c. à table (15 ml) de miel blond

1 c. à thé (5 ml) de gingembre frais, haché très finement

1 échalote verte, émincée finement

Préchauffer le barbecue à intensité maximale.

Déposer les homards sur le barbecue, côté carcasse sur la grille.

Réduire le feu à intensité minimale ; refermer le couvercle et cuire 8 minutes.

Mélanger le beurre, le jus de citron, le miel, le gingembre et l'échalote verte ; verser sur les homards.

Refermer le couvercle et continuer la cuisson environ 8 minutes.

Servir avec les miniaubergines grillées.

Note:

Pour un délicieux *Surf and Turf*, servir avec le steak de flanc de bœuf à l'orientale.

Servir avec une salade verte.

Homard grillé au miel et au citron

TEMPS DE PRÉPARATION :
15 minutes

TEMPS DE CUISSON :
environ 12 minutes

PORTIONS : 4

1/3 tasse (75 ml) de jus de citron

1/3 tasse (75 ml) de miel

1 1/2 c. à thé (7 ml) de thym frais, haché, ou 1/2 c. à thé (2 ml) de thym séché

2 gousses d'ail, hachées finement

Sel et poivre

4 homards d'environ 1 livre (500 g) chacun

Dans un bol, mélanger le jus de citron, le miel, le thym et l'ail. Saler et poivrer.

Dans une grande casserole, porter de l'eau salée à ébullition. Plonger les homards dans l'eau, tête première. Lorsque l'eau bout de nouveau, calculer 8 minutes de cuisson. Retirer de l'eau et laisser tiédir.

Préchauffer le gril du barbecue à intensité moyenne ou le gril du four. Enlever les élastiques qui retiennent les pinces. Couper les homards en 2 sur la longueur avec un couteau tranchant. Retirer la partie vitreuse se trouvant près de la tête et le long fil noir, si nécessaire.

Déposer le homard sur la grille du barbecue ou sur une plaque pour la cuisson sous le gril du four. Badigeonner généreusement de marinade et poursuivre la cuisson 3 à 4 minutes.

Servir le reste de la marinade en guise de sauce.

Croque-au-thon

TEMPS DE PRÉPARATION :
25 minutes

TEMPS DE CUISSON :
environ 5 minutes

PORTIONS : 4

1 poivron rouge, coupé en 2 et épépiné

Huile d'olive

2 c. à table (30 ml) d'huile d'olive

2 oignons, tranchés

1 gousse d'ail, hachée

2 pains kaiser

2 c. à table (30 ml) de mayonnaise

1 c. à thé (5 ml) de pâte de tomates

2 boîtes de thon de 6 1/2 oz (184 g) chacune, égoutté

1 tasse (250 ml) de fromage (mozzarella, gruyère, etc.), râpé

Badigeonner le poivron rouge d'huile d'olive. Le faire griller sous le gril chaud du four jusqu'à ce que la peau noircisse. Laisser refroidir et retirer la peau. Couper en 4 morceaux.

Dans une poêle, fondre doucement les oignons et l'ail dans l'huile. Réserver.

Ouvrir les pains kaiser pour obtenir quatre bases de pain.

Dans un bol, mélanger la mayonnaise et la pâte de tomates. Étendre sur les bases de pain et y répartir le mélange d'oignons cuits, le thon, le poivron rouge puis le fromage.

Gratiner sous le gril chaud du four quelques minutes. Accompagner de salade de concombre.

Poisson poché au jus de légumes

TEMPS DE PRÉPARATION :
10 minutes

TEMPS DE CUISSON : 15 minutes

PORTIONS : 4

1 1/2 livre (750 g) de filets de poisson (morue, sole, flétan etc.)

2 tasses (500 ml) de jus de légumes

1 tasse (250 ml) de bouillon pour poisson ou de jus de palourdes

1 c. à thé (5 ml) d'herbes de Provence

Sel et poivre

1/4 tasse (60 ml) de basilic frais, émincé, ou de persil italien frais, haché finement

3 c. à table (45 ml) de beurre froid, coupé en morceaux

Dans une grande casserole, déposer les filets de poisson dans le jus de légumes et le bouillon assaisonné aux herbes de Provence. Saler et poivrer.

Porter à ébullition, couvrir, retirer la casserole du feu et laisser reposer 10 minutes.

Égoutter le poisson.

Réserver au chaud sur une assiette. Couvrir d'une pellicule de plastique.

À feu vif, faire réduire le jus de cuisson à 2 tasses (500 ml).

Retirer la casserole du feu, ajouter le basilic et le beurre, un morceau à la fois, en fouettant entre chaque addition. Servir.

Note :

Servir le poisson avec de l'orzo au citron et du céleri braisé aux câpres.

Orzo au citron

Cuire l'orzo dans de l'eau bouillante salée en suivant les instructions du fabricant.

Égoutter l'orzo.

Ajouter 1/3 tasse (75 ml) de verts d'échalote émincés, 1/3 tasse (75 ml) de persil italien frais haché finement, 2 c. à table (30 ml) de beurre, le zeste râpé et le jus de 1/2 citron.

Saler et poivrer au goût.

Servir avec du poisson, du poulet, du porc ou du veau.

Poissons et crustacés

Moules à la tomate, farcies et gratinées

TEMPS DE PRÉPARATION :
20 minutes

TEMPS DE CUISSON : 15 minutes

PORTIONS : 4 portions de 10 moules

40 moules, lavées et ébarbées

1/4 tasse (60 ml) d'eau

1/4 tasse (60 ml) d'oignon, haché finement

1/2 c. à thé (2 ml) d'ail, haché finement

2 c. à table (30 ml) d'huile d'olive

1 tomate, pelée, épépinée et coupée en dés fins

1 c. à thé (5 ml) de basilic frais, émincé finement

1 c. à table (15 ml) de persil italien frais, haché

Sel

Poivre

3 c. à table (45 ml) de fromage gorgonzola, coupé en petits morceaux

Dans une casserole à couvert, faire cuire les moules à la vapeur jusqu'à ce qu'elles soient ouvertes.

Retirer du feu et détacher les moules de leur coquille en gardant seulement 1/2 coquille par moule. Déposer chaque moule dans sa demi-coquille et disposer sur une plaque de cuisson. Conserver le jus de cuisson pour la sauce.

Dans la casserole, faire suer l'oignon et l'ail dans l'huile pendant 7 minutes sans coloration.

Ajouter la tomate, le basilic, le persil, les assaisonnements et le jus de cuisson des moules. Cuire à couvert à feu doux pendant 10 minutes. Découvrir et continuer la cuisson jusqu'à épaississement.

Répartir cette sauce sur les moules. Parsemer de petits morceaux de fromage gorgonzola.

Passer au four à *broil* environ 3 minutes ou jusqu'à ce que le fromage soit fondu.

Moules persillées

TEMPS DE PRÉPARATION :
20 minutes
TEMPS DE CUISSON : 10 minutes

PORTIONS : 4

1/4 tasse (60 ml) d'échalotes françaises, hachées finement

1 tasse (250 ml) de vin blanc

Poivre

2 livres (1 kg) de moules, parées

Gremoletta

4 oz (125 g) de pancetta douce ou de bacon

1 c. à table (15 ml) d'huile d'olive

1 tasse (250 ml) de feuilles de persil frais, hachées, bien tassées

Zeste de 2 citrons, râpé

2 gousses d'ail, hachées finement

Poivre

Gremoletta

Dans une poêle, faire griller la pancetta ou le bacon dans l'huile d'olive. Éponger et émietter la pancetta ou le bacon. Réserver dans un bol.

Réserver 1 c. à table (15 ml) du gras de cuisson. Jeter le reste.

Au robot culinaire, hacher finement le persil avec le zeste de citron, les gousses d'ail et le poivre. Ajouter à la pancetta ou au bacon. Réserver.

Dans une casserole, faire fondre les échalotes dans le gras de cuisson réservé. Ajouter le vin et le poivre. Porter à ébullition.

Ajouter les moules. Couvrir et cuire en agitant la casserole de temps en temps jusqu'à ce que les moules soient ouvertes. Réserver les moules dans un grand bol.

Verser le mélange de gremoletta sur les moules, couvrir et réserver.

Filtrer le jus de cuisson des moules et le porter à ébullition. Verser le jus bouillant sur les moules et servir.

Note :

Même sans pancetta, cette recette est délicieuse : faire fondre les échalotes dans l'huile et procéder à la recette tel qu'indiqué en omettant la pancetta.

Vol-au-vent aux fruits de mer

Une sauce aux fruits de mer raffinée digne d'un repas de roi !

TEMPS DE PRÉPARATION :
30 minutes
TEMPS DE CUISSON : 40 minutes

PORTIONS : 8 à 10

1 livre (500 g) de crevettes, décortiquées

1 livre (500 g) de pétoncles, parés

2 livres (1 kg) de moules, parées

13 oz de homard surgelé (facultatif)

8 gros vol-au-vent

Court-bouillon

4 tasses (1 l) d'eau

1 tasse (250 ml) de vin blanc

3 c. à thé (15 ml) de poudre pour bouillon de poisson et fruits de mer

2 c. à thé (10 ml) d'aneth séché

1 feuille de laurier

4 branches de persil

10 grains de poivre

Sel

Sauce

1/3 tasse (75 ml) d'échalotes grises, hachées finement

1/3 tasse (75 ml) de beurre

1/4 tasse (60 ml) de farine

1 tasse (250 ml) de lait

1 tasse (250 ml) de crème 15 %

Sel et poivre

1 livre (500 g) de petits champignons, parés

Jus de 1/2 citron

1/3 tasse (75 ml) de persil frais, haché finement

Dans une casserole, porter à ébullition tous les ingrédients du court-bouillon ; laisser mijoter 15 minutes. Réduire la chaleur du feu et faire pocher les crevettes 2 minutes ou jusqu'à ce qu'elles commencent à rosir ; retirer les crevettes du bouillon et les réserver.

Faire pocher les pétoncles et les retirer du bouillon aussitôt qu'elles sont opaques ; réserver avec les crevettes. Porter de nouveau le bouillon à ébullition ; ajouter les moules et les retirer lorsqu'elles sont ouvertes. Décortiquer et réserver la chair des moules avec les crevettes et les pétoncles. Filtrer le court-bouillon, puis en réserver 2 tasses (500 ml) pour la sauce.

Déposer les fruits de mer cuits dans un contenant qui ferme hermétiquement et recouvrir complètement du reste de bouillon (ajouter de l'eau au besoin) ; laisser refroidir. Couvrir et déposer au congélateur.

Sauce

Dans une casserole, faire fondre les échalotes dans 1/4 tasse (60 ml) de beurre. Ajouter la farine ; cuire à feu doux de 1 à 2 minutes en brassant. Incorporer le court-bouillon réservé, le lait et la crème. Saler et poivrer. Porter à ébullition et laisser mijoter à feu très doux 5 minutes en brassant de temps en temps.

Pendant ce temps, faire sauter les champignons dans le reste du beurre jusqu'à ce qu'ils soient dorés.

Passer la sauce au tamis ; y ajouter les champignons avec le jus de citron et le persil. Saler et poivrer ; laisser refroidir. Congeler la sauce.

À la veille de servir, décongeler la sauce, les fruits de mer et le homard au réfrigérateur.

Réchauffer les vol-au-vent 10 minutes dans un four chaud puis réchauffer la sauce au bain-marie.

Égoutter le homard, le couper en gros morceaux et l'ajouter aux autres fruits de mer.

Porter à ébullition les fruits de mer avec leur bouillon ; retirer immédiatement la casserole du feu. Égoutter les fruits de mer et les ajouter à la sauce chaude. Rectifier l'assaisonnement et verser sur les vol-au-vent.

Note :

Éviter de trop réchauffer les fruits de mer ; ils deviendraient caoutchouteux.

Filets de sole farcis aux légumes

TEMPS DE PRÉPARATION :
20 minutes

TEMPS DE CUISSON : 30 minutes

PORTIONS : 4

2 échalotes vertes, hachées

1/2 tasse (125 ml) de brocoli, haché

1/2 tasse (125 ml) de cheddar fort, râpé

1/2 courgette, coupée en julienne

1 carotte, coupée en julienne

8 petites asperges fraîches ou surgelées, cuites al dente

4 filets de sole d'environ 5 oz (150 g) chacun

Sel et poivre

2 tasses (500 ml) de bouillon de poulet

2 c. à table (30 ml) de beurre, fondu

2 c. à table (30 ml) de farine tout usage

1 c. à thé (5 ml) de poudre de cari

Préchauffer le four à 375 °F (190 °C).

Dans un bol, mélanger les échalotes vertes, le brocoli et le fromage. Réserver.

Répartir la courgette et la carotte en julienne et des asperges sur chacun des filets de poisson ; ajouter le mélange de brocoli.

Saler et poivrer ; rouler en prenant soin de déposer la fermeture des roulades de poisson en-dessous.

Déposer dans un plat allant au four et ajouter le bouillon de poulet. Couvrir et cuire au four environ 30 minutes. Retirer délicatement les filets de poisson farcis du plat de cuisson et les déposer dans un plat de service.

Dans une casserole, verser le bouillon de cuisson chaud.

Dans un petit bol, mélanger le beurre fondu, la farine et la poudre de cari ; ajouter au bouillon en mélangeant. Chauffer à feu moyen jusqu'à épaississement.

Napper la sauce sur le poisson et servir.

Crevettes grillées sauce chutney au coco

TEMPS DE PRÉPARATION :
30 minutes

TEMPS DE CUISSON : 5 minutes

PORTIONS : 4 brochettes
de 6 crevettes

24 crevettes (grosseur 20-25)
(environ 1 livre / 500 g), décortiquées
et déveinées

Marinade

1/4 tasse (60 ml) d'huile

1/4 tasse (60 ml) d'oignon, haché
finement

1 c. à table (15 ml) de menthe
fraîche, hachée finement

1/2 c. à thé (2 ml) de basilic séché

1 c. à thé (5 ml) d'ail, haché finement

1 c. à thé (5 ml) de paprika

1/4 c. à thé (1 ml) de poivre de
Cayenne moulu

1 c. à thé (5 ml) de poivre

1 c. à thé (5 ml) de sel

1 c. à table (15 ml) de vinaigre de riz
ou de vinaigre de vin blanc

1 c. à thé (5 ml) de curcuma

Sauce chutney au coco

1/2 tasse (125 ml) de noix de coco
sucrée, râpée

1/2 tasse (125 ml) de yogourt nature
épais

1 petit piment frais, haché très
finement

1 c. à thé (5 ml) de gingembre frais,
haché très finement

1 c. à table (15 ml) de jus de lime

1 c. à thé (5 ml) de sel

1 c. à table (15 ml) d'huile de
sésame grillé

1/2 c. à thé (2 ml) de cumin

Marinade

Dans un bol, bien mélanger tous les
ingrédients de la marinade. Déposer
les crevettes dans la marinade, couvrir
d'une pellicule de plastique et laisser
mariner 8 heures au réfrigérateur.

Sauce chutney au coco

Dans un bol, bien mélanger tous les
ingrédients de la sauce et réfrigérer
couvert au moins 2 heures avant de
servir.

Préchauffer le four à *broil.*

Monter les crevettes sur des petites
brochettes et déposer sur une plaque
de cuisson ; badigeonner de
marinade.

Cuire les brochettes au four 2 minutes ;
les retourner, les badigeonner de
marinade et poursuivre la cuisson
2 minutes.

Servir 6 crevettes par personne avec
la sauce chutney au coco.

Pétoncles à la crème et au safran

TEMPS DE PRÉPARATION : 5 minutes
TEMPS DE CUISSON : 10 minutes

PORTIONS : 10

1/4 tasse (60 ml) d'échalotes françaises, hachées finement

3/4 tasse (180 ml) de beurre

1 paquet de 225 g de champignons, nettoyés et coupés en tranches minces

1 c. à table (15 ml) de cognac

1 c. à table (15 ml) de vermouth blanc

1 tomate, pelée, épépinée et hachée finement

1 boîte de 1 gramme de pistils de safran ou 1 c. à thé (5 ml) de brindilles de safran

1 1/2 tasse (375 ml) de crème 35 %

1 1/2 tasse (375 ml) de lait

2 c. à table (30 ml) de base pour bouillon de poisson de type Knorr

2 livres (1 kg) de pétoncles

1/4 tasse (60 ml) de fécule de maïs

1/2 tasse (125 ml) de lait froid, supplémentaire

Sel et poivre

2 c. à table (30 ml) de persil frais, haché

Faire suer les échalotes dans le beurre 5 minutes. Ajouter les champignons et faire suer jusqu'à ce que le liquide soit évaporé.

Déglacer au cognac et au vermouth ; ajouter la tomate et cuire 2 minutes. Réserver.

Porter le safran, la crème, le lait et la base pour bouillon de poisson à ébullition ; retirer du feu, couvrir et laisser infuser 15 minutes.

Pendant ce temps, bien nettoyer les pétoncles, retirer le petit muscle caoutchouteux que l'on retrouve à la périphérie de chacun ; couper les plus gros en 2 sur le sens de l'épaisseur.

Remettre la casserole avec l'infusion safranée sur le feu en y ajoutant le mélange de champignons. Porter à ébullition, lier avec la fécule de maïs délayée dans le lait supplémentaire.

Cuire 1 minute en brassant constamment ; rectifier l'assaisonnement.

Vous pouvez ensuite réfrigérer la sauce pour l'utiliser jusqu'à 48 heures plus tard.

Ajouter les pétoncles dans la sauce bouillante et porter à ébullition 2 minutes.

Servir les pétoncles au safran dans de belles coquilles Saint-Jacques disposées sur un lit de sel dans chaque assiette (pour maintenir l'équilibre) et saupoudrer de persil.

Rôti de saumon farci

TEMPS DE PRÉPARATION :
15 minutes

TEMPS DE CUISSON : 40 minutes

PORTIONS : 6 à 8

1 branche de céleri, hachée

1/4 de poivron rouge, haché

6 échalotes vertes, hachées

1/2 tasse (125 ml) de goberge à saveur de crabe, coupée en morceaux

2 c. à thé (10 ml) d'aneth séché en feuilles

1/4 tasse (60 ml) de cheddar fort, râpé

Sel et poivre

2 grands filets de saumon
(2 livres/1 kg au total), coupés dans la partie la plus large, sans la peau

Préchauffer le four à 350 °F (180 °C).

Dans un bol, mélanger le céleri, le poivron rouge, les échalotes vertes, la goberge, l'aneth et le fromage. Saler et poivrer.

Déposer un filet sur une planche de travail et y étendre la farce. Couvrir de l'autre filet de saumon et ficeler comme un rôti (délicatement pour ne pas déchirer la chair). Saler et poivrer.

Déposer dans un plat allant au four, vaporisé d'huile en aérosol. Couvrir et cuire au four 40 minutes.

Couper délicatement la ficelle, trancher et servir soigneusement.

Poissons et crustacés

Filets de sole amandine

TEMPS DE PRÉPARATION :
5 minutes

TEMPS DE CUISSON : 5 à 7 minutes

PORTIONS : 4

Farine

4 filets de sole (environ 1 livre/
500 g)

1 c. à table (15 ml) d'huile

1 c. à table (15 ml) de beurre

Sel et poivre

1/4 tasse (60 ml) d'amandes
tranchées

Quartiers de citron

Enfariner les filets de sole.

Dans une poêle, faire chauffer l'huile
et le beurre. Faire dorer les filets de
sole des deux côtés, saler et poivrer.

Déposer dans des assiettes de service
chaudes.

Dans la même poêle, faire dorer les
amandes ; répartir sur le poisson.

Accompagner de quartiers de citron,
de choux de Bruxelles et de riz.

Avocats farcis

TEMPS DE PRÉPARATION :
30 minutes

TEMPS DE CUISSON : aucun

PORTIONS : 4

1 tasse (250 ml) de petites crevettes
nordiques, cuites et refroidies

1/2 tasse (125 ml) d'ananas en
conserve, coupés en petits morceaux
(réserver 1 c. à table / 15 ml de jus des
ananas)

1 échalote verte, hachée

1 branche de céleri, coupée en dés
fins

4 avocats

1 c. à table (15 ml) de jus de citron

1/4 tasse (60 ml) de mayonnaise

2 c. à table (30 ml) de vinaigre de
vin blanc

Sel et poivre

Feuilles de laitue

Ciboulette fraîche, pour décorer

Dans un bol, mélanger les crevettes,
les morceaux d'ananas, l'échalote
verte et le céleri.

Couper les avocats en deux et les
dénoyauter ; retirer la chair des
avocats en faisant des boules avec
une cuillère parisienne. Conserver les
demi-coquilles pour le service.

Déposer les boules d'avocat dans un
bol avec le jus de citron ; les ajouter
au mélange de crevettes.

Dans un bol, mélanger la mayonnaise,
le vinaigre de vin et le jus d'ananas
réservé ; saler et poivrer. Ajouter au
mélange de crevettes.

Farcir les demi-coquilles d'avocat de
ce mélange, puis déposer sur des
feuilles de laitue.

Décorer de ciboulette.
Servir 1 ou 2 demi-avocats en entrée.

Note :

La salade d'avocats se conserve au
réfrigérateur, bien emballée, de
1 à 2 jours.

Les meilleures recettes de Marie-Josée et Claudette Taillefer

Tresse au saumon

TEMPS DE PRÉPARATION :
45 minutes

TEMPS DE CUISSON :
1 heure 10 minutes

PORTIONS : 6

3/4 tasse (180 ml) d'oignons, hachés

3/4 tasse (180 ml) de céleri, haché

1/4 tasse (60 ml) de beurre

1/2 tasse (125 ml) de farine

1 boîte de 14 oz (392 g) de saumon du Pacifique, nettoyé (réserver le liquide)

1 tasse (250 ml) de lait

1 c. à table (15 ml) de concentré pour bouillon de poulet liquide

3 pommes de terre, pelées, cuites et coupées en dés de 3/4 po (2 cm)

3 œufs cuits dur, tranchés

3 c. à table (45 ml) de persil frais, haché

Croûte

1/2 tasse (125 ml) de graisse végétale

2 tasses (500 ml) de farine

1/2 c. à thé (2 ml) de sel

1 c. à thé (5 ml) de graines de céleri

1/3 tasse (75 ml) d'eau glacée

Dorure

1 jaune d'œuf

Préparation

Dans une casserole, faire suer les oignons et le céleri dans le beurre 6 minutes. Ajouter la farine ; bien mélanger.

Ajouter le liquide du saumon, le lait et le concentré pour bouillon de poulet ; bien mélanger. Porter à ébullition et retirer du feu.

Dans la même casserole, ajouter la chair de saumon, les dés de pommes de terre, les œufs et le persil ; tourner délicatement à la spatule de caoutchouc. Bien mélanger, laisser tiédir.

Croûte

Sabler la graisse végétale dans la farine, le sel et les graines de céleri. Faire un puits et ajouter l'eau glacée.

Mélanger la pâte sans la pétrir et façonner une boule ; réfrigérer 1 heure.

Séparer la pâte refroidie en 2 parties égales et abaisser en 2 cercles.

Préchauffer le four à 425 °F (210 °C).

Foncer un moule à gâteau rond de 8 po (20 cm) avec une première abaisse et y déposer le mélange au saumon. Mouiller les rebords de la pâte avec de l'eau.

Couvrir avec la deuxième abaisse, bien sceller les rebords. Avec les chutes de pâte, abaisser un long ruban, couper en trois bandes, tresser et déposer sur la croûte.

Dorure

Badigeonner toute la surface de l'abaisse de jaunes d'œufs.

Cuire au four 20 minutes. Réduire la température du four à 350 °F (180 °C) et poursuivre la cuisson 45 minutes.

Servir avec une sauce blanche.

Jalousie aux crevettes

TEMPS DE PRÉPARATION :
30 minutes

TEMPS DE CUISSON : 30 minutes

PORTIONS : 4

1 paquet de 411 g de pâte feuilletée du commerce, décongelée 12 heures au réfrigérateur

1 œuf, battu

Garniture aux crevettes

1 livre (500 g) d'asperges fraîches, pelées et coupées en tronçons

1 livre (500 g) de crevettes, décortiquées, déveinées et épongées

2 c. à table (30 ml) de beurre

2 c. à table (30 ml) d'échalotes françaises, hachées finement

Sel et piment de Cayenne moulu

Zeste de 1 orange, râpé

1/2 c. à thé (2 ml) de poudre de cari

1 c. à table (15 ml) de farine

1 tasse (250 ml) de crème 15 %

1/4 tasse (60 ml) de basilic frais, ciselé

Préchauffer le four à 400 °F (200 °C).

Garniture aux crevettes

Dans une casserole, faire blanchir les asperges 1 minute ; les égoutter, les éponger et les réserver dans un bol.

Dans une grande poêle, faire sauter rapidement les crevettes dans 1 c. à table (15 ml) de beurre jusqu'à ce qu'elles commencent à changer de couleur. Réserver avec les asperges.

Dans la même poêle, faire fondre les échalotes françaises dans le reste du beurre ; ajouter du sel, du piment de Cayenne, le zeste d'orange et la poudre de cari. Saupoudrer de farine et cuire à feu doux en brassant 2 minutes.

Incorporer la crème, mélanger et porter à ébullition en brassant. Ajouter aux crevettes et aux asperges ; mélanger. Réserver.

Sur une table de travail enfarinée, fixer ensemble les 2 morceaux de pâte ; abaisser pour former un carré de 15 po (37,5 cm). Déposer la pâte sur une plaque et plier la pâte en 2 en marquant bien le pli.

Déplier, déposer la garniture aux crevettes sur une moitié de la pâte en laissant une bordure de 1 po (2,5 cm) tout autour. Rabattre l'autre côté jusqu'au pli du centre sans presser.

À l'aide d'un couteau coupant, pratiquer des incisions parallèles de 1 po (2,5 cm) à 2 po (5 cm) d'intervalle. Déplier, badigeonner le pourtour intérieur de la pâte de jaune d'œuf et rabattre le côté ajouré sur la garniture. Rabattre les côtés en dessous et bien presser avec une fourchette. Badigeonner la croûte de jaune d'œuf battu.

Cuire au four environ 30 minutes ou jusqu'à ce que la croûte soit dorée.

Note :

Dans cette tarte, on peut remplacer les crevettes par 2 homards de 1 livre (500 g) chacun, décortiqués et coupés en morceaux.

On peut également utiliser du crabe soigneusement épongé et défait.

Saumoneau entier grillé sur BBQ

TEMPS DE PRÉPARATION :
30 minutes

TEMPS DE CUISSON : 50 minutes

PORTIONS : 6 à 8

1 saumoneau ou une truite saumonée de 3 1/2 livres (1,6 kg), nettoyé

Farce

4 gousses d'ail, hachées finement

3 tomates rouges, épépinées et hachées

1/4 tasse (60 ml) de coriandre fraîche, hachée

1/4 tasse (60 ml) de persil frais, haché

3 c. à table (45 ml) d'huile d'olive

1 c. à table (15 ml) de jus de citron frais

1/2 c. à thé (2 ml) de piment de Cayenne moulu

1/2 c. à thé (2 ml) de cumin moulu

1/2 c. à thé (2 ml) de coriandre moulue

Sel et poivre

Rincer l'intérieur et l'extérieur du saumoneau ou de la truite saumonée à l'eau froide et l'éponger.

Dans un bol, mélanger tous les ingrédients de la farce et farcir le saumoneau ou la truite. Bien refermer le poisson et le ficeler.

Huiler légèrement l'extérieur du saumoneau ou de la truite.

Préchauffer le barbecue à intensité moyenne.

Déposer le saumoneau sur une grille à poisson et refermer celle-ci. Cuire sur le barbecue à intensité moyenne, environ 25 minutes de chaque côté en refermant le couvercle du barbecue.

Renverser le poisson sur un plat de service.

Salade de champignons portobello grillés

TEMPS DE PRÉPARATION :
20 minutes

TEMPS DE CUISSON : 8 minutes

PORTIONS : 6

12 oz (350 g) de champignons portobello, coupés en tranches de 1/2 po (1 cm)

1 bulbe de fenouil, coupé en tranches de 1/2 po (1 cm)

2 c. à table (30 ml) d'huile d'olive

Vinaigrette

3 c. à table (45 ml) d'huile d'olive

2 c. à table (30 ml) de vinaigre balsamique

Sel et poivre

Garniture

1/4 tasse (60 ml) de copeaux de parmesan frais

1 c. à table (15 ml) de brindilles de fenouil

1/4 tasse (60 ml) de croûtons à salade

Préchauffer le barbecue à intensité maximale.

Badigeonner les champignons ainsi que le fenouil d'huile d'olive.

Marquer les légumes sur la grille du barbecue.

Réduire le feu à intensité minimale des 2 côtés de la grille et refermer le couvercle du barbecue. Cuire 4 minutes ; retourner et continuer la cuisson environ 4 minutes.

Dresser les champignons et le fenouil sur une assiette de service.

Vinaigrette

Dans un petit bol, mélanger tous les ingrédients de la vinaigrette ; verser sur les légumes.

Décorer de garniture.

Accompagne bien le poisson grillé.

Porc et jambon

Couronne de porc farcie

TEMPS DE PRÉPARATION :
20 minutes

TEMPS DE CUISSON : 4 heures ou
(30 minutes par livre/ 500 g)

PORTIONS : 8 à 10

8 livres (4 kg) de longe de porc,
attachée en couronne

3 gousses d'ail, dégermées et
tranchées

2 branches de romarin effeuillées
Poivre

1/4 tasse (60 ml) de vinaigre de cidre

1 tasse (250 ml) de vin blanc

1 1/2 tasse (375 ml) de bouillon
de poulet

2 c. à table (30 ml) de fécule de maïs
(facultatif)

Farce aux pommes

2 poireaux, émincés (partie blanche)

1 gros oignon, haché finement

2 gousses d'ail, dégermées
et hachées

1/4 tasse (60 ml) de beurre

2 branches de céleri,
hachées finement

2 livres (1 kg) de pommes Cortland,
épépinées et coupées en dés

1 c. à table (15 ml) de cassonade

1 c. à table (15 ml) de romarin
frais, haché

1 c. à table (15 ml) de thym frais,
haché

1/4 tasse (60 ml) de persil italien
frais, haché

Zeste râpé et jus de 1 citron

Sel et poivre

4 tasses (1 l) de pain de blé entier,
séché et coupé en cubes (6 tranches)

Préchauffer le four à 350 °F (180 °C).

Dans une casserole moyenne, faire
fondre doucement le poireau, l'oignon
et l'ail dans le beurre à feu moyen.

Ajouter le céleri, les pommes, la cassonade, le romarin, le thym, le persil,
le zeste et le jus de citron. Couvrir,
cuire doucement jusqu'à ce que les
pommes soient presque tendres.
Retirer du feu, saler et poivrer, ajouter
les cubes de pain et bien mélanger.

Insérer ici et là des morceaux d'ail et
quelques brindilles de romarin dans la
chair de la longe de porc. Poivrer.

Déposer la longe de porc sur une
soucoupe dans une rôtissoire peu
profonde.

Remplir la couronne de farce, déposer
un morceau de papier d'aluminium
sur la farce.

Cuire au four 30 minutes par livre
(500 g) ; 30 minutes avant la fin de la
cuisson, retirer le papier d'aluminium
pour dorer la farce. Retirer du four et
déposer sur un plat de service chaud.
Couvrir et laisser reposer 10 minutes.

Pendant ce temps, déglacer la rôtissoire avec le vinaigre de cidre et laisser évaporer l'acidité du vinaigre.

Ajouter le vin, gratter les sucs
attachés à la rôtissoire. Laisser réduire
le vin de moitié à chaleur vive.
Incorporer le bouillon de poulet.

Si désiré, dégraisser la sauce en la
plaçant dans une grande tasse à
mesurer et laisser décanter. Retirer le
gras accumulé sur le dessus.
Réchauffer la sauce et la lier, si désiré,
avec la fécule de maïs délayée dans
un peu d'eau froide.

Les meilleures recettes de Marie-Josée et Claudette Taillefer

Filet de porc, sauce à la vanille

Une sauce à la vanille en accompagnement du porc ? Eh oui ! La sauce sera d'autant plus délicieuse si vous utilisez une gousse de vanille plutôt que de l'essence de vanille. Une inspiration polynésienne !

TEMPS DE PRÉPARATION :
10 minutes

TEMPS DE CUISSON :
environ 20 minutes

PORTIONS : 4

1 livre (500 g) de filet de porc

Farine tout usage

1 c. à table (15 ml) de beurre

1 c. à table (15 ml) d'huile végétale

3 échalotes vertes, hachées finement

1 tasse (250 ml) de crème 15 % ou 35 %

1 gousse de vanille fraîche

Sel et poivre

Préchauffer le four à 375 °F (190 °C).

Enfariner le porc de tous les côtés. Dans une poêle, faire chauffer le beurre et l'huile. Y dorer le porc de toute part. Saler et poivrer.

Déposer le porc dans un plat allant au four et cuire de 12 à 15 minutes. Le centre du filet doit être légèrement rosé.

Dans la poêle, faire sauter les échalotes 1 minute. Ajouter la crème.

Couper la gousse de vanille en 2 sur la longueur et retirer les grains de vanille avec la pointe du couteau. Déposer les demi-gousses et les grains de vanille dans la crème. Saler et poivrer.

Porter à ébullition et laisser mijoter jusqu'à épaississement léger, soit environ 2 à 3 minutes. Retirer la gousse de vanille.

Couper le porc en fines tranches et napper de sauce à la vanille.

Note :

On trouve dans les supermarchés à la section des épices des gousses de vanille en pot.

Côtelettes de porc aux champignons

TEMPS DE PRÉPARATION : 10 minutes

TEMPS DE CUISSON : 25 minutes

PORTIONS : 4

2 c. à table (30 ml) de beurre

1 c. à table (15 ml) d'huile végétale

8 côtelettes de porc

1 gros oignon, tranché

2 tasses (500 ml) de champignons, tranchés

1 1/2 tasse (375 ml) de bouillon de poulet

1 c. à thé (5 ml) d'estragon séché

2 c. à thé (10 ml) de fécule de maïs

2 c. à table (30 ml) d'eau froide

Sel et poivre

Dans une grande poêle, faire chauffer le beurre et l'huile. Faire dorer les côtelettes de porc des deux côtés. Saler et poivrer. Retirer de la poêle et réserver.

Dans la même poêle, faire dorer l'oignon et les champignons.

Ajouter le bouillon de poulet, l'estragon. Saler et poivrer. Porter à ébullition.

Ajouter la fécule de maïs délayée dans l'eau, en remuant jusqu'à épaississement.

Napper les côtelettes de sauce et accompagner de rubans de courgette et de carotte.

Médaillons de porc, sauce aux canneberges

TEMPS DE PRÉPARATION : 10 minutes

TEMPS DE CUISSON : 15 minutes

PORTIONS : 4

1 livre (500 g) de filets de porc

Farine

1 c. à table (15 ml) d'huile végétale

1 c. à table (15 ml) de beurre

2 échalotes vertes, hachées finement

1/4 tasse (60 ml) de vin blanc ou rouge

1/3 tasse (75 ml) de sauce aux canneberges avec canneberges entières

1/2 tasse (125 ml) de bouillon de poulet

1 c. à thé (5 ml) de sucre

Sel et poivre

Trancher les filets de porc en médaillons de 1 po (2,5 cm). Enfariner.

Dans une poêle, chauffer l'huile et le beurre. Saisir les médaillons de porc quelques minutes de chaque côté, jusqu'à ce qu'ils soient dorés et la chair légèrement rosée. Saler et poivrer. Retirer de la poêle et réserver au chaud.

Ajouter les échalotes vertes et cuire rapidement.

Déglacer avec le vin en grattant le fond de la poêle.

Ajouter la sauce aux canneberges, le bouillon de poulet et le sucre. Rectifier l'assaisonnement. Porter à ébullition et laisser mijoter 2 à 3 minutes.

Pour servir, napper les médaillons de sauce.

Les meilleures recettes de Marie-Josée et Claudette Taillefer

Rôti de porc à la moutarde

Un bon braisé en ce début d'automne, il cuit pendant que vous vous reposez.

TEMPS DE CUISSON : 2 heures

TEMPS DE PRÉPARATION : 15 minutes

PORTIONS : 8 à 10

1 gousse d'ail

4 livres (2 kg) de rôti d'épaule désossé ou 1 longe de porc sans os

1/4 tasse (60 ml) de moutarde de Dijon forte

1 c. à table (15 ml) de thym frais en brindilles ou 1 c. à thé (5 ml) de thym séché

Sel et poivre noir fraîchement moulu

8 tranches de bacon

1/2 tasse (125 ml) de beurre en pommade (facultatif)*

3/4 tasse (180 ml) de vin blanc

Préchauffer le four à 350 °F (180 °C).

Couper l'ail en tranches et couper celles-ci en petits bâtonnets. Faire de petites incisions dans le rôti ou la longe et y insérer l'ail.

Déposer le rôti ou la longe sur une clayette dans la rôtissoire. Badigeonner tous les côtés de moutarde et saupoudrer de thym, de sel et de poivre.

Envelopper la viande de tranches de bacon en glissant les bouts sous le rôti ou la longe. Étendre le beurre sur le bacon. Verser le vin dans la rôtissoire.

Cuire au four pendant 2 heures ou 30 minutes par livre, en arrosant à toutes les 15 minutes.

Laisser reposer le rôti ou la longe à la sortie du four 15 minutes avant de trancher. Servir le jus de cuisson en saucière.

  * Si on supprime le beurre, ajouter 1/2 tasse d'eau.

Porc rôti à la chinoise

TEMPS DE PRÉPARATION : 10 minutes

TEMPS DE CUISSON : 1 heure

PORTIONS : 4

1 rôti de porc de 2 livres (1 kg) dans la longe, désossé

1 tasse (250 ml) de bouillon de poulet

2 c. à thé (10 ml) de fécule de maïs

Marinade

2 c. à table (30 ml) de sauce soya

2 c. à table (30 ml) de sauce hoisin

2 c. à table (30 ml) de vinaigre de riz

2 gousses d'ail, hachées finement

1 c. à thé (10 ml) de gingembre frais, émincé et coupé en fine julienne

2 c. à thé (10 ml) de miel

Sel et poivre

2 c. à table (30 ml) d'huile végétale

Dans un grand sac de plastique qui ferme hermétiquement, mélanger les ingrédients de la marinade. Déposer le rôti dans le sac, bien refermer, et laisser mariner environ 4 heures au réfrigérateur.

Préchauffer le four à 350 °F (180 °C). Garnir une petite rôtissoire d'une grille.

Déposer le rôti sur la grille et cuire au four 1 heure en badigeonnant aux 20 minutes avec la marinade.

Réserver le rôti sur une assiette chaude. Recouvrir de papier d'aluminium.

Déglacer la rôtissoire avec 1/2 tasse (125 ml) de bouillon de poulet. Gratter les sucs, ajouter le reste de la marinade. Laisser mijoter 1 ou 2 minutes.

Délayer la fécule de maïs dans le reste du bouillon, ajouter à la sauce et laisser mijoter 1 minute pour bien lier.

Les meilleures recettes de Marie-Josée et Claudette Taillefer

Souvlakis

TEMPS DE PRÉPARATION :
30 minutes + 1 nuit de macération
TEMPS DE CUISSON : environ
10 minutes

PORTIONS : 6 souvlakis

2 c. à table (30 ml) d'huile d'olive

1 c. à table (15 ml) de vinaigre de vin blanc

1 1/2 c. à thé (22 ml) d'origan séché

1 c. à thé (5 ml) de basilic séché

1/2 c. à thé (2 ml) de thym séché

2 gousses d'ail, hachées

1 livre (500 g) de porc (œil de ronde ou cuisse), coupé en petits cubes

Sel et poivre

6 pains pita

Laitue Iceberg, ciselée

Cubes de tomate, épépiné

1 petit oignon, tranché très finement

Dans un bol, bien mélanger tous les ingrédients.

Enfiler les cubes de porc sur des brochettes en bois préalablement trempées dans l'eau.

Cuire les brochettes sur la grille du barbecue à intensité moyenne ou dans une poêle striée, pendant environ 10 minutes, en les tournant de temps à autre. Retirer les cubes de porc des brochettes.

Donner la forme d'un cornet à chaque pain pita. Étendre un peu de tzatziki, de la laitue, des cubes de tomate, des tranches d'oignon puis déposer des cubes de porc grillés à l'intérieur de chacun.

Servir 1 à 2 souvlakis par personne.

Tzatziki

1 tasse (250 ml) de concombre, coupé en petits cubes

2 gousses d'ail, hachées

1 1/2 tasse (375 ml) de yogourt nature

Sel et poivre

Dans un bol, mélanger l'huile, le vinaigre, les herbes et l'ail.

Ajouter le porc, saler, poivrer et mélanger.

Couvrir et laisser macérer une nuit au réfrigérateur. Égoutter.

Note :

Servir le reste de tzatziki en amuse-gueule avec des morceaux de pain pita et des crudtiés.

Pâté de campagne

Un répertoire de cuisine française ne serait pas complet sans une recette de pâté de campagne. C'est si facile à réaliser qui vous le préparerez vous-même à l'avenir.

TEMPS DE PRÉPARATION :
30 minutes

TEMPS DE CUISSON :
environ 2 heures

PORTIONS : 10 à 12

1 1/2 livre (750 g) de porc haché

3/4 livre (375 g) de foie de veau, coupé en petits morceaux

1/2 livre (250 g) de bacon, haché finement

3 échalotes françaises, hachées finement

2 gousses d'ail, dégermées et hachées finement

1 c. à table (15 ml) de sel

1 c. à thé (5 ml) de poivre

1/4 c. à thé (1 ml) de muscade fraîche, râpée

1/2 c. à thé (2 ml) de piment de la Jamaïque moulu

3 œufs

2 c. à table (30 ml) de cognac (facultatif)

1 barde de lard ou 1 livre (500 g) de bacon, tranché

Préchauffer le four à 350 °F (180 °C).

Mélanger les viandes. Partager en 2 et passer chaque moitié au robot culinaire.

Hacher en pulsant.

Mettre les viandes hachées dans un grand bol, ajouter les échalotes, l'ail, le sel, le poivre, la muscade, le piment de la Jamaïque, les œufs et le cognac. Bien mélanger avec les mains.

Tapisser un moule de 9 x 3 x 3 po (23 x 7,5 x 7,5 cm) ou de 6 tasses (1,5 l) avec le lard ou le bacon en laissant pendre l'excédent autour du moule.

Verser la préparation dans le moule, égaliser la surface, recouvrir avec le lard ou le bacon.

Couvrir soigneusement de papier d'aluminium.

Déposer le pâté sur une plaque, cuire au four 1 heure 30 à 2 heures.

Le pâté est cuit quand la lame d'un couteau insérée au centre en ressort propre et qu'aucune trace de liquide rouge ne suinte de l'incision. Au thermomètre à lecture rapide, 170 °F (80 °C).

Refroidir complètement recouvert d'un autre moule lesté avec une boîte de conserve.

Note :

Les accompagnements classiques des charcuteries sont du bon pain, des petits cornichons sûrs et des petits oignons marinés.

Casserole de riz aux saucisses

Une casserole colorée, parfumée et absolument délicieuse... On en redemandera.

TEMPS DE PRÉPARATION :
30 minutes

TEMPS DE CUISSON : 55 minutes

PORTIONS : 4 à 6

8 saucisses italiennes douces

3 c. à table (45 ml) d'huile d'olive

2 gros oignons, hachés finement

2 gousses d'ail, hachées finement

1 poivron vert, paré et coupé en dés

28 oz (796 ml) de tomates italiennes, égouttées

1 c. à thé (5 ml) d'origan séché

Sel et poivre

Zeste de 1 orange en ruban

1 1/2 tasse (375 ml) de riz
à grains longs

3 tasses (750 ml) de bouillon de poulet, bouillant

1 c. à thé (5 ml) de safran (facultatif)

2 oranges Navel

24 olives noires Kalamata, dénoyautées

Dans une casserole moyenne, couvrir les saucisses d'eau froide après les avoir piquées avec la pointe d'un couteau. Laisser mijoter 10 minutes pour les dégraisser, égoutter.

Dans la même casserole, dorer les saucisses dans 1 c. à table (15 ml) d'huile. Réserver les saucisses telles quelles.

Dans une autre casserole, faire fondre la moitié des oignons dans 1 c. à table (15 ml) d'huile, ajouter l'ail, le poivron, les tomates, l'origan, le sel, le poivre et le zeste d'orange. Déposer les saucisses sur la sauce, couvrir et laisser mijoter 30 minutes.

Dans la casserole qui a servi à la cuisson des saucisses, faire fondre le reste des oignons dans l'huile qui reste. Ajouter le riz, enrober d'huile et des sucs de cuisson des saucisses, en brassant.

Ajouter le bouillon de poulet et le safran. Couvrir et laisser cuire à feu doux 15 minutes.

Dix minutes avant de servir, peler les oranges à vif, prélever les segments et les ajouter avec le jus et les olives à la sauce tomate.

Servir les saucisses avec le riz et la sauce.

Note :

Pour servir en casserole, verser le riz dans un plat allant au four, verser un peu de sauce sur le riz, disposer les saucissess et verser la sauce qui reste par dessus. Réchauffer à 350 °F (180 °C) 30 à 40 minutes.

Casserole de filets de porc

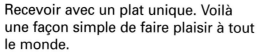

Recevoir avec un plat unique. Voilà une façon simple de faire plaisir à tout le monde.

TEMPS DE PRÉPARATION :
20 minutes

TEMPS DE CUISSON :
1 heure 45 minutes

PORTIONS : 4

2 livres (1 kg) de filets de porc

1/2 tasse (125 ml) de farine

2 c. à table (30 ml) d'huile

1 c. à table (15 ml) de beurre

1 gros oignon, coupé en 8

2 gousses d'ail, hachées finement

1/2 tasse (125 ml) de vin blanc ou de bouillon de poulet

1 tasse (250 ml) de bouillon de poulet

4 branches de céleri, coupées en tronçons

4 carottes, pelées et coupées en tronçons

1 poireau (partie blanche), coupé en tronçons

1 gros bouquet garni
(thym, laurier, persil, feuilles de céleri, vert de poireau)

4 pommes de terre moyennes, pelées et coupées en quartiers

Préchauffer le four à 350 °F (180 °C).

Couper les filets de porc en tranches de 1 po (2,5 cm). Enfariner les tranches.

Dans une grande poêle, faire sauter le porc dans l'huile et le beurre à feu moyen pour le dorer des 2 côtés. Réserver sur une assiette.

Si désiré, jeter le gras de cuisson. Ajouter l'oignon et l'ail dans la poêle, faire fondre à feu doux.

Ajouter le vin, gratter les sucs dans le fond de la poêle. Incorporer le bouillon, mélanger et réserver.

Dans une casserole allant au four, déposer la moitié des légumes. Envelopper les éléments du bouquet garni dans le vert de poireau, ficeler et déposer sur les légumes. Ajouter la viande et le reste des légumes.

Verser le jus de cuisson sur le tout. Couvrir la casserole et cuire au four 1 heure.

Ajouter les pommes de terre, arroser avec le liquide de cuisson, couvrir et cuire encore 30 minutes.

Les meilleures recettes de Marie-Josée et Claudette Taillefer

Longe de porc à l'orange et aux olives

On connaissait le canard à l'orange et voilà maintenant le porc à l'orange. Quel délice !

TEMPS DE PRÉPARATION :
30 minutes

TEMPS DE CUISSON : 2 heures

PORTIONS : 6 à 8

4 livres (2 kg) de porc dans la longe, désossé (conserver les os)

5 gousses d'ail, coupées en quartiers

20 feuilles de sauge fraîche ou (10 ml) de sauge séchée

Poivre

1/2 tasse (125 ml) de vin de Madère sec, de vin blanc ou de jus d'orange

1 tasse (250 ml) de jus d'orange

1 tasse (250 ml) de bouillon de poulet

1 tasse (250 ml) de petites olives vertes farcies

3 oranges Navel, découpées en segments

1 c. à table (15 ml) de fécule de maïs délayée dans un peu d'eau (facultatif)

Préchauffer le four à 350 °F (180 °C).

Piquer le rôti avec la pointe d'un couteau et introduire les quartiers d'ail avec une feuille de sauge. À défaut de sauge fraîche, saupoudrer le rôti avec de la sauge séchée. Déposer le rôti sur une grille dans une rôtissoire avec les os.

Cuire le rôti au four 30 minutes par livre en arrosant avec un peu d'eau aux 30 minutes.

Déposer le rôti sur un plat de service chaud, couvrir. Réserver.

Déglacer avec le vin ou le jus d'orange. Bien gratter les sucs.

Ajouter le jus d'orange, le bouillon de poulet et les olives. Porter à ébullition et laisser mijoter 5 minutes.

Ajouter les segments d'orange et lier avec la fécule de maïs si désiré.

Servir avec des fettucine enrobés d'huile d'olive si désiré.

Filets de porc miel, limette et menthe

Une recette au goût du jour, pratiquement sans gras, santé, savoureuse, simple et qui saura ravir tout le monde.

TEMPS DE PRÉPARATION :
10 minutes

TEMPS DE CUISSON :
environ 15 minutes

PORTIONS : 4

2 c. à table (30 ml) de miel

Zeste râpé et jus de 1 lime

2 c. à table (30 ml) d'huile

2 c. à table (30 ml) de menthe fraîche, hachée

Sel

1/4 c. à thé (1 ml) de Sambal Œlek ou de piment de Cayenne broyé

2 filets de porc d'environ 300 g chacun

Dans un sac hermétique, mélanger le miel, le zeste et le jus de lime, 1 c. à table (15 ml) d'huile, la menthe, le sel et le Sambal Œlek.

Ajouter les filets de porc, refermer le sac, bien enrober la viande de marinade.

Laisser mariner au moins 2 heures au réfrigérateur.

Placer la grille dans la partie supérieure du four et préchauffer à *broil.*

Égoutter les filets de porc et les faire dorer dans une poêle antiadhésive dans le reste de l'huile.

Tapisser une plaque d'une feuille de papier d'aluminium et y déposer une grille. Déposer les filets de porc sur la grille.

Faire griller 6 à 8 minutes par côté. Couvrir et laisser reposer 10 minutes.

Accompagner les filets de porc d'une purée de patates douces (p. 00) et de haricots verts (p. 00).

Note :

Le porc se sert légèrement rosé et tendre. Il est important de ne pas trop le faire cuire.

Porc et jambon

Jambon glacé et sauce aux fruits

Ce qu'il y a de merveilleux avec le jambon, sont les restes. C'est pourquoi on calcule toujours 1 livre (500 g) de jambon à l'os par personne pour pouvoir réaliser d'autres petits plats tout aussi délicieux les uns que les autres.

TEMPS DE PRÉPARATION :
30 minutes

TEMPS DE CUISSON :
2 heures 45 minutes

PORTIONS : 6 à 8

1 jambon à l'os de 6 ou 8 livres (2,5 ou 3,7 kg)

Eau froide pour couvrir le jambon

1 gros bouquet garni

1 grosse carotte, coupée en tronçons

1 oignon, coupé en 4

1 branche de céleri, coupée en tronçons

1 c. à table (15 ml) de moutarde sèche

1 c. à table (15 ml) de grains de poivre

1 c. à table (15 ml) de clous de girofle moulus

1 c. à table (15 ml) de piment de la Jamaïque

Garniture

40 clous de girofle (environ)

1/2 tasse (125 ml) de sirop d'érable

1 c. à table (15 ml) de moutarde de Dijon

Zeste râpé de 2 oranges

Jus de 1 orange

Sauce aux fruits

4 échalotes françaises, hachées finement

Zeste de 2 oranges, coupé en julienne et blanchi 1 minute

Zeste de 2 citrons, coupé en julienne et blanchi 1 minute

14 oz (398 ml) de gelée de canneberges

Jus de 2 oranges

1/2 tasse (125 ml) de porto ou de jus d'orange

1 c. à table (15 ml) de moutarde de Dijon

1 c. à thé (5 ml) de gingembre frais, râpé

2 c. à table (30 ml) de fécule de maïs

Jus de 2 citrons

Laisser tremper le jambon 24 heures dans de l'eau froide en changeant l'eau plusieurs fois.

Égoutter le jambon, le mettre dans une grande casserole. Couvrir de nouveau d'eau froide. Ajouter le bouquet garni, les légumes et les épices.

Porter à ébullition, réduire la chaleur et laisser mijoter 45 minutes. Retirer du feu et laisser refroidir le jambon dans son bouillon.

Préchauffer le four à 325 °F (170 °C).

Retirer le jambon du bouillon. Dégraisser le bouillon, le filtrer et le réserver au réfrigérateur.

Déposer le jambon sur une grille dans une rôtissoire. Retirer le filet qui l'enveloppe ainsi que la bande de papier si nécessaire.

Avec un couteau bien coupant, découper des petits losanges sur le dessus du jambon et y insérer des clous de girofle aux quatre coins des losanges.

Verser 2 tasses (500 ml) du bouillon dans la rôtissoire et cuire au four environ 2 heures ou jusqu'à ce que le thermomètre enregistre 140 °F (60 °C).

Pendant ce temps, mélanger dans un petit bol le sirop d'érable, la moutarde de Dijon, le zeste et le jus d'orange. Réserver.

Une heure avant la fin de la cuisson, arroser le jambon avec la glace et terminer la cuisson.

Pâté de jambon en croûte

Spectaculaire et très facile à réaliser.

**TEMPS DE PRÉPARATION :
40 minutes**

TEMPS DE CUISSON : 1 heure

PORTIONS : 8 à 10

1/2 tasse (125 ml) de pain de blé entier, en morceaux

1/2 tasse (125 ml) de gruau à cuisson rapide

1/2 tasse (125 ml) de lait

1/2 livre (250 g) de veau haché

1/2 livre (250 g) de bœuf haché maigre

1/2 livre (250 g) de jambon, coupé en petits dés (environ 2 tasses/500 ml)

1 petit oignon, haché finement

1 œuf

1 c. à table (15 ml) de moutarde de Dijon

2 c. à table (30 ml) de pâte de tomates

Sel et poivre

1/4 c. à thé (1 ml) de piment de la Jamaïque moulu

1 paquet de 400 g de pâte feuilletée, décongelée au réfrigérateur 12 heures

3 œufs, cuits dur

Dorure

2 jaunes d'œufs

2 c. à table (30 ml) d'eau

Préchauffer le four à 375 °F (190 °C).

Dans un bol, faire tremper le pain et le gruau dans le lait 10 minutes.

Ajouter les viandes, l'oignon, l'œuf, la moutarde de Dijon, la pâte de tomates, le sel, le poivre et le piment de la Jamaïque. Bien mélanger avec les mains. Réserver.

Sur une surface enfarinée, abaisser la moitié de la pâte pour former un rectangle. Déposer l'abaisse sur une plaque. Mettre la moitié de la farce sur la pâte pour former un rectangle étroit. Disposer les œufs cuits dur au centre. Couvrir avec le reste de la farce pour bien enfouir les œufs. Relever la pâte tout autour de la farce pour la couvrir partiellement.

Abaisser le reste de la pâte. Découper un rectangle de pâte pour couvrir largement le dessus du pâté. Badigeonner la bordure de la pâte avec un peu d'eau. Poser le rectangle de pâte et fixer les deux abaisses.

Découper des décorations dans les retailles de pâte. Les fixer avec un peu de dorure. Pratiquer une ouverture sur le dessus du pâté et la tenir ouverte avec une bague de papier d'aluminium. Badigeonner le pâté de dorure.

Cuire au four 30 minutes, réduire la chaleur à 350 °F (180 °C) et continuer la cuisson 30 minutes.

Servir avec la sauce aux fruits du jambon glacé (p. 225).

Carré de porc à l'italienne

Nous voilà transportés dans une rôtisserie de Florence ou de Rome.

TEMPS DE PRÉPARATION :
20 minutes

TEMPS DE CUISSON :
1 heure et 20 minutes

PORTIONS : 6

3 c. à table (45 ml) de graines de fenouil

1/2 tasse (125 ml) de persil, sauge, romarin ou thym frais, haché finement

4 gousses d'ail, hachées

3 c. à table (45 ml) d'huile d'olive

Zeste de 1 citron, râpé

Sel et poivre

1 carré de porc de 3 livres (1,5 kg)

Jus de 1 citron

2/3 tasse (150 ml) de bouillon de poulet ou de vin blanc

Préchauffer le four à 325 °F (160 °C)

Écraser les graines de fenouil.

Dans un petit bol, mélanger les graines de fenouil, la fine herbe choisie, l'ail, 1 c. à table (15 ml) d'huile d'olive et le zeste de citron. Saler et poivrer.

Pratiquer des incisions dans la chair du rôti, insérer un peu de mélange au fenouil.

Badigeonner le rôti avec le jus de citron et le reste du mélange au fenouil.

Déposer le rôti dans un sac de plastique, réfrigérer au moins 1 heure.

Dans une poêle, faire dorer le rôti sur toutes ses faces dans le reste de l'huile. Saler et poivrer.

Déposer le rôti dans une rôtissoire (si désiré, insérer un thermomètre) et cuire au four 20 à 25 minutes par livre. Retirer du four et laisser reposer 10 à 15 minutes, à couvert. La température interne du rôti doit être de 160 °F (70 °C) à la sortie du four et de 165 °F à 170 °F (72 °C à 75 °C) après le temps de repos.

Pendant ce temps, déglacer la rôtissoire avec le bouillon de poulet ou le vin blanc.

Servir avec un risotto au céleri et aux fines herbes, accompagné de haricots verts beurrés.

Côtelettes de porc farcies

Pour les gros appétits, calculer 1 côtelette par portion. Généralement, 1 côtelette suffira pour 2 personnes.

TEMPS DE PRÉPARATION :
15 minutes

TEMPS DE CUISSON :
45 à 50 minutes

PORTIONS : 2

2 côtelettes de porc de 1 1/2 po (3,5 cm) d'épaisseur (demander à votre boucher)

1/4 tasse (60 ml) de farine

2 œufs, battus

1/2 tasse (125 ml) de chapelure

1 c. à table (15 ml) de beurre

1 c. à table (15 ml) d'huile

Farce

2 échalotes sèches, hachées finement

1/3 tasse (75 ml) de céleri, haché finement

2 c. à table (30 ml) de beurre

8 pruneaux dénoyautés, tranchés

1 tranche de pain séché coupé en dés

1/2 c. à thé (2 ml) de sarriette séchée

1/2 c. à thé (2 ml) de sauge séchée

Sel et poivre

1/4 tasse (60 ml) de persil frais, haché finement

Préchauffer le four à 325 °F (160 °C)

Déposer une grille sur une plaque.

Dans un bol, mélanger tous les ingrédients de la farce. Réserver.

À l'aide d'un couteau bien coupant, pratiquer une ouverture de 2 po (5 cm) sur le côté opposé à l'os de chaque côtelette.

Introduire la lame du couteau dans la fente de façon à former une pochette sur presque toute la grandeur de la côtelette sans toutefois l'ouvrir complètement.

Farcir chaque côtelette. Presser pour refermer l'ouverture.

Enfariner les côtelettes sur chaque face et les passer dans les œufs battus puis dans la chapelure.

Dans une grande poêle, faire dorer les côtelettes dans le beurre et l'huile à feu moyen-élevé.

Déposer les côtelettes de porc sur la plaque.

Cuire au four 40 minutes. Retirer du feu, couvrir et laisser reposer environ 10 minutes.

Accompagner les côtelettes de pommes de terre Duchesse (p.118) et de bouquets de chou-fleur et de brocoli.

Note :

Pour servir 1 côtelette pour 2 convives, désosser la côtelette cuite avec un couteau bien coupant. Découper la viande sur la longueur en tranches fines et répartir en 2 portions.

Les meilleures recettes de Marie-Josée et Claudette Taillefer

Côtes levées douces et piquantes

On en fait tous les ans sans jamais se lasser, mais cette fois-ci, attention... elles sont parfaites!

TEMPS DE PRÉPARATION :
10 minutes

TEMPS DE CUISSON :
1 heure 10 minutes

PORTIONS : 4

3 livres (1,5 kg) de côtes levées de porc

Sauce

1/3 tasse (75 ml) de ketchup

2 c. à table (30 ml) de sauce hoisin

3 c. à table (45 ml) de vinaigre de riz

1/4 tasse (60 ml) de cassonade

3 c. à table (45 ml) de sauce soya

1 c. à table (15 ml) de gingembre frais, râpé

2 gousses d'ail, écrasées

1 c. à thé (5 ml) de sel

1/4 c. à thé (1 ml) de Sambal Œlek ou de piment de Cayenne broyé

Préchauffer le four à 350 °F (180 °C).

Couper les côtes levées en 4 portions.

Dans une grande casserole, précuire la viande dans de l'eau bouillante 10 minutes. Égoutter et éponger les côtes levées.

Sauce

Pendant ce temps, dans un bol moyen, mélanger tous les ingrédients de la sauce.

Déposer la viande sur une plaque tapissée d'une feuille de papier d'aluminium. Badigeonner de sauce sur les 2 faces.

Cuire les côtes levées au four 20 minutes. Badigeonner de nouveau sur les 2 faces.

Poursuivre la cuisson 20 minutes. Répéter l'opération une troisième fois.

Servir les côtes levées avec du riz et des légumes sautés à la chinoise.

Côtelettes de porc au sirop d'érable

Tendres, juteuses et parfumées...

TEMPS DE PRÉPARATION :
15 minutes

TEMPS DE CUISSON :
12 minutes environ

PORTIONS : 4

4 côtelettes de porc de 3/4 po (2 cm) d'épaisseur

2 c. à table (30 ml) d'huile

3 c. à table (45 ml) de sirop d'érable

1 gousse d'ail, écrasée

Zeste de 1 lime, râpé

1 c. à table (15 ml) de jus de lime

1/4 c. à thé (1 ml) de thym séché

1 c. à table (15 ml) de beurre

Sel et poivre

Dans un sac hermétique, déposer les côtelettes de porc, 1 c. à table (15 ml) d'huile, le sirop d'érable, l'ail, le zeste et le jus de lime et le thym. Refermer le sac, remuer et laisser mariner 1 heure ou plus au réfrigérateur.

Égoutter soigneusement les côtelettes de porc et réserver la marinade.

Dans une grande poêle, faire dorer les côtelettes de porc dans le beurre et le reste de l'huile à feu moyen-élevé.

Réduire la chaleur, poursuivre la cuisson à couvert 6 à 7 minutes ; 2 minutes avant la fin de la cuisson, ajouter la marinade réservée.

Retirer du feu et laisser reposer sur une assiette 3 minutes à couvert.

Accompagner d'une purée de pommes de terre et d'une julienne de courgettes et de carottes au beurre.

Longe de porc au lait

La cuisson du porc dans le lait rend sa chair très mœlleuse.

TEMPS DE PRÉPARATION :
15 minutes

TEMPS DE CUISSON :
1 heure 30 minutes

PORTIONS : 6

1 longe de porc de 2 1/2 livres (1,25 kg)

5 gousses d'ail, coupées en 2

1 c. à table (15 ml) d'huile

1 c. à table (15 ml) de beurre

4 échalotes vertes, hachées

2 branches de céleri, hachées

3 c. à table (45 ml) de whisky (facultatif)

Environ 6 tasses (1,5 l) de lait, chaud

2 feuilles de laurier

1/2 c. à thé (2 ml) de thym séché

1/2 c. à thé (2 ml) de romarin en feuilles, séché

Sel et poivre

Faire 10 incisions dans la longe de porc avec la pointe d'un couteau et insérer une demi-gousse d'ail dans chacune.

Dans une casserole d'environ 9 po (23 cm), faire chauffer l'huile et le beurre ; y colorer la longe de porc de tous les côtés. Retirer de la casserole et réserver.

Dans la même casserole, faire sauter les échalotes vertes et le céleri environ 2 minutes.

Déglacer avec le whisky, si désiré.

Remettre la longe de porc dans la casserole et ajouter le reste des ingrédients (le porc doit être entière-ment recouvert de lait).

Couvrir et laisser mijoter environ 1 heure 20 minutes à feu doux puisque le lait a tendance à déborder facilement.

Retirer la longe de porc et réserver au chaud. Couler le bouillon de cuisson dans un tamis fin. Rectifier l'assaisonnement.

Trancher la longe de porc et servir avec le bouillon de la cuisson.

Note :

Le porc est délicieux accompagné de carottes braisées (p. 256).

Les meilleures recettes de Marie-Josée et Claudette Taillefer

Sauté de porc à la chinoise

TEMPS DE PRÉPARATION :
20 minutes

TEMPS DE CUISSON : 10 minutes

PORTIONS : 4

3/4 livre (375 g) de languettes
de porc

Farine

2 c. à table (30 ml) d'huile végétale

Sel et poivre

1 c. à table (15 ml) d'huile
de sésame

3 échalotes vertes, tranchées

3 gousses d'ail, hachées

1 c. à table (15 ml) de miel

1 c. à table (15 ml) de sirop de maïs

1 c. à table (15 ml) de sauce soya

1/2 c. à thé (2 ml) de gingembre
moulu

1 c. à table (15 ml) de sauce hoisin

4 tasses (1 l) de légumes asiatiques
mélangés surgelés, décongelés

2 c. à table (30 ml) de graines de
sésame, grillées

Bien aplatir les languettes de porc et
les enfariner.

Dans un wok ou une grande poêle,
faire chauffer l'huile végétale et y faire
sauter le porc.

Saler et poivrer. Réserver.

Dans le wok, faire chauffer l'huile
de sésame. Y faire sauter les
échalotes et l'ail.

Ajouter tous les autres ingrédients à
l'exception de la viande et des graines
de sésame. Faire sauter jusqu'à ce
que les légumes soient chauds.

Ajouter la viande ; bien mélanger.

Pour servir, saupoudrer de graines de
sésame et accompagner de riz nature
ou de vermicelle de riz.

Sandwich aux saucisses et aux oignons

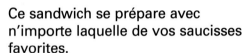

Ce sandwich se prépare avec
n'importe laquelle de vos saucisses
favorites.

TEMPS DE PRÉPARATION :
30 minutes

TEMPS DE CUISSON : 15 minutes

PORTIONS : 4

2 c. à table (30 ml) d'huile

3 oignons, tranchés

1 poivron rouge, coupé
en languettes (facultatif)

Sel

1 c. à table (15 ml) de vinaigre de
vin ou balsamique

1/2 c. à thé (2 ml) de sucre

4 saucisses italiennes, blanchies
5 minutes et coupées en 2 sur la
longueur

4 petits pains croûtés allongés,
coupés en 2

Moutarde de Dijon ou pesto

Dans une poêle, faire fondre les
oignons et le poivron dans l'huile
environ 10 minutes.

Saler, ajouter le vinaigre de vin et le
sucre ; poursuivre la cuisson
5 minutes. Réserver.

Dans la même poêle, faire dorer les
saucisses.

Faire griller les pains et les tartiner de
moutarde de Dijon ou de pesto.
Garnir du mélange d'oignons et de
moitiés de saucisse.

Les meilleures recettes de Marie-Josée et Claudette Taillefer

Côtelettes de porc à la grecque

TEMPS DE PRÉPARATION :
10 minutes

TEMPS DE CUISSON :
15 minutes

PORTIONS : 4

4 côtelettes de porc de 1 po (2,5 cm) d'épaisseur

Marinade

1/4 tasse (60 ml) d'huile

2 c. à table (30 ml) de jus de citron frais

1 c. à thé (5 ml) d'ail, finement haché

1 c. à thé (5 ml) d'origan séché

Sel et poivre

Dans un plat en pyrex carré de 8 po (20 cm), mélanger tous les ingrédients de la marinade.

Déposer les côtelettes dans la marinade, en une seule rangée, et couvrir d'une pellicule de plastique. Déposer au réfrigérateur et laisser mariner 24 heures (tourner les côtelettes à la mi-temps).

Préchauffer le barbecue à intensité maximale.

Bien égoutter les côtelettes et les marquer sur la grille du barbecue des 2 côtés.

Éteindre le feu sur l'une des moitiés de la grille du barbecue et conserver le feu à intensité maximale sous l'autre moitié. Déposer les côtelettes sur la grille du côté éteint et refermer le couvercle du barbecue. Cuire environ 10 minutes en retournant à mi-cuisson.

Servir avec une salade grecque.

Les meilleures recettes de Marie-Josée et Claudette Taillefer

Rôti de porc à la créole

TEMPS DE PRÉPARATION :
20 minutes

TEMPS DE CUISSON : 1 heure

PORTIONS : 8

1 rôti de 4 livres (2 kg) de longe de porc, désossée et ficelée

Mélange d'épices

1 c. à table (15 ml) de poivre noir

1 c. à table (15 ml) de sucre

1 c. à table (15 ml) de paprika

1 1/2 c. à thé (7 ml) de sel

1 1/2 c. à thé (7 ml) de moutarde sèche

1/2 c. à thé (2 ml) de poudre d'oignon

1/2 c. à thé (2 ml) de piment de Cayenne moulu

Sauce créole

1 c. à table (15 ml) d'huile

2 oignons moyens, hachés finement

1 poivron vert moyen, haché finement

1 c. à thé (5 ml) d'ail, haché finement

1 tasse (250 ml) d'eau

1/4 tasse (60 ml) de vinaigre de cidre

1/4 tasse (60 ml) de moutarde de Dijon

1 boîte de 19 oz (540 ml) de tomates en dés

3 c. à table (45 ml) de cassonade

2 c. à table (30 ml) de sauce chili commerciale

2 c. à thé (10 ml) de sauce Tabasco

Sel et poivre

Dans un petit bol, mélanger tous les ingrédients du mélange d'épices.

Frotter la pièce de viande avec la moitié du mélange d'épices ; placer le rôti de porc assaisonné dans un sac de plastique, sceller et déposer au réfrigérateur 12 heures. Sortir du réfrigérateur, frotter le rôti de porc avec le reste du mélange d'épices et laisser reposer.

Pendant ce temps, préchauffer le barbecue à intensité maximale. Déposer le rôti sur la grille ; laisser prendre couleur et marquer la pièce de viande sur toutes ses surfaces.

Éteindre le feu sur l'une des moitiés de la grille du barbecue et laisser l'autre chauffer à intensité maximale. Déposer le rôti sur la grille du côté éteint ; refermer le couvercle du barbecue et cuire environ 1 heure. Utiliser un thermomètre à viande pour déterminer la fin de la cuisson (au cœur du morceau de viande, la température doit atteindre 160 °F/70 °C).

Servir avec la sauce créole tiède.

Sauce créole

Dans une poêle, chauffer l'huile, faire revenir les oignons, le poivron et l'ail 8 minutes sans laisser prendre couleur.

Ajouter tous les autres ingrédients et porter à pleine ébullition. Réduire la chaleur du feu et laisser mijoter sans couvrir 30 minutes, en brassant de temps en temps. Laisser tiédir.

Note :
Ce plat peut être cuisiné à l'avance et réfrigéré une semaine.

Poulet, volailles et gibiers d'élevage

Sauté de poulet à la chinoise

TEMPS DE PRÉPARATION : 15 minutes
TEMPS DE CUISSON : 10 minutes

PORTIONS : 4

1 petite boîte (199 ml) de châtaignes d'eau, égouttées et émincées

2 carottes, pelées et émincées sur le biais

1 branche de céleri, émincée sur le biais

4 échalotes vertes, coupées en tronçons

2 c. à thé (10 ml) de gingembre frais, râpé

3 c. à table (45 ml) d'huile végétale

1 1/4 tasse (310 ml) de bouillon de poulet

1 c. à table (15 ml) de fécule de maïs

2 c. à table (30 ml) de vinaigre de riz ou de sherry

2 c. à table (30 ml) de sauce soya

2 c. à thé (10 ml) de sauce hoisin (facultatif)

Sel et poivre

2 tasses (500 ml) de poulet ou autre viande, cuit et coupé en cubes

Note :
Accompagner de riz cuit dans du bouillon de poulet, parfumé au gingembre et garni de petits pois verts.

Dans une grande poêle, faire sauter les châtaignes d'eau, les carottes, le céleri, les échalotes vertes et le gingembre dans l'huile, à feu vif, 3 minutes en mélangeant à la cuillère de bois. Ajouter le bouillon de poulet, porter à ébullition et laisser mijoter 5 minutes.

Pendant ce temps, délayer la fécule de maïs dans le vinaigre de riz, la sauce soya et la sauce hoisin, ajouter au mélange de légumes chauds. Cuire en brassant 2 minutes pour lier la sauce. Assaisonner.

Ajouter le poulet, réchauffer 2 minutes dans la sauce.

Poulet au vinaigre balsamique et aux poires

TEMPS DE CUISSON : 20 minutes
TEMPS DE PRÉPARATION : 10 minutes

PORTIONS : 4

2 c. à table (30 ml) d'huile végétale

4 demi-poitrines de poulet, désossées et sans la peau

Sel et poivre

3 poires fraîches, pelées, épépinées ou en conserve, égouttées et coupées en 8 quartiers

3 c. à table (45 ml) de vinaigre balsamique

1/2 tasse (125 ml) de bouillon de poulet

Dans une poêle, chauffer l'huile. Déposer le poulet. Saler et poivrer. Cuire environ 6 minutes de chaque côté à feu moyen élevé, jusqu'à ce qu'il soit doré et qu'il ait perdu sa couleur rosée au centre. Retirer de la poêle et réserver.

Dans la poêle, faire sauter les poires à feu élevé jusqu'à ce qu'elles soient colorées, soit environ 4 minutes. Ajouter un peu d'huile au besoin.

Déglacer avec le vinaigre balsamique. Ajouter le bouillon de poulet et porter à ébullition. Laisser mijoter 1 minute. Remettre le poulet dans la casserole, mélanger et laisser réduire la sauce à feu élevé 1 minute.

Servir avec du riz ou des pâtes parfumées à l'huile d'olive et aux herbes.

Les meilleures recettes de Marie-Josée et Claudette Taillefer

Ailes de poulet à la Buffalo

Une attraction incontournable... très, très piquante !

TEMPS DE PRÉPARATION : 15 minutes
TEMPS DE CUISSON : 30 minutes

PORTION : 24

2 c. à thé (10 ml) de sel

2 c. à thé (10 ml) de paprika

1 c. à table (15 ml) de poivre de Cayenne

1 c. à thé (5 ml) de poudre d'oignon

1 c. à thé (5 ml) de poudre d'ail

1 c. à thé (5 ml) de poivre blanc moulu

1/2 tasse (125 ml) de beurre, fondu

4 c. à thé (20 ml) de sauce Tabasco

24 ailes de poulet

2 tasses (500 ml) d'huile végétale

Préchauffer l'huile de la friteuse à 350 °F (180 °C).

Dans un grand bol, mélanger les ingrédients secs. Ajouter le beurre fondu et la sauce Tabasco. Réserver 1/4 tasse (60 ml) de la marinade dans un petit bol.

Déposer les ailes de poulet dans la marinade en prenant soin de bien recouvrir toutes les parties de marinade.

Déposer quelques ailes de façon à couvrir le fond de la friteuse en une seule épaisseur. Tourner régulièrement les ailes avec une pince et cuire 10 à 12 minutes.

Égoutter sur du papier essuie-tout. Répéter avec le reste des ailes.

Badigeonner les ailes cuites avec la marinade réservée.

Conseil

Des chiffres pratiques

Un poulet désossé de 3 livres (1,6 kg) donne environ 3 tasses (750 ml) de chair cuite coupée en dés.

Il n'y a que trois bonnes façons pour décongeler le poulet :

Poulet emballé, au réfrigérateur :
5 heures/livre (10 heures/kilo)

Poulet emballé, dans l'eau froide renouvelée :
1 heure/livre (2 heures/kilo)

Poulet au micro-ondes :
5 minutes/livre (10 minutes/kilo)

Le poulet cru entier ou en morceaux se conserve de 2 à 3 jours au réfrigérateur; lorsque cuit, de 3 à 4 jours. Le poulet haché doit être cuit la journée même de l'achat, au plus tard, le lendemain.

Les meilleures recettes de Marie-Josée et Claudette Taillefer

TEMPS DE PRÉPARATION : 15 minutes
TEMPS DE CUISSON : 15 minutes

PORTIONS : 4

2 grosses ou 4 petites demi-poitrines de poulet, désossées et sans la peau

Pâte à frire

1/2 tasse (125 ml) de farine
1 c. à thé (5 ml) de poudre à pâte
2/3 tasse (150 ml) de bière
Sel et poivre

Sauce au citron

1 tasse (250 ml) de bouillon de légumes
Le zeste de 1 citron
Le jus de 1 1/2 citron
1/4 tasse (60 ml) de sucre
1 c. à table (15 ml) de fécule de maïs
2 c. à table (30 ml) d'eau froide

Préchauffer l'huile de la friteuse à 375 °F (190 °C).

Couper les grosses demi-poitrines de poulet en 2 horizontalement afin d'obtenir 4 fines escalopes. Si vous choisissez 4 petites demi-poitrines, les laisser intactes.

Pâte à frire

Dans un bol, mélanger tous les ingrédients jusqu'à ce que ce soit lisse. Tremper les morceaux de poulet dans la pâte, égoutter.

Déposer dans la friteuse et cuire environ 10 minutes. Égoutter sur du papier essuie-tout.

Sauce au citron

Pendant la cuisson du poulet, porter à ébullition le bouillon, le zeste et le jus de citron et le sucre dans une petite casserole.

Ajouter la fécule de maïs délayée dans l'eau. Remuer jusqu'à épaississement.

Couper le poulet en aiguillettes et le napper de sauce au citron chaude.

Club sandwich de luxe

TEMPS DE PRÉPARATION : 20 minutes
TEMPS DE CUISSON : 5 minutes

PORTIONS : 4

12 tranches de pain de ménage, grillées

Environ 2 tasses (500 ml) de morceaux de poulet ou de homard, cuit et froid

Laitue roquette ou au choix (Boston, feuilles de chêne, Iceberg)

8 tranches de tomate

8 tranches de bacon, cuites

Mayonnaise maison

2 jaunes d'œufs
1 c. à thé (5 ml) de jus de citron
1 c. à thé (5 ml) de moutarde de Dijon
2/3 tasse (150 ml) d'huile végétale
Sel et poivre

Mayonnaise maison

Dans un bol, fouetter les jaunes d'œufs avec le jus de citron et la moutarde de Dijon. Tout en fouettant, ajouter l'huile en un mince filet continu. Saler et poivrer.

Tartiner les tranches de pain de mayonnaise.

Sur 4 tranches de pain, répartir du poulet ou du homard et de la laitue. Recouvrir d'une tranche de pain.

Poursuivre le montage avec les tomates, saler et poivrer. Déposer le bacon et recouvrir d'une dernière tranche de pain.

Insérer 4 cure-dents au centre de chacun des côtés de façon à pouvoir couper chaque club sandwich en 4 pointes.

Accompagner du reste de mayonnaise.

Poitrines de poulet farcies aux épinards et au fromage de chèvre

TEMPS DE PRÉPARATION : 15 minutes
TEMPS DE CUISSON : environ
12 minutes

PORTIONS : 4

1/4 tasse (60 ml) de fromage de chèvre, mou

1/2 tasse (125 ml) de fromage ricotta

1 c. à table (15 ml) de beurre

1 boîte de 300 g d'épinards surgelés, décongelés, égouttés et hachés finement

1 gousse d'ail, hachée finement

4 demi-poitrines de poulet désossées et sans la peau

1/4 tasse (60 ml) de crème 15 % ou 35 %

1/4 tasse (60 ml) de vin blanc

1 tasse (250 ml) de bouillon de poulet

1/4 à 1/2 c. à thé (1 à 2 ml) de muscade moulue

Sel et poivre

Placer la grille dans la partie supérieure du four. Préchauffer le gril du four au maximum.

Dans un bol, mélanger les fromages de chèvre et de ricotta.

Dans une poêle, faire chauffer le beurre. Faire sauter les épinards et l'ail rapidement. Ajouter la moitié des épinards à la préparation de fromage. Saler, poivrer et bien mélanger. Laisser le reste des épinards dans la poêle et retirer du feu.

Ouvrir les demi-poitrines de poulet en portefeuille et les aplatir. Étendre 1/4 de la préparation fromages-épinards sur l'un des côtés de chaque poitrine. Refermer et fixer à l'aide de cure-dents. Déposer sur une plaque à biscuits huilée.

Cuire au four environ 6 minutes de chaque côté, la porte du four entrouverte.

Pendant la cuisson du poulet, préparer la sauce. Ajouter la crème, le vin, le bouillon de poulet et la muscade dans la poêle contenant les épinards. Porter à ébullition et laisser mijoter 3 à 4 minutes. Passer au mélangeur électrique, rectifier l'assaisonnement et servir avec le poulet farci.

Les meilleures recettes de Marie-Josée et Claudette Taillefer

TEMPS DE PRÉPARATION : 10 minutes
TEMPS DE CUISSON : 15 minutes

PORTIONS : 4

3 petites courgettes, coupées en 2 et tranchées

3 c. à table (45 ml) d'huile d'olive

4 suprêmes de poulet, émincés en fines languettes

1/4 tasse (60 ml) de pesto

1/4 tasse (60 ml) de bouillon de poulet

1 livre (500 g) de pâtes farfalle ou fusilli, cuites et égouttées

Zeste de 1 citron, râpé

2 c. à table (30 ml) de beurre

1/4 tasse (60 ml) de persil italien frais, haché finement

Sel et poivre

Dans une poêle, faire sauter les courgettes dans 1 c. à table (15 ml) d'huile d'olive. Réserver les courgettes dans un bol.

Dans la même poêle, faire revenir la moitié du poulet dans 1 c. à table (15 ml) d'huile jusqu'à ce que doré, environ 7 minutes. Réserver avec les courgettes. Répéter l'opération avec le reste du poulet et de l'huile.

Remettre les courgettes et le poulet réservés dans la poêle, saler et poivrer.

Ajouter le pesto et le bouillon de poulet. Vérifier l'assaisonnement et laisser mijoter 2 minutes.

Dans un grand bol, mélanger les pâtes chaudes, le zeste de citron, le beurre et le persil. Poivrer.

Servir les pâtes avec le poulet.

Les suprêmes de poulet en croûte vous permettent de bien profiter d'un repas intime. On peut les préparer la veille et les mettre au four au dernier moment après les avoir badigeonnés de dorure.

TEMPS DE PRÉPARATION : 30 minutes
TEMPS DE CUISSON : 30 minutes

PORTIONS : 4

4 suprêmes de poulet

1/4 tasse (60 ml) de farine

Sel et poivre

1 c. à table (15 ml) d'huile de tomates séchées

1 c. à table (15 ml) de beurre

1 c. à thé (5 ml) d'origan séché

170 ml de poivrons rouges en conserve, égouttés et épongés

8 tomates séchées dans l'huile

4 grandes tranches de prosciutto ou de jambon cuit

400 g de pâte feuilletée du commerce, décongelée 12 heures au réfrigérateur

1/4 tasse (60 ml) de parmesan frais, râpé

1 œuf, battu

1 c. à table (15 ml) d'eau froide

Éponger les suprêmes de poulet, les enfariner, saler et poivrer.

Dans une grande poêle, faire dorer le poulet dans l'huile et le beurre, à feu moyen-doux, environ 5 minutes par côté. Retirer le poulet de la poêle, laisser tiédir.

Pratiquer une incision sur le côté épais du suprême pour faire une pochette. Saupoudrer environ 1/4 c. à thé (1 ml) d'origan séché dans chaque pochette. Farcir chaque suprême avec un quart des poivrons rouges et 2 tomates séchées.

Envelopper chaque suprême dans une tranche de prosciutto. Réserver.

Partager la pâte feuilletée en 4 parties égales. Abaisser chaque morceau de pâte suffisamment grand pour y envelopper un suprême.

Saupoudrer 1 c. à table (15 ml) de parmesan sur chaque morceau de pâte. Déposer un suprême de poulet et refermer soigneusement la pâte sur le poulet.

Déposer les croûtes sur une plaque tapissée de papier d'aluminium et réfrigérer jusqu'au lendemain, si désiré.

Préchauffer le four à 400 °F (200 °C).

Mélanger le jaune d'œuf et l'eau froide et en badigeonner la pâte. Cuire au four 10 minutes, réduire la chaleur à 375 °F (190 °C) et cuire encore 10 minutes.

Servir avec des asperges ou des haricots verts ou, tout simplement, avec une salade verte.

Note :

S'il reste des retailles de pâte, découper des décorations et les appliquer sur chaque croûte en les fixant avec un peu d'eau.

Cailles à l'ail et au miel

TEMPS DE PRÉPARATION : 20 minutes

TEMPS DE CUISSON : environ 45 minutes

PORTIONS : 4 à 6

12 cailles

1 tasse (250 ml) de bouillon de poulet

1 c. à table (15 ml) de beurre

1 c. à table (15 ml) de farine tout usage

Marinade

6 gousses d'ail, hachées

1/2 tasse (125 ml) de miel

1/4 tasse (60 ml) de vinaigre balsamique

1/2 c. à thé (2 ml) de poudre de cinq-épices

5 échalotes vertes, hachées

Sel et poivre

Farce

1 poire, pelée, épépinée et hachée finement

3 c. à table (45 ml) de beurre, fondu

2 tranches de pain croûté, réduites en chapelure

3 échalotes vertes, hachées

Sel et poivre

Marinade

Dans un bol, bien mélanger tous les ingrédients. Ajouter les cailles et bien les enrober. Laisser macérer 3 à 4 heures au réfrigérateur, en les retournant de temps à autre.

Préchauffer le four à 375 °F (190 °C).

Farce

Dans un bol, mélanger tous les ingrédients.

Farcir les cailles égouttées et les déposer dans un plat allant au four.

Ajouter le bouillon de poulet et le reste de la marinade. Couvrir et cuire au four 30 minutes.

Découvrir et poursuivre la cuisson environ 15 minutes ou jusqu'à ce que les cuisses se détachent facilement des cailles. Badigeonner du jus de cuisson à plusieurs reprises pendant la cuisson.

Retirer les cailles du plat de cuisson. Passer le jus de cuisson dans un tamis fin puis verser dans une petite casserole.

Chauffer le jus de cuisson puis ajouter le beurre mélangé à la farine, en remuant. Rectifier l'assaisonnement et servir cette sauce avec les cailles.

Accompagner de pommes de terre au paprika.

TEMPS DE PRÉPARATION : 2 heures
TEMPS DE CUISSON :
1 heure 30 minutes

PORTIONS : 10 à 12

Pâte

1 3/4 tasse (430 ml) de farine tout usage

1 c. à thé (5 ml) de sel

2/3 tasse (150 ml) de beurre froid, coupé en morceaux

2 c. à table (30 ml) de graisse végétale froide, coupée en morceaux

1/3 à 1/2 tasse (75 à 125 ml) d'eau glacée

Garniture

4 oz (125 g) de bacon, coupé en lardons et blanchi

Chair crue de 1 canard, coupée en dés (environ 1 livre / 500 g)

1 1/2 livre (750 g) de suprêmes de poulet, coupés en dés

1 oignon, haché finement

2 gousses d'ail, hachées finement

2 c. à table (30 ml) de farine

3/4 tasse (180 ml) de bouillon de bœuf

1/2 tasse (125 ml) de canneberges fraîches ou surgelées

1 c. à thé (5 ml) de sarriette séchée

1 c. à thé (5 ml) de thym séché

1/2 c. à thé (2 ml) de clou de girofle moulu

Sel et poivre

Dorure

1 jaune d'œuf

2 c. à table (30 ml) d'eau

Pâte

Au robot culinaire, mélanger la farine et le sel ; disposer également le beurre et la graisse froids sur la farine. Actionner l'appareil par pulsion, jusqu'à l'obtention d'une consistance de petits pois. Verser 1/3 tasse (75 ml) d'eau glacée sur le mélange ; ajouter le reste de l'eau au besoin ou jusqu'à ce que la pâte forme une boule.

Envelopper la pâte dans une pellicule de plastique et réfrigérer.

Note :

Pour la congélation : envelopper la tourtière soigneusement et déposer au congélateur. Au moment de servir, décongeler partiellement la tourtière, badigeonner de dorure et cuire au four tel qu'indiqué dans la recette.

Garniture

Dans une grande poêle, faire dorer légèrement les lardons de bacon dans la graisse de canard. Réserver 2 c. à table (30 ml) de gras fondu dans un ramequin et les lardons dans un grand bol.

Dans la même poêle, cuire la chair de canard et de poulet jusqu'à ce que les viandes aient perdu leur teinte rosée ; égoutter dans une passoire et réserver avec les lardons. Jeter le gras de cuisson.

Dans la même poêle, faire fondre l'oignon dans le gras réservé. Ajouter l'ail et cuire 1 minute. Ajouter la farine et cuire en brassant 2 minutes à feu doux.

Incorporer le bouillon de bœuf ; porter à ébullition en brassant et laisser mijoter 5 minutes. Incorporer la sauce aux viandes réservées ainsi que les canneberges, les fines herbes, le clou de girofle, du sel et du poivre. Laisser tiédir la préparation.

Préchauffer le four à 500 °F (260 °C).

Abaisser la moitié de la pâte sur une surface enfarinée. Déposer l'abaisse dans une assiette à tarte profonde de 10 po (25 cm) de diamètre.

Verser la garniture dans l'abaisse. Abaisser le reste de la pâte, en couvrir la tourtière et festonner le pourtour de l'assiette.

Dorure

Mélanger le jaune d'œuf et l'eau ; badigeonner la tourtière. Si désiré, garnir la tourtière de motifs découpés dans les restes de la pâte.

Réduire la température du four à 450 °F (230 °C) ; cuire la tourtière 10 minutes, puis abaisser la température à 400 °F (200 °C) et poursuivre la cuisson encore 50 minutes. Si désiré, accompagner de sauce aux fruits.

Sauce aux fruits

Dans une petite casserole, mélanger ensemble le zeste coupé en julienne et blanchi de 1 citron et de 1 orange. Ajouter le jus de l'orange et du citron, 1 c. à table (15 ml) de moutarde de Dijon, 1 bocal de 8 oz (250 ml) de confiture de cassis, 1 tasse (250 ml) de porto et 10 oz (284 ml) de bouillon de bœuf. Porter à ébullition et laisser mijoter 10 minutes ; lier avec de la fécule de maïs.

Kebabs de poulet

Proches parents des souvlakis, les Kebabs de poulet raviront grands et petits.

TEMPS DE PRÉPARATION : 15 minutes
TEMPS DE CUISSON : 6 à 8 minutes

PORTIONS : 4

1 livre (500 g) de suprêmes de poulet
1/2 concombre anglais, épépiné et émincé
1 grosse tomate rouge, coupée en tranches fines
4 pains pita moyens

Marinade

1/4 de tasse (60 ml) d'huile d'olive
2 gousses d'ail, écrasées
1 c. à thé (5 ml) de paprika
2 c. à thé (10 ml) d'origan séché
2 c. à thé (10 ml) de cumin moulu
1 c. à thé (5 ml) de coriandre séchée
Zeste de 1/2 citron, râpé
1 c. à table (15 ml) de jus de citron
Sel et poivre

Raïta

1 tasse (250 ml) de yogourt nature
1 c. à table (15 ml) de menthe fraîche ou de persil plat, haché finement
1 ou 2 gousses d'ail, écrasées
Sel et poivre

Marinade

Dans un sac de plastique à fermeture hermétique, mélanger l'huile, l'ail, le paprika, l'origan, le cumin, la coriandre, le zeste et le jus de citron. Saler et poivrer.

Couper chaque suprême de poulet en 6 morceaux et les ajouter à la marinade.

Poulet, volailles et gibiers d'élevage

Refermer le sac, remuer pour bien enrober le poulet de marinade. Laisser mariner de 30 minutes à 1 heure au réfrigérateur en retournant le sac souvent.

Raïta

Dans un bol, mélanger le yogourt, la menthe ou le persil, l'ail, le sel et le poivre. Réserver.

Enfiler le poulet sur les brochettes de bois préalablement trempées à l'eau, passer sous le grill jusqu'à ce que le poulet soit cuit, environ 6 minutes en tournant les brochettes.

Servir avec la raïta, le concombre et les tranches de tomate, sur un pain pita enroulé autour de la garniture.

TEMPS DE PRÉPARATION : 1 heure
**TEMPS DE CUISSON : 2 heures
40 minutes**

PORTIONS : 12

1 rôti de dinde, fait de chair blanche et brune d'environ 6 livres (3 kg)

2 c. à table (30 ml) de beurre

24 échalotes françaises, pelées

1 morceau de lard salé, d'environ 1/2 livre (250 g)

2 feuilles de laurier

1 boîte de 10 oz (284 g) de bouillon de poulet

1 tasse (250 ml) d'eau

1 paquet de 300 g de canneberges surgelées

1/4 tasse (60 ml) de sucre

Sel et poivre

2 c. à table (30 ml) de ciboulette, hachée

Préchauffer le four à 400 °F (200 °C).

Dans une casserole, faire colorer le rôti de dinde dans le beurre. Retirer le rôti, faire colorer les échalotes et le morceau de lard salé.

Déposer le rôti au fond de la casserole en répartissant autour les échalotes, le lard salé et les feuilles de laurier. Ne pas couvrir.

Cuire au four pendant 30 minutes. Abaisser la chaleur du four à 325 °F et continuer la cuisson encore 45 minutes.

Ajouter le bouillon de poulet et l'eau, couvrir et cuire encore 1 heure 15 minutes. Sortir du four et retirer délicatement le rôti de la casserole ainsi que le morceau de lard salé. Les couvrir de papier d'aluminium et laisser reposer 15 minutes.

Pendant ce temps, terminer la sauce. Déposer la casserole sur le feu avec le fond de cuisson et dégraisser. Amener à ébullition.

Ajouter les canneberges et le sucre, laisser mijoter 10 minutes. Saler et poivrer, puis retirer les feuilles de laurier.

Trancher le rôti et le lard, servir avec la sauce, à laquelle on ajoute la ciboulette hachée à la toute dernière minute.

Préchauffer le four à 350 °F (180 °C).

Ouvrir 4 demi-poitrines de poulet désossées sans la peau, en portefeuille.

Introduire dans chacune des ouvertures une belle grande tranche de prosciutto, une tranche de fromage emmenthal et deux grandes feuilles de basilic frais. Refermer à l'aide de cure-dent au besoin.

Tremper les poitrines de poulet dans un œuf légèrement battu, puis dans 3/4 tasse (180 ml) de chapelure fine. Saler et poivrer.

Faire dorer les poitrines de poulet dans une poêle chaude contenant un peu d'huile d'olive, puis déposer dans un plat de cuisson. Cuire au four environ 15 minutes.

Trancher finement et servir avec les carottes braisées, du riz ou des pâtes.

Carottes braisées

TEMPS DE PRÉPARATION : 10 minutes
TEMPS DE CUISSON : 25 minutes

PORTIONS : 4

16 carottes entières avec leurs fanes

4 tranches de pancetta ou de bacon, hachées

2 gousses d'ail, hachées

1 petit oignon, haché

1 tasse (250 ml) de bouillon de poulet

1/2 tasse (125 ml) de persil frais, haché

Sel et poivre

Couper le feuillage des carottes en conservant environ 1 po (2,5 cm) de la tige ; peler les carottes.

Dans une grande poêle ayant un couvercle, cuire la pancetta ou le bacon jusqu'à ce qu'elle soit presque croustillant.

Ajouter l'ail et l'oignon ; poursuivre la cuisson jusqu'à ce que l'oignon soit translucide.

Ajouter les carottes, le bouillon de poulet et le persil. Saler et poivrer.

Couvrir et cuire à feu doux environ 15 minutes, jusqu'à tendreté des carottes. Ajouter un peu de bouillon de poulet, au besoin.

Servir en accompagnement avec de la viande, de la volaille ou du poisson.

TEMPS DE PRÉPARATION : 30 minutes
TEMPS DE CUISSON : 45 minutes

PORTIONS : 4

3 c. à table (45 ml) de beurre

1 1/2 tasse (375 ml) de champignons, hachés très finement

1/2 c. à thé (2 ml) de muscade moulue

Sel et poivre

1 sac d'épinards frais d'environ 280 g, lavés, essorés et équeutés

2 gousses d'ail, hachées

1 livre (500 g) de demi-poitrines de poulet désossées sans la peau

1/2 livre (250 g) de pâte feuilletée du commerce, décongelée

1 œuf, légèrement battu

Préchauffer le four à 375 °F (190 °C).

Dans une poêle antiadhésive, faire fondre la moitié du beurre ; y faire sauter les champignons avec la muscade de 2 à 3 minutes. Saler et poivrer. Retirer de la poêle et réserver.

Dans la même poêle, faire fondre le reste du beurre. Y faire sauter les épinards et l'ail jusqu'à tendreté des épinards. Saler et poivrer. Retirer de la poêle et réserver. Bien égoutter la garniture aux épinards lorsque refroidie.

Dans la même poêle, faire dorer le poulet de tous les côtés ; saler et poivrer. Réserver.

Déposer la pâte feuilletée sur une surface de travail enfarinée. Abaisser la pâte afin d'obtenir un rectangle d'environ 11 x 9 po (28 x 23 cm). Déposer la garniture aux champignons au centre de la pâte et l'étendre sur la longueur afin de former une bande de 4 po (10 cm) de large et 9 po (23 cm) de long.

Étendre la garniture aux épinards sur celle aux champignons ; y déposer le poulet.

Badigeonner le pourtour de la pâte d'œuf battu et rabattre la pâte sur le poulet. Déposer le poulet Wellington sur une plaque légèrement enfarinée, la garniture aux champignons vers le haut. Badigeonner la pâte d'œuf battu.

Cuire au four environ 45 minutes ou jusqu'à ce que ce soit doré. Pour servir, couper en tranches et accompagner de légumes.

Les meilleures recettes de Marie-Josée et Claudette Taillefer

Poulet au citron et au gingembre

TEMPS DE PRÉPARATION : 20 minutes
TEMPS DE CUISSON : 10 minutes

PORTIONS : 4

1 livre (500 g) de suprêmes de poulet, coupés en languettes

8 échalotes vertes, coupées à la diagonale en morceau de 1 po (2,5 cm)

2 c. à table (30 ml) d'huile

2 c. à thé (10 ml) de gingembre frais, pelé et haché finement

Zeste de 1 citron, levé à l'économe et coupé en fine julienne

1 poivron rouge ou vert, coupé en languettes

Sel et poivre

1/4 tasse (60 ml) de bouillon de poulet

2 c. à table (30 ml) de vinaigre de riz

3 c. à table (45 ml) de sauce soya

Jus de 1 citron

Graines de sésame (facultatif)

Dans une grande poêle, faire cuire les languettes de poulet, les échalotes vertes, avec le gingembre, le zeste de citron et le poivron dans l'huile. Saler légèrement et poivrer.

Ajouter le bouillon de poulet, le vinaigre de riz et la sauce soya ; porter à ébullition.

Cuire à feu vif jusqu'à ce que le jus de cuisson ait réduit de moitié. Incorporer le jus de citron et mélanger.

Au moment de servir, saupoudrer de graines de sésame si désiré. Acompagner de vermicelle ou de riz.

Poulet, volailles et gibiers d'élevage

TEMPS DE PRÉPARATION : 45 minutes
TEMPS DE CUISSON : 2 heures 30 minutes

PORTIONS : 4

1 canard de 3 livres (1,5 kg), rincé et bien épongé

2 c. à table (30 ml) de sirop de maïs blanc

1 c. à thé (5 ml) de sel

2 c. à table (30 ml) d'eau tiède

Garniture

1/2 tasse (125 ml) de sauce hoisin

1 tasse (250 ml) de concombre anglais, coupé en fins bâtonnets

1/2 tasse (125 ml) d'oignons verts, coupés en julienne

Placer le canard sur une grille et déposer sur une plaque de cuisson ; réfrigérer à découvert 24 heures. Cela permet de faire sécher la peau du canard. Sortir du réfrigérateur.

Dans un bol, mélanger le sirop de maïs, le sel et l'eau tiède ; badigeonner complètement le canard. Réfrigérer de nouveau 6 heures.

Préchauffer le four à 375 °F (190 °C).

Déposer le canard (à plat ventre sur la grille) dans une rôtissoire ; verser de l'eau froide au fond de la rôtissoire. Cuire au four 1 heure.

Sortir du four, tourner le canard sans piquer la peau et poursuivre la cuisson 1 heure 15 minutes. Retirer du four ; laisser reposer 15 minutes.

Enlever la peau du canard et la couper en languettes. Désosser le canard et couper la chair en aiguillettes.

Déposer la peau et la chair de canard dans un plat de service de métal ; réchauffer au four à 350 °F (180 °C) 10 minutes avant de servir.

Servir avec la garniture et les crêpes mandarin : tartiner une crêpe mandarin de sauce hoisin, y déposer de la peau et les aiguillettes de canard, du concombre et des oignons verts ; rouler et déguster.

Pilons de poulet à la chinoise

TEMPS DE PRÉPARATION : 10 minutes
TEMPS DE CUISSON : 45 minutes

PORTIONS : 4

12 pilons de poulet
Sel

Marinade

1 c. à table (15 ml) d'huile

1 gousse d'ail, hachée finement

2 c. à table (30 ml) de miel

2 c. à table (30 ml) de sauce soya

1 c. à table (15 ml) de gingembre frais, haché finement

1 c. à table (15 ml) de sauce hoisin

Sel et poivre

Saler les pilons de poulet, puis les déposer dans un sac de plastique qui ferme hermétiquement.

Ajouter tous les ingrédients de la marinade dans le sac ; bien mélanger. Sceller, déposer au réfrigérateur et laisser mariner jusqu'au lendemain.

Préchauffer le four à 375 °F (190 °C). Tapisser une plaque à biscuits d'une feuille de papier d'aluminium ou sulfurisé.

Déposer les pilons sur la plaque. Cuire au four environ 45 minutes ; retourner fréquemment les pilons de poulet et badigeonner de marinade pendant la cuisson.

Servir accompagné de pâtes chinoises.

TEMPS DE PRÉPARATION : 15 minutes

**TEMPS DE CUISSON : 30 minutes
+ 4 heures de macération**

PORTIONS : 4 à 6

3 râbles de lapin désossés

Marinade

1/4 tasse (60 ml) de moutarde de Dijon

2 c. à thé (10 ml) d'herbes de Provence séchées

1/2 c. à thé (2 ml) de brindilles de romarin frais

1 c. à table (15 ml) d'huile d'olive

1/2 c. à thé (2 ml) d'ail, haché finement

Sel et poivre

Dans un bol, mélanger tous les ingrédients de la marinade.

Verser sur les râbles de lapin et retourner les morceaux pour bien les enduire. Couvrir, déposer au réfrigérateur et laisser mariner au moins 4 heures.

Préchauffer le barbecue à intensité maximale. Déposer les râbles sur la grille et les marquer.

Éteindre le feu sur l'un des côtés du barbecue et conserver l'autre côté à intensité maximale. Déposer les râbles de lapin sur le côté éteint de la grille, refermer le couvercle et cuire 15 minutes. Retourner les râbles et cuire encore environ 15 minutes, jusqu'à ce que ce soit cuit.

Servir avec une salade Waldorf.

Tomates farcies au fromage

**TEMPS DE PRÉPARATION :
30 minutes**

TEMPS DE CUISSON : 15 minutes

PORTIONS : 6

6 tomates rouges de grosseur moyenne

2 c. à table (30 ml) d'huile d'olive

1 oignon moyen, haché finement

2 c. à thé (10 ml) d'ail, haché finement

2 c. à table (30 ml) de persil frais, haché finement

2 c. à table (30 ml) de chapelure nature

Sel et poivre

1/2 tasse (125 ml) de fromage parmesan frais, râpé

Couper les tomates en 2, les épépiner délicatement et les renverser sur du papier essuie-tout pour les faire égoutter 10 minutes.

Dans une casserole, faire chauffer l'huile, y faire revenir l'oignon et l'ail pendant 5 minutes sans coloration.

Retirer du feu, ajouter le persil, la chapelure et les assaisonnements ; bien mélanger.

Farcir les demi-tomates de la préparation et parsemer de fromage.

Déposer sur la grille du barbecue, refermer le couvercle et cuire à intensité minimale environ 15 minutes.

Lapin aux olives

On n'en a certainement pas abusé, et pourtant le lapin offre une viande savoureuse et saine. Dans presque toutes les recettes, on peut le remplacer par du poulet et vice versa.

TEMPS DE PRÉPARATION : 30 minutes
TEMPS DE CUISSON : 1 heure 15 minutes

PORTIONS : 4 à 5

1 lapin de 3 livres (1,5 kg) coupé en 8 morceaux

1/4 tasse (60 ml) d'huile

Sel et poivre

1 oignon, haché finement

2 gousses d'ail, hachées finement

2 c. à table (30 ml) de romarin frais, haché finement, ou 2 c. à thé (10 ml) de romarin ou de thym, séché

1 feuille de laurier

1 tasse (250 ml) de vin blanc ou de bouillon de poulet

1 boîte de 28 oz (796 ml) de tomates italiennes, égouttées et hachées grossièrement

2 c. à table (30 ml) de pâte de tomates

3/4 tasse (180 ml) d'olives vertes, dénoyautées

1 livre (500 g) de pâtes au choix, pappardelles, fettucine ou spaghettis

1 c. à table (15 ml) de beurre

1/4 tasse (60 ml) de persil italien frais, haché finement

Dans une grande poêle, faire sauter les morceaux de lapin dans l'huile à feu moyen-élevé, jusqu'à ce qu'ils soient dorés de chaque côté. Saler et poivrer. Réserver dans une assiette.

Dans la même poêle, faire fondre l'oignon. Ajouter l'ail, le romarin ou le thym, la feuille de laurier, le vin ou le bouillon de poulet.

Porter à ébullition, remettre les morceaux de lapin dans la sauce. Réduire la chaleur, laisser mijoter 30 minutes mi-couvert.

Ajouter les tomates italiennes, la pâte de tomates et les olives. Couvrir et laisser mijoter encore 30 minutes.

Vérifier l'assaisonnement.

Cuire les pâtes selon les indications du fabricant, les égoutter et les enrober de beurre.

Ajouter 1 tasse (250 ml) de sauce aux pâtes et mélanger. Saupoudrer de persil.

Lapin à l'érable

Un plat mijoté parfait pour recevoir à Pâques ou à la fête des Mères.

TEMPS DE PRÉPARATION : 15 minutes
TEMPS DE CUISSON : environ 1 heure 15 minutes

PORTIONS : 4

1 lapin, coupé en morceaux

1/4 tasse (60 ml) de farine

1 c. à table (15 ml) de beurre

2 c. à table (30 ml) d'huile végétale

3 tranches de bacon, hachées

1 oignon, haché finement

1 gousse d'ail, hachée finement

1 c. à thé (5 ml) de sauge fraîche, hachée, ou 1/2 c. à thé (2 ml) de sauge séchée

1 c. à thé (5 ml) de romarin frais, haché, ou 1/2 c. à thé (2 ml) de romarin séché

1 c. à thé (5 ml) de thym frais, haché, ou 1/2 c. à thé (2 ml) de thym séché

2 1/2 tasses (625 ml) de bouillon de poulet, dégraissé

1/3 tasse (75 ml) de vin blanc

1/2 tasse (125 l) de sirop d'érable

Sel et poivre

Enfariner les morceaux de lapin, puis les saler et les poivrer. Réserver.

Dans une grande casserole, cuire le bacon dans le beurre et l'huile. Ajouter l'oignon et l'ail. Y dorer les morceaux de lapin.

Ajouter les herbes, le bouillon de poulet, le vin et le sirop d'érable.

Saler et poivrer, laisser mijoter environ 1 heure 15 minutes.

Servir avec du riz ou des pommes de terre grelots.

Les meilleures recettes de Marie-Josée et Claudette Taillefer

Cailles grillées à l'italienne

TEMPS DE PRÉPARATION : 15 minutes
TEMPS DE CUISSON : 40 minutes

PORTIONS : 4

8 cailles

1/2 tasse (125 ml) d'huile d'olive

1/4 tasse (60 ml) de vinaigre balsamique

2 c. à table (30 ml) de basilic séché

1 c. à table (15 ml) d'origan séché

3 gousses d'ail, hachées

Sel et poivre

1 poivron rouge, épépiné et coupé en dés

1/2 tasse (125 ml) de bouillon de poulet

Préchauffer le four à 375 °F (190 °C).

Sur une planche de travail, coucher les cailles devant soi, la poitrine vers le haut. Insérer un couteau du chef dans la caille et couper complètement les os et la peau du dos ; aplatir la caille. Répéter l'opération avec les autres cailles.

Dans un bol, mélanger l'huile, le vinaigre balsamique, les herbes et l'ail. Ajouter les cailles et mélanger pour bien les enrober de la marinade. Saler et poivrer. Laisser macérer au moins 2 heures au réfrigérateur en mélangeant de temps à autre. On peut faire mariner les cailles pendant une nuit.

Égoutter les cailles et les déposer dans une rôtissoire, l'une à côté de l'autre, sur une plaque. Saupoudrer de dés de poivron rouge et cuire au four 40 minutes.

Retirer les cailles de la rôtissoire. Déposer la rôtissoire sur le feu de la cuisinière ; ajouter le bouillon de poulet, chauffer à feu moyen en grattant bien le fond de la rôtissoire pour obtenir les jus de cuisson.

Pour servir, arroser les cailles de ce jus de cuisson. Accompagner de riz et de légumes grillés.

Poulet, volailles et gibiers d'élevage

Œufs, fromages et plats végétariens

Pain doré

TEMPS DE PRÉPARATION : 10 minutes
TEMPS DE CUISSON : 20 minutes

PORTIONS : 4

2 œufs

1 tasse (250 ml) de lait

2 c. à table (30 ml) de caramel mou du commerce

1 c. à thé (5 ml) d'essence de vanille

1/4 à 1/2 c. à thé (1 à 2 ml) de muscade moulue

8 tranches de pain de campagne, rassis

1 c. à table (15 ml) de beurre

Sirop d'érable

Fruits frais, au choix

Dans un bol, fouetter les œufs, le lait, le caramel, l'essence de vanille et la muscade.

Tremper les tranches de pain dans la préparation aux œufs et les égoutter.

Dans une poêle antiadhésive, faire fondre le beurre et cuire les tranches de pain, jusqu'à ce qu'elles soient dorées des 2 côtés.

Servir 2 tranches de pain doré par personne et accompagner de sirop d'érable et de fruits frais.

Œufs brouillés

Pour présenter les œufs brouillés, retirer les croûtes du pain tranché.

Beurrer le pain des 2 côtés et déposer dans un moule à muffins en pressant avec les doigts de façon à former un petit panier.

Faire griller au four à 400 °F (200 °C) jusqu'à ce que ce soit doré, soit une dizaine de minutes.

Remplir chaque coquille de pain d'œufs brouillés.

Les meilleures recettes de Marie-Josée et Claudette Taillefer

Quiche au poivron rouge et aux épinards

TEMPS DE PRÉPARATION :
25 minutes

TEMPS DE CUISSON :
environ 30 minutes

PORTIONS : 6

Croûte

1 1/4 tasse (310 ml) de farine

1 c. à thé (5 ml) de basilic séché

1 c. à thé (5 ml) d'origan séché

1 c. à thé (5 ml) de ciboulette séchée

1/2 c. à thé (2 ml) de poivre de Cayenne

Sel et poivre

1/3 tasse (75 ml) de graisse végétale froide, en morceaux

Environ 1/4 tasse (60 ml) d'eau

Garniture

4 œufs

2/3 tasse (150 ml) de lait

Sel et poivre

1/2 oignon, haché finement

1/2 poivron rouge, haché finement

1/2 tasse (125 ml) d'épinards surgelés, décongelés et bien égouttés, hachés

2 gousses d'ail, hachées

6 tranches de bacon, cuites et hachées

1 tasse (250 ml) de cheddar fort, râpé

Déposer la grille dans le bas du four et préchauffer le four à 400 °F (200 °C).

Croûte

Dans un bol, mélanger la farine, les herbes, le poivre de Cayenne, le sel et le poivre.

Y couper la graisse végétale avec un coupe-pâte ou 2 couteaux, jusqu'à l'obtention d'une texture fine et granuleuse.

Ajouter suffisamment d'eau pour obtenir une boule. Envelopper dans une pellicule de plastique et laisser reposer 20 minutes.

Abaisser la pâte et foncer une assiette à tarte de 8 po (20 cm).

Garniture

Dans un bol, battre les œufs et le lait. Saler et poivrer.

Répartir les légumes, le bacon et le fromage dans le fond de la croûte. Verser la préparation aux œufs.

Cuire au four environ 30 minutes ou jusqu'à ce que la garniture soit fixe et dorée.

Note :

Si le temps vous manque, utiliser une abaisse de pâte brisée du commerce de 8 po (20 cm) en remplacement de la croûte.

Les meilleures recettes de Marie-Josée et Claudette Taillefer

Omelette aux champignons et aux germes de soya

Une omelette différente aux parfums d'Orient, elle sera délicieuse avec un petit reste de riz parfumé que vous retrouverez au menu 3.

TEMPS DE PRÉPARATION : 15 minutes
TEMPS DE CUISSON :
8 minutes environ

PORTIONS : 2

1 c. à table (15 ml) d'huile végétale

1 branche de céleri, émincée en diagonale

1/4 livre (125 g) de champignons, émincés

1 gousse d'ail, hachée finement

1 paquet d'échalotes vertes, émincées

1 c. à thé (5 ml) de gingembre frais, râpé

2 tasses (500 ml) de germes de soya, blanchis 1 minute et égouttés

1 c. à table (15 ml) de sauce soya

1 pincée de piment de Cayenne broyé (facultatif)

Sel et poivre

Omelette

6 œufs

1/4 tasse (60 ml) d'eau

Sel et poivre

1 c. à table (15 ml) de beurre

Dans une poêle, faire sauter le céleri dans l'huile pour dorer. Ajouter les champignons, faire sauter
1 à 2 minutes.

Ajouter l'ail, les échalotes, le gingembre, les germes de soya, la sauce soya et le piment de Cayenne. Cuire
2 à 3 minutes. Saler et poivrer, égoutter. Réserver.

Omelette

Dans un bol, mélanger les œufs et l'eau. Saler et poivrer.

Dans une poêle de 10 po (25 cm), faire fondre 1 c. à table (15 ml) de beurre, verser le mélange d'œufs et cuire en agitant la poêle de temps en temps.

Quand l'omelette est à point, ajouter les légumes égouttés sur une moitié de l'omelette, rabattre l'autre moitié sur la garniture. Glisser l'omelette sur une assiette de service.

Note :
Partager les ingrédients en 2 et faire 2 omelettes individuelles.

TEMPS DE PRÉPARATION : 15 minutes

TEMPS DE CUISSON : environ 12 minutes

PORTIONS : 4

4 pains kaiser de grosseur moyenne

1 1/2 c. à table (22 ml) de beurre

3 échalotes vertes, hachées

4 tasses (1 l) d'épinards frais, équeutés, lavés et hachés

1 tasse (250 ml) de champignons, tranchés

2 tomates, hachées

2 gousses d'ail, hachées

2 c. à table (30 ml) de basilic frais, haché, ou 1/2 c. à thé (2 ml) de basilic séché

4 œufs

Sel et poivre

1/2 tasse (125 ml) de fromage gruyère, râpé

Paprika

Préchauffer le four à 350 °F (180 °C).

Retirer la calotte et évider chaque pain kaiser. Réserver la mie et les calottes pour une autre utilisation.

Dans une poêle, faire sauter les échalotes vertes dans le beurre. Ajouter les épinards et les champignons, faire sauter jusqu'à ce que les épinards soient tombés.

Ajouter les tomates, l'ail et le basilic. Saler et poivrer. Poursuivre la cuisson jusqu'à ce que le liquide soit évaporé.

Répartir le mélange de légumes dans le fond des pains kaiser. Casser un œuf dans chacun des pains. Saler et poivrer. Saupoudrer de fromage râpé et de paprika.

Déposer les pains-surprise sur une plaque à biscuits et cuire au four environ 12 minutes.

Œufs Bénédicte

TEMPS DE CUISSON : 20 minutes
TEMPS DE PRÉPARATION : 20 minutes

PORTIONS : 6

1 à 2 c. à table (15 à 30 ml) de vinaigre blanc

6 œufs

6 tranches de jambon ou de bacon de dos, chaud

3 muffins anglais, coupés en 2 et grillés

Sauce hollandaise

3 jaunes d'œufs, à la température de la pièce

2 c. à thé (10 ml) d'eau

1 c. à table (15 ml) de jus de citron

3/4 tasse (180 ml) de beurre, à la température de la pièce

Sel et poivre

Sauce hollandaise

Faire frémir de l'eau dans la partie inférieure d'un bain-marie. L'eau ne doit jamais bouillir ni toucher à la partie supérieure du bain-marie.

Dans la partie supérieure du bain-marie, fouetter les jaunes d'œufs, l'eau et le jus de citron jusqu'à ce que ce soit mousseux et épais, soit 3 à 4 minutes.

Ajouter le beurre, 1 c. à table (15 ml) à la fois, en fouettant entre chaque ajout jusqu'à ce qu'il soit complètement incorporé à la sauce. Saler et poivrer. Pour réchauffer, fouetter la sauce au-dessus du bain-marie.

Œufs pochés

Dans une casserole, faire bouillir de l'eau. Ajouter 1 c. à table (15 ml) de vinaigre si vous utilisez une petite casserole et 2 c. à table (30 ml) si vous avez une grande casserole remplie d'eau. Ne pas saler.

Casser les œufs, un à la fois, dans l'eau. Abaisser le feu afin que l'eau soit juste frémissante. Laisser pocher environ 4 minutes. Égoutter.

Montage

Déposer une tranche de jambon ou de bacon de dos chaude sur chaque moitié de muffin anglais grillé.

Y déposer un œuf poché puis napper de sauce hollandaise chaude.

Servir immédiatement.

Soufflé aux petits pois et au fromage

Vous pouvez remplacer les petits pois par un autre légume de votre choix (épinard, carotte, etc.) en autant que vous ayez 1/2 tasse (125 ml) de purée lisse de ce légume.

TEMPS DE PRÉPARATION : 30 minutes

TEMPS DE CUISSON : 25 minutes

PORTIONS : 4 à 6

Purée de petits pois

2 échalotes vertes, hachées

1 c. à table (15 ml) de beurre

1 tasse (250 ml) de petits pois surgelés, décongelés

2 c. à table (30 ml) de vin blanc ou de bouillon de poulet

Sel et poivre

Préparation de base

1/3 tasse (75 ml) de beurre

1/2 tasse (125 ml) de farine tout usage

3/4 tasse + 1 c. à table (200 ml) de lait

5 œufs, séparés

1 tasse (250 ml) de fromage Saint-Benoît ou au choix (gruyère, suisse), râpé

Sel et poivre

Préchauffer le four à 400 °F (200 °C).

Purée de petits pois

Dans une poêle, faire fondre les échalotes vertes dans le beurre. Ajouter les petits pois et poursuivre la cuisson à feu doux, jusqu'à ce qu'ils soient cuits. Réduire en purée au mélangeur électrique avec le vin ou le bouillon de poulet. Saler et poivrer.

Préparation de base

Dans une casserole, faire fondre le beurre. Saupoudrer la farine et cuire en remuant.

Ajouter le lait graduellement en remuant jusqu'à épaississement. Retirer du feu.

Ajouter la purée de petits pois, les jaunes d'œufs et le fromage. Saler et poivrer. Bien mélanger.

Dans un bol, battre les blancs d'œufs au batteur électrique avec une pincée de sel jusqu'à formation de pics fermes.

Incorporer un quart des blancs d'œufs montés en neige à la préparation de petits pois, puis ajouter le reste des blancs d'œufs délicatement à la cuillère de bois.

Verser dans un moule à soufflé beurré d'une contenance de 8 tasses (2 l).

Cuire dans le bas du four 25 minutes.

Servir immédiatement en légume d'accompagnement.

Flan de carottes

TEMPS DE PRÉPARATION : 30 minutes

TEMPS DE CUISSON : 30 minutes

PORTIONS : 6

1 tasse (250 ml) de purée de carottes lisse et chaude

1/4 c. à thé (1 ml) de muscade moulue

1/2 c. à thé (2 ml) de zeste de citron, râpé

3/4 tasse (180 ml) de crème 15 % ou 35 %, bouillante

2 œufs

Sel et poivre

Préchauffer le four à 350 °F (180 °C).

Dans un bol, bien mélanger tous les ingrédients.

Verser dans 6 ramequins beurrés, d'une contenance de 1/2 tasse (125 ml).

Cuire au four 30 minutes. Retirer du four et laisser reposer 15 minutes.

Servir en légume d'accompagnement.

Note :

Vous pouvez réaliser des petits soufflés individuels en procédant de la même façon. Cependant, réduire légèrement le temps de cuisson.

Œufs, fromages et plats végétariens

Omelette espagnole

TEMPS DE PRÉPARATION : 10 minutes
TEMPS DE CUISSON : 15 à 20 minutes

PORTIONS : 4

2 c. à table (30 ml) de beurre

1 c. à table (15 ml) d'huile

2 petites pommes de terre, pelées, bouillies, refroidies et tranchées

1/2 poivron rouge, coupé en petits cubes

8 échalotes vertes, hachées

2 gousses d'ail, hachées

8 œufs, battus

Sel et poivre

Dans une grande poêle antiadhésive, faire chauffer le beurre et l'huile. Y faire sauter les pommes de terre jusqu'à ce qu'elles soient dorées.

Ajouter le poivron et les échalotes vertes. Poursuivre la cuisson 1 à 2 minutes.

Ajouter l'ail et verser les œufs battus sur les légumes. Saler et poivrer.

Cuire jusqu'à ce que le dessous de l'omelette soit doré. Tourner et poursuivre la cuisson quelques minutes.

Frittata californienne

TEMPS DE PRÉPARATION : 20 minutes
TEMPS DE CUISSON : 45 minutes

PORTIONS : 6

1/2 poivron rouge, coupé en fines lanières

1/4 courgette, coupée en julienne

2 échalotes vertes, hachées finement

1/2 avocat, tranché

1/2 tasse (125 ml) de provolone ou autre fromage au choix, râpé

6 œufs, légèrement battus

1 tomate, tranchée

1/4 tasse (60 ml) de chapelure

1 gousse d'ail, hachée

Sel et poivre

Préchauffer le four à 350 °F (180 °C). Beurrer une assiette à tarte de 9 po (23 cm).

Déposer dans l'ordre le poivron, la courgette, les échalotes vertes, l'avocat et le fromage dans l'assiette à tarte.

Verser les œufs sur le mélange, saler et poivrer.

Couvrir des tranches de tomate.

Dans un bol, mélanger la chapelure, l'ail, le sel et le poivre. Saupoudrer sur les tomates.

Cuire au four environ 45 minutes.

Les meilleures recettes de Marie-Josée et Claudette Taillefer

Les meilleures recettes de Marie-Josée et Claudette Taillefer

Tourte campagnarde aux œufs et au jambon

TEMPS DE CUISSON : 30 minutes
TEMPS DE PRÉPARATION : 30 minutes

PORTIONS : 6

Pâte brisée

2 tasses (500 ml) de farine tout usage

2 c. à thé (10 ml) de poudre à pâte

1/2 c. à thé (2 ml) de sel

2/3 tasse (150 ml) de graisse végétale froide, en morceaux

Environ 2/3 tasse (150 ml) de lait froid

Béchamel

2 c. à table (30 ml) de beurre

3 c. à table (45 ml) de farine

1 1/2 tasse (375 ml) de lait

Sel et poivre

Garniture

1 c. à table (15 ml) de beurre

1 oignon, haché

1 gousse d'ail, hachée

3 échalotes vertes, hachées finement

2 tasses (500 ml) de jambon cuit, coupé en petits cubes

1 c. à table (15 ml) de persil frais, haché, ou 1 c. à thé (5 ml) de persil séché

1 c. à thé (5 ml) d'herbes de Provence ou d'herbes séchées mélangées

1 tasse (250 ml) de fromage fort (gruyère, cheddar fort, etc.), râpé

Sel et poivre

5 œufs, cuits dur

1 œuf, légèrement battu

Préchauffer le four à 350 °F (180 °C).

Pâte brisée

Dans un bol, mélanger la farine, la poudre à pâte et le sel.

Ajouter la graisse végétale et la couper dans les ingrédients secs avec un coupe-pâte ou 2 couteaux, jusqu'à l'obtention d'une texture fine et granuleuse.

Ajouter suffisamment de lait pour former une boule. Si vous préparez la pâte au robot culinaire, procéder rapidement pour ne pas trop la travailler.

Diviser la pâte en 2. Abaisser la pâte et foncer un moule à tarte de 9 po (23 cm), profond. Réserver la deuxième abaisse pour couvrir la tourte.

Béchamel

Dans une casserole, faire fondre le beurre. Saupoudrer la farine et cuire en remuant.

Ajouter le lait graduellement en remuant jusqu'à épaississement. Saler et poivrer.

Garniture

Dans une poêle, fondre l'oignon, l'ail et les échalotes vertes dans le beurre. Retirer du feu.

Dans un bol, mélanger le jambon, les herbes, le fromage, la sauce béchamel et le mélange d'oignon. Saler et poivrer.

Verser la moitié du mélange dans la croûte à tarte.

Déposer les œufs cuits dur sur le dessus et les couvrir avec le reste du mélange.

Badigeonner le rebord de la pâte de jaune d'œuf. Couvrir de l'abaisse de pâte réservée. Presser le pourtour pour bien sceller la pâte. Décorer avec le reste de pâte. Badigeonner d'œuf battu.

Tailler 2 petites fentes sur le dessus de la pâte pour laisser la vapeur s'échapper.

Cuire au four 30 minutes ou jusqu'à ce que la tourte soit dorée.

Nouilles croustillantes aux légumes

TEMPS DE PRÉPARATION : 45 minutes
TEMPS DE CUISSON : 20 minutes

PORTIONS : 6

8 oz (250 g) de vermicelle de riz
3 tasses (750 ml) d'huile
1 c. à table (15 ml) de sucre

1 c. à table (15 ml) de sauce soya
1 c. à table (15 ml) de vinaigre de riz
2 c. à table (30 ml) d'huile d'arachide
3 échalotes, coupées en fines tranches
4 gousses d'ail, hachées finement
1 poivron rouge, coupé en lanières de 1 po (2,5 cm)
1 poivron vert, coupé en lanières de 1 po (2,5 cm)
6 oignons verts, coupés en tronçons de 1 1/2 po (4 cm)
2 c. à table (30 ml) de sauce de poisson
2 c. à table (30 ml) de jus de citron
1 c. à table (15 ml) de pâte de tomates
1 petit piment chili, haché
2 c. à table (30 ml) de feuilles de coriandre fraîche, hachées
2 tasses (500 ml) de fèves germées

Dans une friteuse, préchauffer l'huile à 400 °F (200 °C).

Faire cuire une poignée de vermicelle de riz à la fois dans l'huile jusqu'à ce qu'ils soient dorés (les tourner une fois durant la cuisson) ; égoutter sur du papier essuie-tout.

Dans un bol, mélanger le sucre, la sauce soya et le vinaigre de riz ; brasser de façon à bien dissoudre le sucre. Réserver.

Dans une poêle antiadhésive ou un wok, faire chauffer l'huile d'arachide ; y faire sauter à feu vif les échalotes, l'ail, les poivrons et les oignons verts 2 minutes.

Ajouter la sauce de poisson, le jus de citron, la pâte de tomates et le piment chili. Faire cuire 1 minute en brassant.

Incorporer les nouilles frites et le mélange de vinaigre ; réchauffer en retournant délicatement.

Verser dans un plat de service et garnir de coriandre et de fèves germées.

Les meilleures recettes de Marie-Josée et Claudette Taillefer

Sandwich végétarien

Farcissez un bout de baguette avec des légumes grillés et de la mozzarella fumée et le tour est joué.

TEMPS DE PRÉPARATION : 20 minutes
TEMPS DE CUISSON : aucun

PORTIONS : 4

1 baguette de pain bien croûtée

1/4 livre (125 g) de fromage mozzarella ou de gouda fumé, coupé en tranches

1 tasse (250 ml) de roquette ou autre laitue

Vinaigrette

2 c. à table (30 ml) de vinaigre balsamique

1 c. à table (15 ml) de moutarde de Dijon

1/3 tasse (75 ml) d'huile d'olive

2 c. à table (30 ml) de basilic frais, émincé, ou 2 c. à thé (10 ml) de basilic séché

3/4 c. à thé (4 ml) de sel

1/2 c. à thé (2 ml) de poivre noir, fraîchement moulu

Garniture

1 poivron rouge, grillé et pelé

3 tasses (750 ml) de champignons blancs, tranchés

1 c. à thé (5 ml) de câpres

8 olives noires, coupées en morceaux

Dans un bol, bien mélanger tous les ingrédients de la vinaigrette.

Déposer les légumes, les câpres et les olives dans la vinaigrette, bien mélanger. Laisser mariner 30 minutes à température ambiante.

Couper la baguette en 2 sur la longueur.

Étendre les légumes sur la tranche inférieure de la baguette. Badigeonner le restant de la vinaigrette sur la mie de la tranche supérieure de la baguette.

Déposer le fromage sur les légumes suivi des feuilles de laitue.

Refermer le sandwich avec la croûte supérieure. Presser fermement, couper en 4 diagonalement.

Œufs, fromages et plats végétariens

Mœlleux et suave !

TEMPS DE PRÉPARATION : 40 minutes
TEMPS DE CUISSON : 50 minutes

PORTIONS : 8

1/2 tasse (125 ml) d'oignons, émincés très finement

2 c. à table (30 ml) de beurre

1 paquet de 10 oz (300 g) d'épinards, lavés et hachés

1 paquet de 8 oz (250 g) de champignons frais, tranchés

1 contenant de 500 g (2 tasses) de fromage ricotta léger

4 œufs

1 c. à thé (5 ml) de sel

1/4 c. à thé (1 ml) de poivre noir, fraîchement moulu

12 feuilles de pâte phyllo

1/2 tasse (125 ml) de beurre, fondu

5 oz (150 g) de fromage de chèvre mou, en noisettes

1/2 c. à thé (2 ml) de graines de fenouil séchées

Préchauffer le four à 375 °C (190 °C).

Dans une grande poêle antiadhésive faire suer les oignons dans le beurre 6 minutes sans coloration. Ajouter les épinards hachés et les champignons. Cuire jusqu'à l'évaporation complète des liquides. Réserver.

Mélanger le fromage ricotta, les œufs, le sel et le poivre 1 minute. Réserver.

Dans un moule à charnière de 11 po (28 cm), superposer 6 feuilles de pâte phyllo badigeonnées de beurre individuellement, en laissant le surplus dépasser et retomber sur le cercle du moule. Faire en sorte que les pointes des feuilles (les coins) soient bien étalées en pétales tout le tour du moule.

Déposer le mélange de légumes dans l'abaisse de pâte phyllo. Verser le mélange d'œufs et de fromage sur les légumes.

Parsemer la surface de noisettes de fromage de chèvre. Couvrir le tout de 5 feuilles de pâte phyllo bien badigeonnées de beurre. Parsemer la surface avec les graines de fenouil.

Recouvrir d'une dernière feuille de pâte phyllo badigeonnée de beurre. Rabattre les côtés sur le dessus et bien presser avec les mains. Badigeonner avec le reste du beurre.

Cuire au four environ 50 minutes. Sortir du four et démouler. Détailler en longues pointes et servir.

Beignets de camembert au coulis de tomates

Morceaux de camembert panés et frits, servis coulants avec leur sauce et un gros bouquet de persil frit. Miam.

TEMPS DE PRÉPARATION : 50 minutes
TEMPS DE CUISSON : 6 minutes

PORTIONS : 6

1 œuf

1 c. à table (15 ml) de lait

1/2 c. à thé (2 ml) de sel

1 pincée de poivre noir, fraîchement moulu

2 camemberts ronds, coupés en 6 pointes

1/2 tasse (125 ml) de farine tout usage

1/2 tasse (125 ml) de chapelure de pain sèche

2 tasses (500 ml) d'huile, pour la friture

24 bouquets de persil

Coulis de tomates

6 tomates moyennes, pelées et épépinées

2 c. à table (30 ml) de beurre

1/2 tasse (125 ml) d'oignons, hachés finement

2 c à thé (10 ml) d'ail, haché finement

1 bouquet garni : 1 branche de céleri, 4 branches de persil, 1 feuille de laurier, 3 grains de poivre

1 c. à thé (5 ml) de sel

1/2 c. à thé (2 ml) de poivre noir, fraîchement moulu

Mélanger l'œuf, le lait, le sel et le poivre à la fourchette.

Passer chacune des pointes de fromage d'abord dans la farine, ensuite dans le mélange d'œuf, puis dans la chapelure pour bien les enrober. Réserver au froid jusqu'au moment de la cuisson.

Chauffer l'huile. Y faire frire les bouquets de persil 2 minutes. Retirer et éponger sur du papier absorbant. Immerger les pointes de fromage dans l'huile et cuire environ 4 minutes jusqu'à ce que la croûte soit bien dorée. Égoutter sur du papier absorbant.

Servir sur un coulis de tomates avec les bouquets de persil frais.

Coulis de tomates

Concasser grossièrement les tomates au couteau.

Dans une casserole, faire revenir l'oignon dans le beurre, à feu doux, jusqu'à ce qu'il soit transparent mais sans coloration (environ 7 minutes).

Ajouter l'ail et faire suer 1 minute. Ajouter les tomates et le bouquet garni, laisser mijoter jusqu'à ce que la préparation épaississe (environ 15 minutes).

Mettre en purée au mélangeur électrique; saler et poivrer.

Œufs, fromages et plats végétariens

Petits soufflés au chèvre et aux noix

Un must ! Soufflés cuits dans des ramequins ou des moules à muffins, qu'on réchauffe individuellement, servis avec un mélange de fines laitues à l'huile de noix.

TEMPS DE PRÉPARATION : 40 minutes
TEMPS DE CUISSON : 30 minutes

PORTIONS : 6

1/4 tasse (60 ml) de noix de Grenoble grillées, hachées finement

1/4 tasse (60 ml) de farine tout usage

3 c. à table (45 ml) de beurre

2/3 tasse (150 ml) de lait

1 tasse (250 ml) de fromage de chèvre ferme, râpé

3 jaunes d'œufs

1/4 c. à thé (1 ml) de poivre noir, fraîchement moulu

1/4 c. à thé (1 ml) de sel

5 blancs d'œufs

Vinaigrette

6 tasses (1,5 l) de laitues fines mélangées (mesclun)

1 c. à table (15 ml) de vinaigre de sherry ou de vin

2 c. à table (30 ml) d'huile de noix ou d'olive

Préchauffer le four à 350 °F (180 °C) et beurrer 6 petits ramequins de 1/2 tasse (125 ml).

Dans un petit bol, mélanger ensemble les noix de Grenoble et 2 c. à thé (8 ml) de la quantité totale farine. Verser dans les moules beurrés pour que le mélange adhère au fond et sur les pourtours. Jeter l'excédent.

Dans une petite casserole, faire fondre le beurre et y ajouter le reste de la farine. Cuire le roux 2 minutes.

Ajouter le lait et mélanger au fouet. Porter à ébullition 3 minutes. Retirer du feu et transférer dans un bol.

Ajouter en brassant vigoureusement le fromage, les jaunes d'œufs, le poivre et le sel pour obtenir un mélange uniforme.

Dans un autre bol, battre les blancs d'œufs en neige ferme. Ajouter le tiers des blancs d'œufs en neige à la préparation fromagée en mélangeant avec une spatule de caoutchouc. Ajouter le reste des blancs d'œufs et mélanger en pliant.

Répartir le mélange dans les 6 ramequins. Déposer dans un moule ou une plaque à rebord. Verser de l'eau bouillante jusqu'à la mi-hauteur des ramequins. Cuire les soufflés au four environ 25 minutes. Retirer du four et laisser reposer 15 minutes.

Démouler délicatement à l'aide d'un couteau et déposer sur une plaque beurrée sans renverser. Servir sur un mélange de fines laitues qu'on arrose du mélange huile et vinaigre.

Note :

Vous pouvez réchauffer les soufflés au four à 425 °F (210 °C) 5 minutes. Ils lèveront un peu de nouveau.

Œufs, fromages et plats végétariens

Fondue au fromage traditionnelle

Une recette que vous ne pouvez rater, avec des suggestions de dérivés comme la fondue au cari. Le bon dosage vin et fromage.

TEMPS DE PRÉPARATION : 15 minutes

TEMPS DE CUISSON : 15 minutes

PORTIONS : 4

2 gousses d'ail, coupées en 2

2 1/4 tasses (560 ml) de vin blanc sec

3 c. à table (45 ml) de fécule de maïs

1 c. à table (15 ml) de jus de citron frais

3 tasses (750 ml) de fromage emmenthal, râpé

3 tasses (750 ml) de fromage gruyère, râpé

1/3 tasse (80 ml) de kirsch

1/2 c. à thé (2 ml) de poivre blanc

1/2 c. à thé (2 ml) de muscade moulue

1/2 c. à thé (2 ml) de paprika

2 baguettes de pain, en cubes de 1 po (2,5 cm)

Au choix

1 c. à thé (5 ml) de poudre de cari

1 c. à thé (5 ml) de raifort mariné

1 c. à thé (5 ml) d'ail frais, haché fin

Frotter la casserole avec les gousses d'ail en laissant les demi-gousses dans la casserole. Verser le vin blanc froid et la fécule, mélanger pour délayer.

Ajouter tous les autres ingrédients, sauf les cubes de pain. Chauffer à feu doux et remuer constamment à la cuillère de bois jusqu'au point d'ébullition et épaississement.

Retirer les demi-gousses d'ail.

Servir nature ou y ajouter l'un des 3 ingrédients au choix, pour parfumer à votre goût.

Au moment du service, tremper les cubes de pain dans la fondue au fromage.

Fondue à la bière

Welsh rarebit, l'incontournable fondue du pays de Galles faite de fromage cheddar fort et de bière, servie sur croûtons.

TEMPS DE PRÉPARATION : 15 minutes

TEMPS DE CUISSON : 10 minutes

PORTIONS : 6

3 c. à table (45 ml) de beurre non salé

1 lb (500 g) de fromage cheddar fort, râpé

1/4 c. à thé (1 ml) de poivre, fraîchement moulu

1/2 c. à thé (2 ml) de moutarde sèche

1 tasse (250 ml) de bière (brune ou blonde)

2 œufs, battus

12 tranches de pain, grillées

Dans une casserole, faire fondre le beurre à feu doux. Ajouter le fromage, le poivre et la moutarde.

Incorporer la bière et continuer de mélanger jusqu'à ce que le fromage soit fondu. Ne pas porter à ébullition.

Ajouter les œufs battus petit à petit, en brassant sans arrêt et en évitant toute ébullition.

Verser chaud sur des tranches de pain grillées. Déguster immédiatement ou gratiner au four quelques minutes.

Les meilleures recettes de Marie-Josée et Claudette Taillefer

Œufs brouillés en coquetiers

Note :

On peut servir simplement les œufs brouillés avec des asperges fraîches cuites à la vapeur 5 minutes et du jambon.

Une façon élégante et différente de servir les œufs.

TEMPS DE PRÉPARATION : 5 minutes
TEMPS DE CUISSON : 8 minutes environ

PORTIONS : 4

10 œufs
Sel et poivre
2 c. à table (30 ml) de beurre
1/4 tasse (60 ml) de ciboulette émincée ou de queues d'échalotes émincées
1/4 tasse (60 ml) de crème 15 %

Garnitures au choix
Saumon fumé, coupé en languettes
Dés de jambon
Œufs de saumon
Crevettes nordiques
Petites pointes d'asperge, blanchies

Découper la calotte des œufs avec des ciseaux, de façon à conserver la grosse partie de la coquille pour l'utiliser dans un coquetier. Vider les œufs (réserver dans un bol) et ébouillanter les coquilles.

Battre les œufs à la fourchette, saler et poivrer.

Dans une grande poêle antiadhésive, faire fondre le beurre à feu moyen-doux. Verser les œufs dans la poêle, cuire en brassant sans arrêt à la cuillère de bois. Dès que les œufs sont presque cuits, ajouter la ciboulette, mélanger et retirer la poêle du feu.

Ajouter la crème pour arrêter la cuisson, bien mélanger.

Verser les œufs dans les coquilles vides, déposer dans des coquetiers.

Garnir au choix chaque « coco » de languettes de saumon fumé, de petits dés de jambon, d'œufs de saumon, de crevettes nordiques ou d'asperges, etc.

Les meilleures recettes de Marie-Josée et Claudette Taillefer

Muffins aux pommes et à la cannelle

TEMPS DE PRÉPARATION : 20 minutes

TEMPS DE CUISSON : 35 minutes

PORTIONS : 6

1 c. à table (15 ml) de cassonade

1/2 c. à thé (2 ml) de cannelle moulue

1 c. à table (15 ml) de flocons d'avoine (gruau)

1 œuf

3 c. à table (45 ml) de sucre

1/2 tasse (125 ml) de lait

3 c. à table (45 ml) de beurre, fondu et tiédi

1 tasse (250 ml) de farine tout usage

1 c. à thé (5 ml) de poudre à pâte

2 pommes, pelées, épépinées, coupées en petits cubes

Préchauffer le four à 375 °F (190 °C). Huiler ou vaporiser d'huile en aérosol 6 moules à muffins de grosseur moyenne.

Œufs, fromages et plats végétariens

Dans un bol, mélanger la cassonade, la cannelle et les flocons d'avoine.

Dans un autre bol, mélanger l'œuf, le sucre, le lait et le beurre fondu.

Dans un autre bol, tamiser la farine et la poudre à pâte ; incorporer à la cuillère de bois au mélange précédent. Ajouter les cubes de pomme et mélanger.

Verser dans les moules à muffins et y saupoudrer le mélange de cannelle.

Cuire dans le bas du four environ 35 minutes.

Muffins aux bleuets et à la noix de coco

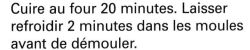

Pour des muffins moins sucrés, omettre complètement le sucre. La noix de coco sucrée suffira.

TEMPS DE PRÉPARATION : 20 minutes

TEMPS DE CUISSON : 20 minutes

PORTIONS : 18

2 tasses (500 ml) de noix de coco sucrée

3 1/2 tasses (875 ml) de farine

2 c. à thé (10 ml) de poudre à pâte

1/2 c. à thé (2 ml) de cannelle moulue

1/2 tasse (125 ml) de sucre (facultatif)

Zeste râpé de 1 citron

1/2 livre (250 g) de beurre, fondu

1 1/3 tasse (325 ml) de babeurre

2 œufs, battus

1 paquet de 10 oz (300 g) de bleuets surgelés, partiellement décongelés

Préchauffer le four à 375 °F (190 °C). Beurrer et enfariner des moules à muffins ou garnir de grands moules à gâteaux de papier.

Répandre la noix de coco sur une plaque ; faire griller légèrement au four 10 minutes en remuant souvent la plaque pour ne pas brûler. Réserver.

Dans un grand bol, mélanger les ingrédients secs, le zeste de citron et la noix de coco grillée, refroidie.

Dans un autre bol, mélanger le beurre, le babeurre et les œufs.

Ajouter les ingrédients secs aux ingrédients liquides ; mélanger à la fourchette juste pour humidifier le mélange.

Incorporer délicatement les bleuets.

Verser dans les moules ; remplir jusqu'aux deux tiers.

Muffins à l'orange

Cuire au four 20 minutes. Laisser refroidir 2 minutes dans les moules avant de démouler.

Si désiré, on peut y ajouter 1/2 tasse (125 ml) de raisins secs

TEMPS DE PRÉPARATION : 15 minutes

TEMPS DE CUISSON : 20 minutes

PORTIONS : 16

1 orange (non pelée), lavée, brossée et coupée en morceaux

1 tasse (250 ml) de lait

1/3 tasse (75 ml) de beurre, fondu

1 œuf

2 1/2 tasses (625 ml) de farine

1 tasse (250 ml) de sucre

1 c. à table (15 ml) de poudre à pâte

2 c. à thé (10 ml) de bicarbonate de soude

1/4 c. à thé (1 ml) de sel

Préchauffer le four à 400 °F (200 °C). Beurrer 15 moules à muffins ou garnir de grands moules à gâteaux de papier.

Au robot culinaire, hacher les morceaux d'orange.

Verser dans un bol, ajouter le lait, le beurre et l'œuf. Réserver.

Dans un autre bol, mélanger la farine, le sucre, la poudre à pâte, le bicarbonate de soude et le sel. Réserver.

Incorporer les ingrédients secs aux ingrédients liquides, mélanger à la fourchette juste pour humidifier les ingrédients secs.

Verser dans les moules et cuire au four 20 minutes ou jusqu'à ce qu'un cure-dents inséré au centre en ressorte propre.

Les meilleures recettes de Marie-Josée et Claudette Taillefer

Pain de Pâques

TEMPS DE PRÉPARATION : 1 heure
TEMPS DE CUISSON : 45 minutes

PORTIONS : 1 pain

1 1/3 tasse (310 ml) de lait tiède 105 °F (40 °C) à 115 °F (45 °C)

1 c. à table (15 ml) de levure sèche active

3/4 tasse (180 ml) de sucre

5 1/2 tasses (1,375 ml) de farine

1/4 c. à thé (1 ml) de sel

1 c. à table (15 ml) de zeste d'orange, râpé

2 c. à thé (10 ml) de zeste de citron, râpé

1/4 tasse (60 ml) de beurre, coupé en morceaux

3 œufs, battus

2 c. à thé (10 ml) d'essence de vanille

6 œufs, cuits 5 minutes dans de l'eau colorée rouge à laquelle on ajoute 2 c. à table (30 ml) de vinaigre

Dorure

1 jaune d'œuf mélangé avec
1 c. à table (15 ml) de lait

Dans un bol, mélanger le lait tiède, la levure, 2 c. à table (30 ml) de sucre et 1 1/2 tasse (375 ml) de farine. Couvrir et laisser reposer dans un endroit chaud 30 minutes.

Dans le bol du robot culinaire, déposer le reste de farine (4 tasses / 1 l) et du sucre, le sel, les zestes d'orange et de citron et le beurre ; mélanger en utilisant le couteau à pétrir, jusqu'à l'obtention d'une pâte granuleuse.

Ajouter le mélange de levure, les œufs et l'essence de vanille ; mélanger jusqu'à l'obtention d'une boule.

Déposer la boule sur une surface de travail enfarinée et pétrir 5 minutes jusqu'à ce que la pâte soit lisse et

élastique. Ajouter un peu de farine si la pâte est trop collante.

Déposer la boule de pâte dans un grand bol, recouvrir d'une pellicule de plastique et laisser lever dans un endroit chaud environ 1 heure 30 minutes, jusqu'à ce qu'elle ait doublé de volume.

Donner un bon coup de poing au centre de la boule pour la faire retomber ; déposer sur une surface de travail. Séparer la pâte en 3 parties égales et rouler en boudins d'environ 14 po (35 cm) de longueur. Déposer les 3 boudins un à côté de l'autre et tresser en prenant soin de souder les extrémités du pain.

Déposer le pain sur une grande plaque à biscuits graissée, enfoncer les œufs sur la surface de la pâte, couvrir d'une pellicule plastique et laisser lever dans un endroit chaud pendant environ 2 heures, jusqu'à ce que le pain ait doublé de volume.

Préchauffer le four à 375 °F (190 °C).

Badigeonner le pain de dorure. Cuire au four de 35 à 40 minutes, jusqu'à ce que le pain soit bien doré. Laisser refroidir directement sur une grille.

Note :

Vous pouvez également confectionner 6 petites brioches : procéder de la même façon pour les premières étapes, puis diviser la pâte en 6 portions. Avec chacune des portions, façonner 3 boudins, les tresser et former une couronne. Enfoncer 1 œuf dans chacune des couronnes et poursuivre la recette tel qu'indiqué.

Œufs, fromages et plats végétariens

Pain au yogourt et aux graines de pavot

TEMPS DE PRÉPARATION : 30 minutes
TEMPS DE CUISSON : 60 minutes

RENDEMENT : 12 tranches

2 œufs

1 tasse (250 ml) de sucre

1 1/2 c. à thé (7 ml) d'essence d'orange

1 c. à table (15 ml) de zeste d'orange

2/3 tasse (160 ml) de beurre, fondu et tiédi

2 1/4 tasses (560 ml) de farine à gâteau, tamisée

2 c. à thé (10 ml) de poudre à pâte

1/2 tasse (125 ml) de yogourt nature, épais

1/2 tasse (125 ml) de lait

3/4 tasse (180 ml) de graines de pavot

Préchauffer le four à 325 °F (170 °C). Beurrer et enfariner un moule à pain de 9 x 3 x 4 po (22 x 7 x 10 cm).

Dans un bol, battre les œufs, le sucre, l'essence d'orange et le zeste d'orange pendant 2 minutes à grande vitesse. Ajouter le beurre et battre 30 secondes à petite vitesse.

Dans un autre bol, mélanger la farine et la poudre à pâte.

Ajouter les ingrédients secs au mélange d'œufs en alternant avec le yogourt et le lait ; battre au batteur électrique à petite vitesse. Ne pas trop mélanger.

Ajouter les graines de pavot et plier à l'aide d'une spatule en caoutchouc.

Verser dans le moule et cuire au four, environ 1 heure 15 minutes.

Fondue au fromage, à l'ail et aux herbes

TEMPS DE PRÉPARATION : 30 minutes
TEMPS DE CUISSON : 15 minutes

PORTIONS : 4

2 gousses d'ail, hachées finement

1 c. à thé (5 ml) de beurre

1/2 tasse (125 ml) de vin blanc

1/2 tasse (125 ml) de crème sure

2 tasses (500 ml) de cheddar moyen, râpé

2 tasses (500 ml) de gruyère, râpé

4 oz (125 g) de fromage à la crème, mou

3 c. à table (45 ml) de fines herbes fraîches (basilic, origan, thym), hachées

Poivre

2 c. à thé (10 ml) de fécule de maïs

2 c. à table (30 ml) d'eau froide

Accompagnements

Cubes de pain rassis

Tomates cerises

Bouquets de chou-fleur, blanchis 2 minutes

Morceaux de pomme

Dans un caquelon, faire fondre l'ail dans le beurre. Ajouter le reste des ingrédients, sauf la fécule de maïs et l'eau.

Chauffer à feu moyen en remuant. Lorsque les fromages sont bien fondus et homogènes, ajouter la fécule de maïs délayée dans l'eau ; remuer jusqu'à épaississement.

Servir chaud avec les cubes de pain, les légumes et les morceaux de pomme.

Les meilleures recettes de Marie-Josée et Claudette Taillefer

Pâtes, pains et pizzas

En saison, profitez des tomates italiennes fraîches pour réaliser cette sauce. Les tomates italiennes en conserve sont aussi un bon choix.

TEMPS DE PRÉPARATION : 20 minutes
TEMPS DE CUISSON : 15 à 20 minutes

PORTIONS : 4

3 oz (90 g) de pancetta, ou de prosciutto, coupée en julienne

1 c. à table (15 ml) d'huile d'olive

1 oignon, tranché finement

1/2 tasse (125 ml) de vin rouge

16 tomates italiennes fraîches ou en conserve, hachées

2 c. à table (30 ml) d'origan frais, haché, ou 2 c. à thé (10 ml) d'origan séché

1/4 à 1/2 c. à thé (1 à 2 ml) de piment rouge broyé

1 c. à thé (5 ml) de sucre

Sel et poivre

1 livre (500 g) de penne, cuits

Fromage parmesan frais, râpé

Dans une poêle, faire dorer la pancetta ou le prosciutto dans l'huile. Ajouter l'oignon et cuire 1 minute en remuant.

Incorporer le vin et laisser réduire aux trois quarts.

Ajouter les tomates, l'origan, le piment rouge broyé, le sucre, le sel et le poivre. Laisser mijoter 15 à 20 minutes et rectifier l'assaisonnement.

Ajouter les pâtes cuites, mélanger et réchauffer.

Servir avec du fromage parmesan.

Les meilleures recettes de Marie-Josée et Claudette Taillefer

TEMPS DE PRÉPARATION : 20 minutes
TEMPS DE CUISSON : 10 minutes

PORTIONS : 4

4 gros poivrons rouges

3 gousses d'ail, dégermées et écrasées

1 c. à table (15 ml) d'huile d'olive

1 c. à table (15 ml) de vinaigre balsamique

1/2 tasse (125 ml) de bouillon de poulet ou 1/4 tasse (60 ml) de bouillon de poulet et 1/4 tasse (60 ml) de crème 35 %

Sel et poivre

3 c. à table (45 ml) de basilic frais, haché, ou de thym frais, ou 1 c. à thé (5 ml) de thym séché

1/4 c. à thé (1 ml) de piment de Cayenne broyé (facultatif)

1 livre (500 g) de raviolis ou de tortellinis au fromage, cuits et chauds

1 tasse (250 ml) de parmesan frais, râpé

Préchauffer le *grill* du four.

Déposer les poivrons sur une plaque à quelques pouces (cm) du grill, cuire environ 10 minutes, en tournant les poivrons souvent ou jusqu'à ce que presque entièrement grillés sur toutes les faces.

Déposer les poivrons dans un contenant, refermer hermétiquement et laisser tiédir. Peler et épépiner les poivrons sous l'eau froide, les éponger sur du papier absorbant.

Réduire les poivrons en purée au robot culinaire ou au mélangeur électrique. Réserver.

Dorer légèrement l'ail dans l'huile d'olive, l'ajouter aux poivrons avec le vinaigre balsamique, le bouillon et la crème, si désiré.

Saler et poivrer, porter à ébullition pour réchauffer. Ajouter les herbes et verser sur les pâtes choisies. Bien les enrober de sauce.

Saupoudrer de parmesan au moment de servir.

Pâtes, pains et pizzas

TEMPS DE PRÉPARATION : 25 minutes
TEMPS DE CUISSON : aucun

1 livre (500 g) de spaghettini cuit

Sauce verte

1 tasse (250 ml) de persil frais bien tassé, haché grossièrement

1/2 tasse (125 ml) de parmesan frais, râpé

1/2 tasse (125 ml) de pignons

1/4 tasse (60 ml) de câpres

2 c. à table (30 ml) d'échalotes françaises, hachées

1 c. à table (15 ml) de thym frais, haché

1 c. à thé (5 ml) de zestes de citron, râpés

2 c. à table (30 ml) de jus de citron

1 c. à table (15 ml) de vinaigre de vin rouge

Sel et poivre fraîchement moulu

1/2 tasse (125 ml) d'huile d'olive

Garniture

2 tomates, coupées en dés de 1/4 po (0,5 cm)

20 olives noires, dénoyautées et coupées en morceaux

Sauce verte

Mettre tous les ingrédients de la sauce verte, sauf l'huile, dans le bol du robot culinaire.

Pulser jusqu'à l'obtention d'un mélange homogène en grattant les parois à quelques reprises.

Continuer de mélanger et incorporer l'huile en filet.

Bien enrober les pâtes chaudes de sauce.

Ajouter les tomates et les olives aux pâtes ou tout simplement en garnir chacune des assiettes.

Tortellinis au saumon fumé et à l'aneth

TEMPS DE PRÉPARATION : 10 minutes
TEMPS DE CUISSON : 15 minutes

2 c. à table (30 ml) de beurre

1 oignon, haché

1 tasse (250 ml) de champignons, tranchés

1 tasse (250 ml) de crème 15 % ou 35 %

1/3 tasse (75 ml) d'aneth frais, haché

2 c. à table (30 ml) de câpres, hachées

1/4 livre (125 g) de saumon fumé, coupé en lanières

1 livre (500 g) de tortellinis au fromage, cuits

Sel et poivre

Dans une casserole, faire fondre l'oignon et les champignons dans le beurre.

Ajouter la crème, l'aneth et les câpres. Laisser mijoter jusqu'à épaississement léger.

Ajouter le saumon fumé, les tortellinis et mélanger jusqu'à ce que ce soit chaud. Saler et poivrer.

Servir immédiatement.

En plus d'être savoureuses, les pâtes sont tellement amusantes : longues, minces, rondes, frisées, elles se présentent sous toutes les formes et se laissent enrober de toutes les sauces.

Les pizzas, quant à elles, peuvent être garnies selon vos goûts, et servies sur croûtes minces, traditionnelles ou de blé entier. Vous avez l'embarras du choix !

Penne sauce rosée

TEMPS DE PRÉPARATION : 15 minutes
TEMPS DE CUISSON : 30 minutes

PORTIONS : 4

3/4 livre (375 g) de penne, cuits
Parmesan frais râpé, pour accompagner
Basilic frais, pour décorer

Sauce

1/4 tasse (60 ml) d'huile d'olive
2 oignons, hachés finement
2 tasses (500 ml) de champignons, tranchés
1 tasse (250 ml) de vin rouge ou de jus de tomate
2 gousses d'ail, hachées
1 boîte de 28 oz (796 ml) de tomates italiennes en dés
1 c. à table (15 ml) de sucre
1/2 tasse (125 ml) de crème 35 %
1/2 tasse (125 ml) de basilic frais, haché, ou 1 c. à table (15 ml) de basilic séché
Sel et poivre

Sauce

Dans une casserole, faire fondre les oignons dans l'huile. Ajouter les champignons et poursuivre la cuisson jusqu'à tendreté.

Ajouter le vin rouge ou le jus de tomate, l'ail et laisser réduire 2 minutes. Ajouter les tomates et le sucre, laisser mijoter doucement 15 minutes.

Ajouter la crème et le basilic. Saler, poivrer et poursuivre la cuisson quelques minutes.

Ajouter les pâtes cuites, remuer et servir.

Saupoudrer de parmesan frais et décorer de basilic frais, si désiré.

Cannellonis aux épinards et à la ricotta

TEMPS DE PRÉPARATION : 35 minutes
TEMPS DE CUISSON : 45 minutes

PORTIONS : 4 à 5

1 contenant de 300 g de fromage ricotta

1 contenant de 200 g de fromage bocconcini, égoutté

1 paquet de 300 g d'épinards, surgelés, décongelés et bien égouttés

2 gousses d'ail, hachées

1 c. à table (15 ml) de ciboulette fraîche, hachée ou séchée

1 c. à table (15 ml) de basilic séché

1 œuf

Sel et poivre

16 cannellonis, cuits al dente

2 tasses (500 ml) de fromage mozzarella, râpé

Sauce

2 c. à table (30 ml) d'huile d'olive

1 gros oignon, haché

28 oz (796 ml) de tomates en dés en conserve

2 c. à thé (10 ml) de sucre

1/2 c. à thé (2 ml) de romarin séché

Sel et poivre

Préchauffer le four à 350 °F (180 °C) et beurrer un plat allant au four de 13 x 9 po (33 x 23 cm).

Dans le bol du robot culinaire, bien mélanger les fromages, les épinards, l'ail, les herbes et l'œuf. Saler et poivrer.

Déposer la préparation au fromage dans une poche à pâtisserie munie d'une grosse douille ronde.

Farcir chaque cannelloni et les déposer dans le plat beurré.

Sauce

Faire fondre l'oignon dans l'huile. Ajouter les tomates, le sucre et le romarin. Saler et poivrer. Laisser mijoter 15 minutes.

Passer la sauce au mélangeur électrique ou au robot culinaire et verser sur les cannellonis.

Saupoudrer de mozzarella et cuire au four environ 20 minutes ou jusqu'à ce que le fromage soit fondu.

Pâtes, pains et pizzas

TEMPS DE CUISSON : 15 minutes

TEMPS DE PRÉPARATION : 20 minutes

PORTIONS : 36 raviolis

2 tasses (500 ml) de fromage ricotta

2 c. à table (30 ml) d'aneth séché

1 oignon rouge, haché finement

Sel et poivre

Pâtes fraîches du commerce

36 grosses crevettes, décortiquées et déveinées

Eau

Sauce tomate express

3 c. à table (45 ml) d'huile d'olive

2 oignons, hachés

1 1/2 tasse (375 ml) de céleri, haché

2 gousses d'ail, hachées

1 feuille de laurier

1/2 tasse (125 ml) de vin rouge

1 boîte de 28 oz (796 ml) de sauce tomate

2 c. à table (30 ml) de cassonade

Sel et poivre

Dans un bol, bien mélanger le fromage, l'aneth et l'oignon rouge. Saler et poivrer.

Couper les pâtes fraîches pour obtenir des rectangles de 3 x 6 po (7,5 x 15 cm).

Déposer 1 c. à table (15 ml) de la préparation au fromage sur une moitié d'un rectangle. Y déposer une crevette et badigeonner le pourtour de la pâte avec un peu d'eau et replier l'autre moitié de la pâte sur la crevette pour obtenir un gros carré. Répéter l'opération avec le reste des ingrédients.

Cuire les raviolis dans l'eau bouillante salée de 3 à 4 minutes. Égoutter et servir avec la sauce tomate express.

Sauce tomate express

Dans une casserole, fondre les oignons et le céleri dans l'huile. Ajouter l'ail, la feuille de laurier et le vin.

Laisser réduire de moitié et ajouter la sauce tomate, la cassonade, le sel et le poivre. Laisser mijoter doucement 20 minutes et retirer la feuille de laurier.

Réduire en purée au mélangeur électrique et rectifier l'assaisonnement.

Variation :

Pour des raviolis au fromage, omettre les crevettes et remplacer l'aneth par du basilic frais, haché.

Cette pâte se prépare à la dernière minute. Le choix de la saucisse donnera le ton au plat.

TEMPS DE PRÉPARATION : 20 minutes

TEMPS DE CUISSON : 20 minutes pour la sauce

PORTIONS : 4 à 5

12 oz (375 g) de saucisses italiennes douces ou fortes

2 gousses d'ail, hachées finement

8 oz (250 g) de champignons café, émincés

1 tasse (250 ml) de bouillon de poulet

1 livre (500 g) de gemellis, de fusillis ou de rigatonis

1 à 2 sacs de 10 oz (300 g) chacun d'épinards frais, lavés, essorés et hachés

Parmesan ou romano râpé, au goût

Retirer la peau des saucisses.

Dans une casserole suffisamment grande pour contenir les pâtes une fois cuites, cuire les saucisses en émiettant la chair jusqu'à ce que la viande ait perdu sa teinte rosée. Réserver dans un bol.

Dans la même casserole, faire sauter l'ail et les champignons. Ajouter le bouillon de poulet et la chair de saucisse cuite. Laisser mijoter 2 minutes et retirer du feu. Réserver.

Cuire les pâtes choisies dans de l'eau bouillante salée ; 30 secondes avant la fin de la cuisson, y ajouter les épinards.

Bien égoutter les pâtes et les épinards, les ajouter à la sauce et mélanger. Continuer la cuisson encore 1 ou 2 minutes pour bien marier les saveurs.

Servir avec le fromage râpé.

Note :

N'importe quelle pâte courte et texturée permettra à la sauce d'adhérer.

Pâtes à pizza

Traditionnelle

1 tasse (250 ml) d'eau chaude
(115 °F/45 °C)

2 c. à thé (10 ml) de levure sèche
active

2 1/2 tasses (625 ml) de farine
tout usage

1 c. à thé (5 ml) de sel

1 c. à table (15 ml) d'huile d'olive

Dans un bol, mélanger l'eau, la levure
et 1 c. à thé (5 ml) de farine. Laisser
reposer 5 minutes.

Dans le bol du robot culinaire, bien
mélanger tous les ingrédients jusqu'à
l'obtention d'une boule. Ajouter un
peu d'huile au besoin.

Enfariner la boule et la laisser reposer
au réfrogérateur dans un bol couvert
d'une pellicule de plastique pendant
35 minutes.

Abaisser la pâte sur une plaque à
pizza enfarinée de 12 po (30 cm) ou
2 plaques à pizza enfarinées de
8 po (20 cm).

Au blé entier

1 c. à thé (5 ml) de sucre

2 c. à thé (10 ml) de levure sèche
active

1 tasse + 1 c. à table (265 ml) d'eau
chaude (115 °F/45 °C)

1 1/2 tasse (375 ml) de farine
tout usage

1 tasse (250 ml) de farine de blé
entier

1 c. à thé (5 ml) de sel

2 c. à table (30 ml) d'huile d'olive

Dans un bol, dissoudre le sucre et la
levure dans l'eau chaude. Laisser
reposer 5 minutes.

Dans le bol du robot culinaire,
mélanger les farines et le sel, puis
ajouter le mélange de levure et l'huile.
Mélanger jusqu'à l'obtention d'une
boule. Ajouter un peu d'eau au besoin.

Couvrir d'une pellicule de plastique et
laisser gonfler 35 minutes.

Abaisser la pâte sur une plaque à pizza
enfarinée de 12 po (30 cm) ou
2 plaques enfarinées de 8 po (20 cm).

Croûte mince

2 tasses (500 ml) de farine tout usage

2 c. à thé (10 ml) de levure sèche active

1 c. à thé (5 ml) de sel

1/2 c. à thé (2,5 ml) de sucre

1 c. à thé (5 ml) de basilic séché

1 c. à table (15 ml) d'huile d'olive

8 à 10 c. à table (120 à 150 ml) d'eau

Dans le bol du robot culinaire,
mélanger les ingrédients secs.

Chauffer l'huile et l'eau jusqu'à ce que
le thermomètre à bonbons indique
130 °F (55 °C). Ajouter le liquide dans
le robot culinaire en marche et
mélanger jusqu'à l'obtention d'une
boule.

Enfariner et envelopper dans une
pellicule de plastique. Laisser reposer
20 minutes au réfrigérateur.

Diviser la pâte en 4 boules. Rouler très
mince afin d'obtenir 4 pizzas de 8 po
(20 cm). Les déposer sur une grande
plaque à biscuits enfarinée.

Il reste à y déposer « la garniture de
votre choix » avant de cuire.

Pizza raclette

TEMPS DE PRÉPARATION : 30 minutes
TEMPS DE CUISSON : 25 minutes

PORTIONS : 1 pizza de 12 po
(30 cm)

1 pâte à pizza de 12 po (30 cm)

Garniture

4 petites pommes de terre rouges, brossées, non pelées

2 c. à table (30 ml) de beurre

2 oignons, hachés finement

2 gousses d'ail, hachées

Sel et poivre

6 à 7 tranches de prosciutto

2 tasses (500 ml) de fromage à raclette, râpé

1/3 tasse (75 ml) ciboulette fraîche, hachée

Crème sure, pour accompagner

Préchauffer le four à 400 °F (200 °C).

Dans une casserole, cuire les pommes de terre à l'eau bouillante salée jusqu'à tendreté, soit environ 10 minutes. Égoutter. Laisser refroidir et trancher finement.

Dans une poêle, faire dorer les oignons et l'ail dans le beurre. Saler et poivrer. Étendre sur la pâte à pizza.

Couvrir de tranches de pomme de terre, puis de prosciutto.

Saupoudrer de fromage.

Cuire dans le bas du four environ 25 minutes ou jusqu'à ce que le fromage soit fondu et la pâte cuite.

Saupoudrer de ciboulette et accompagner de crème sure, si désiré.

Pizza tex-mex

TEMPS DE PRÉPARATION : 20 minutes
TEMPS DE CUISSON : 25 minutes

PORTIONS : 1 pizza de 12 po
(30 cm)

1 pâte à pizza de 12 po (30 cm)

Garniture

1 c. à thé (5 ml) d'huile olive

1 c. à thé (5 ml) d'assaisonnement au chili

1 c. à thé (5 ml) d'origan séché

1 demi-poitrine de poulet, désossée et sans la peau

1/2 tasse (125 ml) de salsa du commerce

1 avocat, tranché

2 oignons, tranchés finement

1 tomate, concassée

1 tasse (250 ml) de coriandre fraîche, hachée

1 1/2 tasse (375 ml) de mozzarella ou de cheddar (ou un mélange des deux), râpé

Sel et poivre

Préchauffer le four à 400 °F (200 °C).

Dans un bol, mélanger l'huile, les assaisonnements au chili, l'origan. Saler et poivrer. Frotter cette marinade sur le poulet.

Cuire le poulet au barbecue à intensité moyenne ou dans une poêle striée antiadhésive, environ 5 minutes de chaque côté. Couper en languettes, à la diagonale.

Étendre la salsa sur la pâte à pizza. Répartir le poulet, l'avocat, les oignons et la tomate. Saler et poivrer. Saupoudrer la coriandre, puis le fromage.

Cuire au bas du four environ 25 minutes ou jusqu'à ce que le fromage soit doré.

Coupée en petites bouchées, cette pizza comblera les ventres affamés à l'heure l'apéro.

TEMPS DE PRÉPARATION : 20 minutes

TEMPS DE CUISSON : 20 minutes

PORTIONS : 4 (repas) ou 8 à 10 (bouchées)

1 recette de pâte à pizza (p. 305)

Garniture

1/3 tasse (75 ml) d'huile d'olive piquante ou de l'huile des tomates séchées

1 oignon, tranché finement

4 gousses d'ail, hachées très finement

1/2 tasse (125 ml) de tomates séchées dans l'huile, égouttées et hachées

Sel et poivre

1 tasse (250 ml) de parmesan frais, râpé

1 tasse (250 ml) fromage mozzarella, râpé

1/3 tasse (75 ml) de noix de pin

1/2 tasse (125 ml) de basilic frais, ciselé

Préchauffer le four à 400 °F (200 °C).

Étendre la pâte sur une plaque enfarinée pour obtenir un grand rectangle.

Répartir tous les ingrédients, sauf le basilic, sur la pâte.

Cuire dans le bas du four environ 20 minutes ou jusqu'à ce que la pâte soit cuite et légèrement croustillante.

Saupoudrer le basilic à la sortie du four.

Couper en petits rectangles et servir en antipasto.

Pizza à la grecque

TEMPS DE PRÉPARATION : 15 minutes

TEMPS DE CUISSON : 20 minutes

PORTIONS : 1 pizza 12 po (30 cm)

1 pâte à pizza de 12 po (30 cm) de diamètre

Garniture

2 c. à table (30 ml) d'huile d'olive

1 oignon, haché

3 gousses d'ail, hachées

4 tasses (1 l) d'épinards frais, équeutés, lavés, hachés, tassés

1/2 tasse (125 ml) de fromage ricotta

Sel et poivre

1/3 tasse (75 ml) de fromage feta, émietté

1/3 tasse (75 ml) d'olives noires, tranchées

Préchauffer le four à 400 °F (200 °C).

Dans une poêle, faire fondre l'oignon et l'ail dans l'huile. Ajouter les épinards et le fromage ricotta. Bien mélanger. Saler et poivrer. Retirer du feu.

Étendre la garniture sur la pâte à pizza. Saupoudrer de fromage feta et d'olives.

Cuire dans le bas du four environ 20 minutes, jusqu'à ce que la croûte soit dorée.

Les meilleures recettes de Marie-Josée et Claudette Taillefer

Un bon moyen d'apprivoiser le tofu, que l'on transforme ici en sauce onctueuse et savoureuse.

TEMPS DE PRÉPARATION : 15 minutes
TEMPS DE CUISSON : 45 minutes

PORTIONS : 6

10 1/2 oz (300 g) de tofu ferme, coupé en gros cubes

1 tasse (250 ml) de lait

1/4 c. à thé (1 ml) de muscade moulue

Sel et poivre noir, fraîchement moulu

4 tasses (1 l) de sauce tomate maison ou du commerce

12 pâtes à lasagne, cuites

2 tasses (500 ml) de fromage mozzarella, râpé

3/4 c. à thé (4 ml) d'origan séché

Préchauffer le four à 375 °F (190 °C).

Au robot culinaire ou au mélangeur électrique, égrener le tofu.

Ajouter le lait, la muscade, le sel et le poivre, mélanger jusqu'à l'obtention d'une crème onctueuse.

Dans un plat rectangulaire de 9 x 12 po (23 cm x 30 cm), étendre le tiers de la sauce tomate et déposer 3 lasagnes côte à côte.

Étendre la moitié (1 tasse/250 ml) de la sauce au tofu et superposer 3 lasagnes côte à côte. Répéter ces étapes jusqu'à épuisement des ingrédients en terminant par la sauce tomate.

Recouvrir du fromage râpé et saupoudrer d'origan.

Cuire au four 45 minutes jusqu'à ce que le fromage soit gratiné et la sauce au tofu ferme.

Toute cuisinière québécoise qui se respecte se doit d'avoir une bonne recette de spaghettis aux boulettes de viande.

TEMPS DE PRÉPARATION : 45 minutes
TEMPS DE CUISSON : 1 heure 20 minutes

PORTIONS : 6 à 8

1/4 tasse (60 ml) d'huile d'olive, pour la friture

1 lb (500 g) de spaghettis, cuits

Sauce tomate

2 oignons, hachés finement

1/4 tasse (60 ml) d'huile d'olive

4 gousses d'ail, hachées finement

1 c. à table (15 ml) de marjolaine séchée ou de fines herbes italiennes séchées

2 feuilles de laurier

2 boîtes de 28 oz (796 ml) chacune de tomates italiennes broyées

1/4 c. à thé (1 ml) ou plus de piment de Cayenne broyé

Sel

Boulettes de veau

1/4 tasse (60 ml) de chapelure

1/4 tasse (60 ml) d'eau

3/4 livre (375 g) de veau haché

3/4 livre (375 g) de porc haché

1 œuf

2 gousses d'ail, écrasées

1 tasse (250 ml) de persil frais, haché finement

1 c. à table (15 ml) de marjolaine séchée ou de fines herbes italiennes séchées

1/4 c. à thé (1 ml) de muscade fraîche, râpée

1/4 tasse (60 ml) de parmesan frais, râpé

Sel et poivre

Sauce tomate

Dans une grande casserole épaisse, faire fondre les oignons dans l'huile. Ajouter l'ail, la marjolaine et les feuilles de laurier. Mélanger.

Ajouter les tomates, le piment de Cayenne et le sel.

Amener à ébullition, réduire la chaleur, laisser mijoter environ 45 minutes. Réserver.

Boulettes de veau

Faire gonfler la chapelure dans l'eau. Réserver.

Mélanger le veau, le porc et tous les autres ingrédients. Ajouter la chapelure.

Former environ 30 boulettes.

Dans une grande poêle, faire dorer les boulettes dans l'huile d'olive. Éponger les boulettes au fur et à mesure. Les ajouter à la sauce tomate.

Laisser mijoter à feu doux 45 minutes.

Servir la sauce aux boulettes sur les pâtes cuites.

Cette lasagne végétarienne comporte tout ce qu'il faut pour un repas complet. Elle sera aussi parfaite sur la table d'un buffet comme plat d'accompagnement.

Note :
En saison, mélanger des courgettes jaunes et vertes.

TEMPS DE PRÉPARATION : 40 minutes
TEMPS DE CUISSON : 45 minutes

PORTIONS : 6

Pâtes à lasagne précuites
1 tasse (250 ml) de parmesan frais, râpé

Garniture

1 gros oignon, haché finement
2 c. à table (30 ml) d'huile d'olive
2 gousses d'ail, écrasées
2 livres (1 kg) de courgettes, parées et coupées en tranches de 1/2 po (1 cm)
1 c. à thé (5 ml) de thym séché
1/4 tasse (60 ml) de persil frais, haché
20 oz (600 g) d'épinards surgelés, décongelés, hachés et bien essorés
1/2 livre (250 g) de champignons, tranchés
1 c. à table (15 ml) de beurre
1/4 c. à thé (1 ml) de muscade fraîche, râpée

Béchamel

1/2 tasse (125 ml) de beurre
1/2 tasse (125 ml) de farine
4 tasses (1 l) de lait, chaud
Sel et poivre

Préchauffer le four à 375 °F (190 °C). Beurrer un moule de 13 x 9 x 2 po (33 x 22 x 5 cm).

Garniture

Dans une grande poêle, faire fondre l'oignon dans l'huile. Ajouter l'ail et les courgettes, cuire à feu doux jusqu'à évaporation complète de l'eau des légumes. Ajouter le thym, le persil et les épinards. Mélanger et retirer du feu, réserver.

Dans une petite poêle, faire sauter les champignons dans le beurre jusqu'à évaporation de l'eau des champignons. Ajouter aux courgettes avec la muscade. Réserver.

Béchamel

Dans une casserole moyenne, faire fondre le beurre à feu doux. Ajouter la farine et brasser 2 minutes.

Incorporer le lait chaud en mélangeant. Continuer de cuire ainsi jusqu'à ébullition. Retirer du feu. Saler et poivrer.

Ajouter 2 tasses (500 ml) de béchamel dans la garniture. Réserver le reste de la béchamel.

Verser 1 tasse (250 ml) de la béchamel réservée au fond du moule. Couvrir de lasagnes. Disposer la moitié des légumes et saupoudrer un tiers du parmesan.

Couvrir de lasagnes, ajouter le reste des légumes et saupoudrer un tiers du parmesan.

Couvrir de lasagnes.

Verser le reste de la béchamel sur la lasagne. Saupoudrer du reste de parmesan et cuire au four 20 à 30 minutes.

Tellement bon que vos convives repartiront avec la recette.

TEMPS DE PRÉPARATION : 10 minutes
TEMPS DE CUISSON : 5 minutes

PORTIONS : 4 à 6

1/2 livre (250 g) de pancetta, hachée, ou de bacon, coupé en lardons

1 c. à table (15 ml) d'huile d'olive

1 oignon, haché finement

1 livre (500 g) de spaghetti

6 œufs

1/4 tasse (60 ml) de parmesan frais, râpé

Sel et poivre

1/3 tasse (75 ml) de persil italien frais, haché finement

Dans une grande poêle, cuire la pancetta, ou le bacon, à feu moyen jusqu'à ce que dorée. Réserver.

Jeter le gras de cuisson, ajouter l'huile et faire fondre l'oignon à feu doux. Réserver.

Cuire les pâtes dans de l'eau bouillante salée, selon les indications du fabricant.

Pendant ce temps, dans un grand bol, mélanger les œufs et le fromage.

Égoutter les pâtes, les ajouter dans le bol ainsi que la pancetta ou le bacon et l'oignon. Saler et poivrer.

Bien mélanger (la chaleur des pâtes cuira les œufs). Saupoudrer de persil.

Servir accompagné de parmesan.

Note :

On peut remplacer la pancetta ou le bacon par un reste de jambon.

Pour le plaisir de savoir qu'on l'a faite soi-même, c'est toujours meilleur !

TEMPS DE PRÉPARATION : 1 heure
TEMPS DE CUISSON : 2 heures

PORTIONS : 5 bocaux de 2 tasses (500 ml) chacun

4 oignons, hachés finement

1/4 tasse (60 ml) d'huile

5 livres (2,5 kg) de tomates italiennes, lavées, pelées et épépinées

5 1/2 oz (156 ml) de pâte de tomates

1 c. à table (15 ml) de sucre

1 c. à table (15 ml) de gros sel

1/2 c. à thé (2 ml) de piment de Cayenne broyé

2 c. à table (30 ml) de thym frais, haché, ou 2 c. à thé (10 ml) de thym séché

2 c. à thé (10 ml) d'origan séché

1/4 tasse (60 ml) de persil frais, haché finement

2 grandes feuilles de laurier

3 gousses d'ail entières, pelées

1 tasse (250 ml) de feuilles de basilic frais, émincées

1/3 tasse (75 ml) de jus de citron

Dans une grande casserole, faire fondre les oignons dans l'huile.

Ajouter les tomates, la pâte de tomates, le sucre, le gros sel, le piment de Cayenne, le thym, l'origan et le persil. Bien mélanger.

Sur un cure-dents, enfiler les feuilles de laurier et les gousses d'ail, les incorporer à la sauce.

Porter à ébullition, réduire la chaleur et laisser mijoter à couvert, 30 minutes. Découvrir et brasser, poursuivre la cuisson encore 30 minutes.

Pendant ce temps, porter une grande marmite d'eau à ébullition. Stériliser 5 bocaux dans l'eau bouillante 10 minutes. Après 5 minutes, ajouter les bagues et les couvercles neufs.

Retirer les feuilles de laurier et les gousses d'ail. Ajouter le basilic, laisser mijoter encore 1 à 2 minutes.

Verser 1 c. à table (15 ml) de jus de citron dans chaque bocal. Verser la sauce dans chacun, jusqu'à 1/2 po (1 cm) du bord.

Passer une spatule dans le bocal pour chasser les bulles d'air. Nettoyer le rebord l'intérieur des bocaux. Couvrir les bocaux, visser la bague du bout des doigts sans trop serrer.

Stériliser les bocaux 1 heure, couverts de 2 po (5 cm) d'eau bouillante (avoir de l'eau bouillante à portée de la main pour maintenir les bocaux bien couverts).

Retirer les bocaux, les essuyer et refermer délicatement la bague si nécessaire. Étiqueter.

Note :

On peut aussi congeler la sauce dans des sacs de plastique hermétiques.

Desserts

Tarte aux pommes à la crème sure

TEMPS DE PRÉPARATION : 30 minutes

TEMPS DE CUISSON : 50 minutes

PORTIONS : 10 à 12

Croûte

1 1/2 tasse (375 ml) de farine tout usage

1 pincée de sel

2 c. à table (30 ml) de sucre

1/2 tasse (125 ml) de beurre, froid et coupé en morceaux

1 c. à table (15 ml) de graisse végétale ou de saindoux, froide

1/3 tasse à 1/2 tasse (75 ml à 125 ml) d'eau, froide

Garniture

3 livres (1,5 kg) de pommes Cortland, pelées, épépinées et tranchées

2 c. table (30 ml) de beurre

Zeste râpé et jus de 1 citron

1/3 tasse (75 ml) de sucre

1/2 c. à thé (2 ml) de cannelle moulue

1/4 c. à thé (1 ml) de muscade fraîche, râpée

1 tasse (250 ml) de crème sure

45 ml (3 c. à table) de farine

1 œuf

1/4 tasse (60 ml) de cassonade

Mélange croustillant

1/4 tasse (60 ml) de farine

1/4 tasse (60 ml) de cassonade

1/4 tasse (60 ml) de beurre

1/2 tasse (125 ml) de noix de Grenoble, hachées

Dorure

1 jaune d'œuf

1 c. à table (15 ml) d'eau froide

Croûte

Dans le bol du robot culinaire, mélanger la farine, le sel et le sucre. Répartir le beurre et la graisse froids sur les ingrédients secs.

Pulser l'appareil 12 à 15 fois pour couper le beurre dans la farine. Le mélange aura la taille de petits pois.

Verser 1/3 tasse (75 ml) d'eau froide sur le tout. Actionner le robot culinaire et mélanger. Ajouter 1 cuillerée d'eau froide qui reste à la fois jusqu'à ce que la pâte forme une boule. Arrêter immédiatement le robot culinaire. Envelopper la pâte et réfrigérer 30 minutes.

Préchauffer le four à 375 °F (190 °C).

Garniture

Cuire les pommes dans le beurre avec le zeste et le jus de citron, le sucre, la cannelle et la muscade. Quand les pommes sont tendres, les égoutter si nécessaire, réserver.

Abaisser la pâte sur une surface enfarinée. Foncer une assiette de 10 po (25 cm). Laisser pendre l'excédent de pâte également autour de l'assiette.

Mélanger la crème sure, la farine, l'œuf et la cassonade. Ajouter aux pommes, mélanger et verser la préparation sur la croûte.

Mélange croustillant

Dans un petit bol, mélanger la farine et la cassonade.

Couper le beurre dans les ingrédients secs. Incorporer les noix.

Déposer le mélange croustillant sur les pommes et rabattre la pâte sur la garniture.

Pour dorer la pâte, mélanger 1 jaune d'œuf battu avec 1 c. à table (15 ml) d'eau froide. Badigeonner la pâte délicatement.

Cuire au four environ 45 minutes ou jusqu'à ce que ce soit doré. Servir tiède ou froide.

Les meilleures recettes de Marie-Josée et Claudette Taillefer

Gâteau finlandais à la cardamome

Sucre à glacer

Fruits frais au choix, (facultatif)

TEMPS DE PRÉPARATION : 25 minutes

TEMPS DE CUISSON : 1 heure

PORTIONS : 16

1/2 tasse (125 ml) de beurre mou

1 tasse (250 ml) de sucre

2 œufs

1/2 tasse (125 ml) de mélasse

2 1/2 tasses (625 ml) de farine

2 c. à thé (10 ml) de cardamome moulue

2 c. à thé (10 ml) de poudre à pâte

1 c. à thé (5 ml) de bicarbonate de soude

1 c. à thé (5 ml) de cannelle moulue

1/4 c. à thé (1 ml) de sel

2 tasses (500 ml) de crème sure

3/4 tasse (180 ml) de raisins secs

1/2 tasse (125 ml) de noix de Grenoble, hachées

Préchauffer le four à 325 °F (160 °C).

Beurrer et enfariner un moule à cheminée de 10 po (25 cm) de diamètre.

Au batteur électrique, battre en crème le beurre avec le sucre.

Ajouter les œufs, un à la fois, en battant bien entre chaque addition. Incorporer la mélasse.

Tamiser tous les ingrédients secs et ajouter au mélange d'œufs ainsi que la crème sure. Battre à basse vitesse pendant 2 minutes.

Amalgamer les raisins et les noix à la pâte. Verser dans le moule.

Cuire au four 1 heure ou jusqu'à ce qu'un cure-dents enfoncé au centre de la pâte en ressorte propre.

Saupoudrer de sucre à glacer. Garnir de fruits frais si désiré.

Clafoutis

Dessert traditionnel français par excellence

TEMPS DE PRÉPARATION : 15 minutes
TEMPS DE CUISSON : 35 minutes

PORTIONS : 8

1 1/2 livre (675 g) de cerises fraîches (environ 75) ou une boîte de 14 oz de cerises Bing, très bien égouttées

6 œufs

1/3 tasse (80 ml) de sucre

2/3 tasse (160 ml) de farine

1/4 tasse (60 ml) de beurre fondu, tiède

1 c. à thé (5 ml) d'essence de vanille

2 c. à table (30 ml) de sucre à glacer

Préchauffer le four à 400 °F (200 °C).

Laver les cerises, les équeuter et les déposer telles quelles dans un moule à quiche de 10 po (25 cm).

Dans un bol, battre les œufs 2 minutes, ajouter le sucre et la farine en pluie.

Ajouter le beurre et l'essence de vanille. Brasser 1 minute.

Verser sur les cerises.

Cuire au four 35 minutes. Sortir du four et laisser reposer 5 minutes.

Avant de servir, saupoudrer de sucre à glacer.

Torte chocolat et pavot

Un bon dessert bulgare

TEMPS DE PRÉPARATION : 30 minutes

TEMPS DE CUISSON : 35 minutes

PORTIONS : 10

1/2 tasse (125 ml) de chocolat mi-sucré, haché

1/2 tasse (125 ml) de beurre non salé

1/2 tasse (125 ml) de sucre

6 jaunes d'œufs

3/4 tasse (180 ml) de farine tout usage

1/2 c. à thé (2 ml) de poudre à pâte

3/4 tasse (180 ml) de graines de pavot

6 blancs d'œufs

1/4 c. à thé (1 ml) de sel

Ganache

1/2 tasse (125 ml) de crème 35 %

1/2 tasse (125 ml) de chocolat mi-sucré, haché

Préchauffer le four à 350 °F (180 °C). Beurrer et enfariner deux moules ronds de 8 po (20 cm).

Faire fondre le chocolat au bain-marie et laisser tempérer.

Au batteur électrique, battre le beurre et le sucre en crème 2 minutes. Ajouter les jaunes d'œufs et battre encore 3 minutes. Ajouter le chocolat fondu, la farine, la poudre à pâte et les graines de pavot. Bien mélanger à la cuillère de bois.

Dans un autre bol, monter les blancs d'œufs et le sel en neige ferme. Plier délicatement les blancs d'œufs dans la préparation au chocolat. Verser dans le moule.

Cuire au four environ 35 minutes. Sortir du four et démouler.

Ganache

Dans une casserole, amener la crème à ébullition. Retirer du feu et incorporer le chocolat. Mélanger au fouet. Laisser reposer à la température de la pièce 1 heure.

Couper les gâteaux en 2. Alterner les étages de gâteau et la ganache Verser la ganache restante sur la surface du gâteau en la faisant déborder pour qu'elle coule un peu sur les rebords.

Les meilleures recettes de Marie-Josée et Claudette Taillefer

Tarte au sirop d'érable de chez nous

Sucrée, sucrée, sucrée..

TEMPS DE PRÉPARATION : 40 minutes
TEMPS DE CUISSON : 45 minutes

PORTIONS : 8

1/4 tasse (60 ml) de beurre
1/2 tasse (125 ml) de cassonade
3 œufs
1 tasse (250 ml) de sirop d'érable
1 tasse (250 ml) de pacanes entières
1/2 tasse (125 ml) de crème chantilly (facultatif)

Pâte brisée

2 tasses (500 ml) de farine
1/4 c. à thé (1 ml) de sel
1/2 tasse (125 ml) de graisse végétale, en morceaux
1/4 tasse (60 ml) d'eau froide

Pâte brisée

Dans un bol, tamiser la farine et le sel. Ajouter la graisse et la couper dans les ingrédients secs avec un coupe-pâte, jusqu'à l'obtention d'une texture fine et granuleuse. Ajouter l'eau et mélanger rapidement pour obtenir une boule.

Envelopper dans une pellicule de plastique et réfrigérer 30 minutes.

Sur une surface légèrement enfarinée, abaisser la pâte. Foncer dans une assiette à tarte de 9 po (23 cm) et couper l'excès de pâte.

Préchauffer le four à 400 °F (200 °C).

Au batteur électrique, battre le beurre en crème avec la cassonade.

Ajouter les œufs en mélangeant. Incorporer le sirop et les noix. Verser sur la pâte.

Cuire au four environ 45 minutes ou jusqu'à ce que la croûte soit dorée et que le mélange soit pris. Démouler à la sortie du four et refroidir sur une grille.

On peut garnir de crème chantilly.

Cassata sicilienne

Morceaux de gâteau imbibés d'alcool, recouverts de ricotta, de fruits confits, superposés et recouverts d'un glaçage au café et au chocolat

TEMPS DE PRÉPARATION : 50 minutes
TEMPS DE CUISSON : 25 minutes

PORTIONS : 8

Gâteau éponge

4 blancs d'œufs

1/4 tasse (60 ml) de sucre

4 jaunes d'œufs

2 c. à thé (10 ml) de zeste de citron

1/2 tasse (125 ml) de sucre

1 tasse (250 ml) de farine tout usage

1 c. à thé (5 ml) de poudre à pâte

1/2 tasse (125 ml) d'eau tiède

Farce

1 1/2 tasse (375 ml) de fromage ricotta

2 c. à table (30 ml) de crème 35 %

1/4 tasse (60 ml) de sucre

3 c. à table (45 ml) de liqueur d'orange

1/2 tasse (125 ml) de fruits confits variés, en dés fins

Glaçage

8 carrés de chocolat semi-sucré, haché

1/4 tasse (60 ml) de café très fort, refroidi

1/2 tasse (125 ml) de beurre non salé ramolli

Préchauffer le four à 350 °F (180 °C). Graisser et enfariner une plaque à biscuits avec rebords de 11 x 15 po (28 x 38 cm).

Gâteau éponge

Au batteur électrique, battre les blancs d'œufs en neige semi-ferme, puis ajouter le sucre. Battre pour obtenir des pics fermes. Réserver.

Dans un autre bol, battre les jaunes d'œufs, le zeste de citron et le sucre jusqu'à ce que le mélange ait une couleur jaune pâle, environ 3 minutes.

Ajouter la farine, la poudre à pâte et l'eau. Bien mélanger à la spatule en caoutchouc.

Plier les blancs d'œufs délicatement dans le mélange. Verser sur la plaque à biscuits et étaler uniformément.

Cuire au four environ 25 minutes. Laisser refroidir 5 minutes et démouler sur une grille. Couper en 3 rectangles de 4 1/2 po x 11 po (11 x 28 cm).

Farce

Mélanger tous les ingrédients de la farce et monter le gâteau. Mettre la moitié de la farce sur un rectangle de gâteau. Couvrir d'un autre rectangle. Garnir de l'autre moitié de la farce et couvrir du troisième rectangle de gâteau. Envelopper d'une pellicule de plastique en serrant bien pour que le gâteau se tienne bien. Réfrigérer 4 heures au minimum.

Glaçage

Au bain-marie, faire fondre le chocolat avec le café. Retirer du feu. Ajouter le beurre et bien mélanger au fouet. Laisser sur le comptoir jusqu'à ce que l'appareil épaississe. Ne pas réfrigérer.

Sortir le gâteau du réfrigérateur et le glacer.

Gâteau au chocolat imbibé de kirsch, de cerises à l'eau-de-vie, de chantilly et de copeaux de chocolat

TEMPS DE PRÉPARATION : 45 minutes
TEMPS DE CUISSON : 45 minutes

PORTIONS : 8

Gâteau

1/2 tasse (125 ml) de beurre mou

1 tasse (250 ml) de sucre

2 œufs

1 tasse (250 ml) de crème sure

1 1/2 tasse (375 ml) de farine

1/2 tasse (125 ml) de cacao

2 c. à thé (10 ml) de poudre à pâte

1 c. à thé (5 ml) de bicarbonate de soude

1/4 c. à thé (1 ml) de sel

Garniture

2 c. à table (30 ml) de rhum ou de jus de cerise

1 boîte de 14 oz de cerises rouges sures en conserve Bing dénoyautées et égouttées

4 tasses (1 l) de crème 35 %, fouettée et sucrée (chantilly)

1/2 tasse (125 ml) de chocolat, râpé

Cerises au marasquin (facultatif)

Préchauffer le four à 350 °F (180 °C).

Beurrer et enfariner un moule à charnière de 8 po (20 cm).

Au batteur électrique, battre le beurre et le sucre en crème.

Ajouter les œufs, un à la fois, en battant entre chaque addition. Ajouter la crème sure.

Tamiser les ingrédients secs et les incorporer au mélange d'œufs à la cuillère de bois.

Verser dans le moule et cuire au four environ 45 minutes ou jusqu'à ce qu'un cure-dents inséré au centre de la pâte en ressorte propre.

Assemblage du gâteau

Couper le gâteau refroidi en 3 sur l'horizontale. Imbiber la couche inférieure de rhum ou de jus de cerise et déposer la moitié des cerises et le quart de la crème fouettée. Déposer la deuxième tranche de gâteau, recouvrir de la même garniture et terminer par la troisième tranche de gâteau.

Étaler le reste de la crème fouettée sur le gâteau et décorer avec les copeaux de chocolat et les cerises au marasquin si désiré. Réfrigérer 4 heures avant de servir.

Biscuits au chocolat et aux pacanes

TEMPS DE PRÉPARATION : 20 minutes
TEMPS DE CUISSON :
10 à 12 minutes par fournée

PORTIONS : 32

1/2 tasse (125 ml) de beurre, mou

2/3 tasse (150 ml) de cassonade, tassée

1 œuf

1 c. à thé (5 ml) d'essence de vanille

1 1/4 tasse (310 ml) de farine tout usage

1 c. à thé (5 ml) de poudre à pâte

3/4 tasse (180 ml) de flocons d'avoine (gruau)

1 tasse (250 ml) de pépites de chocolat mi-sucré

2/3 tasse (150 ml) de pépites de chocolat blanc

2/3 tasse (150 ml) de pacanes, grossièrement hachées

Préchauffer le four à 375 °F (190 °C). Beurrer une grande plaque à biscuits.

Dans un grand bol, battre le beurre en crème avec la cassonade au batteur électrique jusqu'à ce que le mélange pâlisse. Ajouter l'œuf et l'essence de vanille. Bien mélanger.

Dans un bol, mélanger la farine, la poudre à pâte, les flocons d'avoine, les pépites de chocolat et les pacanes. Ajouter au mélange précédent et mélanger à la cuillère de bois.

Déposer environ 2 c. à table (30 ml) du mélange pour chaque biscuit sur la plaque, en laissant suffisamment d'espace entre chacun. Aplatir légèrement avec une fourchette. Cuire environ 4 fournées de 8 biscuits.

Cuire au four de 10 à 12 minutes ou jusqu'à ce que les biscuits soient légèrement dorés.

Gâteau moelleux à la crème sure et aux pacanes

Le genre de gâteau que l'on mange dès sa sortie du four.

TEMPS DE PRÉPARATION : 20 minutes
TEMPS DE CUISSON : 1 heure

PORTIONS : 12

1 tasse (250 ml) de sucre
3/4 tasse (180 ml) de beurre mou
4 œufs
1 tasse (250 ml) de crème sure
1 c. à table (15 ml) d'essence de vanille
2 tasses (500 ml) de farine
2 c. à thé (10 ml) de poudre à pâte
1 c. à thé (5 ml) de bicarbonate de soude
1/4 c. à thé (1 ml) de sel
3/4 tasse (180 ml) de sucre, supplémentaire
2 tasses (500 ml) de pacanes, hachées
1 c. à table (15 ml) de cannelle moulue

Préchauffer le four à 350 °F (180 °C).

Vaporiser d'huile en aérosol un moule à cheminée de 10 po (25 cm).

Dans un bol, battre en crème au batteur électrique le sucre et le beurre.

Ajouter les œufs, un à la fois, en mélangeant bien entre chaque addition. Ajouter la crème sure et l'essence de vanille.

Tamiser la farine, la poudre à pâte, le bicarbonate de soude et le sel. Incorporer au mélange d'œufs en battant à basse vitesse pendant 30 secondes.

Mélanger ensemble le sucre supplémentaire, les pacanes et la cannelle.

Déposer la moitié du mélange de pacanes dans le moule. Étendre la moitié de la pâte.

Saupoudrer du reste du mélange aux pacanes et verser le reste de la pâte.

Cuire au four 60 minutes ou jusqu'à ce qu'un cure-dents inséré au centre du gâteau en ressorte propre.

Gâteau grec à la semoule

Un ravani, imbibé de sirop pour les dents sucrées

TEMPS DE PRÉPARATION : 20 minutes
TEMPS DE CUISSON : 30 minutes

PORTIONS : 12

1 tasse (250 ml) de beurre non salé
1 tasse (250 ml) de sucre
6 œufs
1 c. à thé (5 ml) d'essence de vanille
1 tasse (250 ml) de farine
1 tasse (250 ml) de semolina fine (crème de blé)
2 c. à thé (10 ml) de poudre à pâte
12 amandes entières

Sirop

3 tasses (750 ml) d'eau
2 1/2 tasse (625 ml) de sucre
2 c. à table (30 ml) de jus de citron

Sirop

Dans une casserole, faire bouillir tous les ingrédients 5 minutes puis laisser reposer à la température de la pièce.

Préchauffer le four à 375 °F (190 °C). Beurrer généreusement un moule rectangulaire de 13 x 9 po (33 x 23 cm).

Au batteur électrique, battre en crème le beurre et le sucre 2 minutes.

Ajouter les œufs et l'essence de vanille, battre 3 minutes.

Ajouter la farine, la semolina et la poudre à pâte, bien mélanger à la cuillère de bois.

Verser dans le moule et cuire au four environ 30 minutes. Sortir du four et couper en 12 rectangles.

Verser le sirop tiède sur la surface du gâteau. Piquer une amande dans chaque morceau. Attendre 1 heure avant de servir.

Shortcake aux fraises

Une spécialité américaine bien connue des Québécois et qui laisse un goût d'enfance.

TEMPS DE PRÉPARATION : 20 minutes
TEMPS DE CUISSON : 10 minutes

PORTIONS : 6

2 tasses (500 ml) de farine

2 c. à table (30 ml) de sucre

1 c. à table (15 ml) de poudre à pâte

1/2 c. à thé (2 ml) de sel

1/4 tasse (60 ml) de beurre froid, en morceaux

1/2 tasse (125 ml) de crème 15 %

2 c. à table (30 ml) de beurre mou

3 tasses (750 ml) de fraises fraîches, tranchées

1 1/2 tasse (375 ml) de crème chantilly (crème fouettée, sucrée et parfumée à la vanille)

Préchauffer le four à 450 °F (230 °C). Beurrer une plaque à biscuits.

Dans un bol, tamiser la farine, le sucre, la poudre à pâte et le sel.

Avec un coupe-pâte, mélanger le beurre dans la farine jusqu'à l'obtention d'une pâte granuleuse.

Former un puits au centre et y verser la crème en travaillant la pâte rapidement pour obtenir une boule.

Sur une surface légèrement enfarinée, abaisser la pâte à une épaisseur de 3/4 po (1,5 cm). Avec un emporte-pièce ou un verre de 3 po (7,5 cm), couper la pâte afin d'obtenir 6 disques.

Déposer sur la plaque à biscuits et cuire au four pendant 10 minutes ou jusqu'à ce que la croûte soit légèrement dorée.

Laisser les biscuits refroidir 5 minutes, les couper en 2 et tartiner avec le beurre.

Déposer une moitié d'un biscuit dans chaque assiette, garnir de fraises. Couronner d'une belle portion de crème chantilly et couvrir avec l'autre moitié du biscuit.

Servir immédiatement.

Tourte aux bleuets

Des bleuets, rien que des bleuets, toujours des bleuets...

TEMPS DE PRÉPARATION : 30 minutes

TEMPS DE CUISSON :
1 heure 30 minutes

PORTIONS : 10

Pâte brisée

2 tasses (500 ml) de farine

1 c. à thé (5 ml) de sel

1 tasse (250 ml) de graisse végétale

1/3 tasse (75 ml) d'eau froide

Garniture aux bleuets

1/3 tasse (75 ml) de fécule de maïs

1 tasse (250 ml) d'eau froide

1 tasse (250 ml) de sucre

1 c. à thé (5 ml) de jus de citron

3 tasses (750 ml) de bleuets (frais ou surgelés)

1 œuf, battu

Pâte brisée

Dans un bol, tamiser ensemble la farine et le sel.

À l'aide d'un coupe-pâte, travailler la graisse dans la farine jusqu'à l'obtention d'une pâte granuleuse de la grosseur de pois.

Former une fontaine au centre et y verser l'eau froide d'un coup. Mélanger rapidement et former une boule. Envelopper dans une pellicule de plastique. Réfrigérer 30 minutes.

Préchauffer le four à 350 °F (180 °C).

Garniture aux bleuets

Dissoudre la fécule de maïs dans l'eau. Ajouter le sucre et bien mélanger. Ajouter le jus de citron et les bleuets.

Abaisser et foncer de pâte un moule à charnière de 8 po (20 cm) de diamètre et de 3 po (8 cm) de hauteur.

Verser la garniture sur la pâte. Recouvrir d'une autre abaisse. Sceller la pâte. Pratiquer des incisions sur le dessus de la croûte et la badigeonner d'œuf battu.

Cuire au four pendant 1 heure 30 minutes jusqu'à ce que la pâte soit bien dorée.

Rien de tel qu'une fondue sucrée pour terminer un repas.

TEMPS DE PRÉPARATION : 10 minutes

TEMPS DE CUISSON : 5 minutes

PORTIONS : 8

2 tasses (500 ml) de sirop d'érable

1 tasse (250 ml) de crème 35 %

2 c. à table + 2 c. à thé (40 ml) de fécule de maïs

2 c. à table (30 ml) d'eau froide

Fruits frais, cubes de pain ou de gâteau (au choix)

Dans une casserole, porter le sirop d'érable et la crème à ébullition.

Délayer la fécule dans l'eau et lier le mélange bouillant en brassant au fouet.

Verser la fondue dans un caquelon et déposer sur le brûleur.

Servir avec un assortiment de fruits, de cubes de pain et/ou de gâteau, selon vos goûts.

Crêpes à l'orange

TEMPS DE PRÉPARATION : 5 minutes
TEMPS DE CUISSON : 30 minutes

PORTIONS : 4

3 œufs

1 tasse (250 ml) de lait

1/2 tasse (125 ml) de jus d'orange

2 c. à table (30 ml) de sucre

1 pincée de sel

1 c. à thé (5 ml) d'essence de vanille

1 c. à table (15 ml) de rhum (facultatif)

Zeste de 1/2 citron, levé au couteau économe

Zeste de 1/2 orange, levé au couteau économe

1 tasse (250 ml) de farine

2 c. à table (30 ml) de beurre

Marmelade d'orange ou autre confiture

Fouetter au mélangeur électrique les œufs, le lait, le jus d'orange, le sucre, le sel, l'essence de vanille, le rhum et les zestes de citron et d'orange environ 1 minute pour bien les hacher.

Avec l'appareil en marche, ajouter la farine en pluie. Continuer de mélanger pour bien incorporer.

Fondre le beurre dans une poêle antiadhésive de 6 ou 7 po (15 à 17,5 cm), incorporer le beurre fondu à la pâte.

Cuire les crêpes, les tiédir, les plier en 4 ou les enrouler, les disposer sur une assiette de service.

Servir avec de la marmelade ou de la confiture.

Note :

On peut aussi battre ensemble 1/4 tasse (60 ml) de beurre mou et la même quantité de cassonade.

Tartiner les crêpes du mélange, arroser de quelques gouttes de jus de citron.

Gâteau au miel

Un délice !

TEMPS DE PRÉPARATION : 30 minutes
TEMPS DE CUISSON : 60 minutes

PORTIONS : 12 tranches

2 œufs

1/2 tasse (125 ml) de sucre

1 c. à thé (5 ml) de bicarbonate de soude

1/3 tasse (75 ml) de café froid

1/4 tasse (60 ml) de miel

1/4 tasse (60 ml) de confiture d'abricots

1/2 tasse (125 ml) d'huile végétale

1/2 c. à thé (2 ml) de cannelle moulue

1/2 c. à thé (2 ml) de 4 épices

1/4 c. à thé (1 ml) de sel

1/2 tasse (125 ml) de noix de Grenoble, hachées

1 orange (le jus et le zeste)

1 pomme non pelée, évidée et râpée

1 1/2 tasse (375 ml) de farine

1 c. à thé (5 ml) de poudre à pâte

Glaçage

3 c. à table (45 ml) de beurre, ramolli

1 tasse (250 ml) de sucre à glacer, tamisé

1 c. à table (15 ml) de concentré de jus d'orange surgelé

Préchauffer le four à 325 °F (170 °C). Graisser et enfariner 1 moule à pain de 9 x 5 po (23 x 12 cm).

Dans un grand bol, battre les œufs et le sucre en crème 3 minutes au batteur électrique.

Dissoudre le bicarbonate de soude dans le café froid et l'ajouter au premier mélange avec le miel, la confiture, l'huile, la cannelle, le 4 épices et le sel. Mélanger 1 minute.

Ajouter ensuite les noix, le jus et le zeste d'orange, la pomme râpée, la farine et la poudre à pâte. Bien mélanger à l'aide d'une spatule en caoutchouc.

Verser dans le moule.

Cuire au four 40 minutes à 325 °F (170 °C), puis augmenter la chaleur à 350 °F (180 °C) et cuire encore 20 minutes.

Sortir du four, laisser refroidir.

Glaçage

Dans un bol, mélanger tous les ingrédients à la cuillère de bois.

Glacer le gâteau.

Noix mélangées

Rôties à l'indienne, ces noix se servent bien à l'apéro!

TEMPS DE PRÉPARATION : 10 minutes
TEMPS DE CUISSON : 10 minutes

PORTIONS : 2 tasses

1 c. à thé (5 ml) de poudre de cari

3/4 c. à thé (4 ml) de cumin

1 c. à thé (5 ml) de sel

3 c. à table (45 ml) de beurre clarifié

2 tasses (500 ml) de noix variées (cajous, Brésil, pacanes, noisettes, macadamias, Grenoble)

Dans un bol, mélanger les épices et le sel.

Dans une poêle antiadhésive, faire fondre le beurre et ajouter les noix en mélangeant constamment.

Faire revenir les noix à feu moyen jusqu'à ce qu'elles soient légèrement colorées.

Saupoudrer les épices sur toutes les noix et cuire en brassant encore 2 minutes jusqu'à ce que les noix soient bien dorées.

Égoutter sur un papier essuie-tout.

Gâteau roulé à l'orange

Doux dans la bouche comme un soleil couchant sur la peau !

TEMPS DE PRÉPARATION : 20 minutes
TEMPS DE CUISSON : 17 minutes

PORTIONS : 10 à 12

Garniture à l'orange

1 tasse (250 ml) de sucre

1/3 tasse (75 ml) de fécule de maïs

Zeste râpé de 1 orange

2/3 tasse (150 ml) de jus d'orange

1 tasse (250 ml) d'eau

1 jaune d'œuf

1 c. à table (15 ml) de liqueur à l'orange (facultatif)

1 c. à table (15 ml) de beurre

Gâteau

4 œufs, jaunes et blancs séparés

1 pincée de sel

3/4 tasse (180 ml) de sucre

1 c. à thé (5 ml) de zeste de citron, râpé

3/4 tasse (180 ml) de farine à pâtisserie

1 c. à thé (5 ml) de poudre à pâte

Sucre à glacer

Préchauffer le four à 375 °F (190 °C). Tapisser une plaque beurrée de 10 x 15 po (25 x 38 cm) de papier ciré. Beurrer le papier.

Garniture à l'orange

Dans une casserole moyenne, mélanger le sucre, la fécule de maïs, le zeste, le jus d'orange, l'eau et le jaune d'œuf. Cuire à feu moyen, en fouettant sans arrêt jusqu'aux premiers bouillons. Réduire la chaleur, continuer de cuire en fouettant 1 minute.

Ajouter la liqueur à l'orange et le beurre, mélanger.

Retirer du feu et couvrir d'une pellicule de plastique. Brasser de temps en temps.

Gâteau

Dans un grand bol, monter les blancs d'œufs en neige avec le sel et 6 c. à table (90 ml) de sucre. Quand la meringue est bien ferme, la réserver dans un autre bol.

Dans le bol qui a servi à monter les blancs d'œufs, fouetter les jaunes avec le reste du sucre et le zeste de citron, jusqu'à ce que les jaunes aient pâli.

Tamiser la farine et la poudre à pâte sur les jaunes d'œufs, continuer de fouetter à basse vitesse pour bien incorporer.

Incorporer délicatement une cuillerée de meringue dans la préparation de jaunes d'œufs pour assouplir la pâte. Verser la pâte sur la meringue et incorporer en pliant délicatement.

Verser la pâte sur la plaque et cuire au four 12 minutes.

Saupoudrer le gâteau de sucre à glacer. Poser un linge sur le gâteau et retourner la plaque en tenant les bouts du linge dessous.

Retirer la plaque, peler délicatement le papier ciré. Rabattre le linge sur le gâteau, rouler à partir du côté le plus long. Refroidir sur une grille.

Dérouler le gâteau, tartiner l'intérieur de garniture à l'orange. Enrouler de nouveau le gâteau et le déposer sur un plat de service.

Note :

Le gâteau sera délicieux avec une crème glacée au chocolat. On peut aussi faire fondre du chocolat mi-sucré et le laisser couler en zigzags sur le gâteau et sur l'assiette.

Les meilleures recettes de Marie-Josée et Claudette Taillefer

Gâteau à l'orange

TEMPS DE PRÉPARATION : 30 minutes

TEMPS DE CUISSON : 20 minutes

PORTIONS : 8

Gâteau

8 œufs, jaunes et blancs séparés

1 tasse (250 ml) de sucre

1 c. à table (15 ml) d'essence d'orange

1 1/2 tasse (375 ml) de farine à pâtisserie

1 pincée de sel

1/2 tasse (125 ml) de beurre, fondu et tempéré

Glaçage au beurre

1/2 livre (250 g) de beurre, mou

2 tasses (500 ml) de sucre à glacer

1/3 tasse (75 ml) de jus d'orange

Le zeste de 2 oranges, râpé

2 c. à table (30 ml) de liqueur d'orange (de type Grand Marnier) ou de jus d'orange

2 c. à table (30 ml) de jus d'orange

Sucre à glacer

Zeste et tranches d'orange, pour décorer

Préchauffer le four à 350 °F (180 °C). Tapisser de papier ciré et beurrer un moule rectangulaire de 15 x 10 po (38 x 25 cm).

Gâteau

Dans un bol, battre les jaunes d'œufs avec 3/4 tasse (180 ml) de sucre et l'essence d'orange au batteur électrique jusqu'à ce que le mélange blanchisse, soit 7 à 8 minutes.

Dans un autre bol, battre les blancs d'œufs et le reste du sucre au batteur électrique jusqu'à formation de pics fermes.

À la cuillère de bois, incorporer graduellement la farine et le sel tamisés au mélange de jaunes d'œufs. Ajouter le beurre fondu et mélanger délicatement.

Ajouter 2 grosses cuillerées de blancs d'œufs montés en neige à la préparation de jaunes d'œufs et mélanger délicatement. Incorporer le reste de blancs d'œufs très délicatement.

Verser dans le moule, égaliser et cuire au four 20 minutes.

À la sortie du four, laisser reposer 5 minutes puis démouler. Retirer le papier ciré. Couvrir d'un linge propre et laisser refroidir complètement.

Glaçage au beurre

Dans un bol, fouetter le beurre, le sucre à glacer, le jus d'orange et le zeste d'orange au batteur électrique, jusqu'à consistance lisse et homogène.

Dans un petit bol, mélanger la liqueur d'orange et le jus d'orange. Badigeonner sur le gâteau avec un pinceau et laisser imbiber.

Couper le gâteau verticalement en 4 rectangles égaux. Étendre le glaçage entre chaque étage, sauf sur le dessus.

Égaliser les côtés du gâteau avec un couteau à dents, puis saupoudrer le dessus du gâteau de sucre à glacer tamisé. Décorer de zeste ou de tranches d'orange.

Gâteau au fromage et aux bananes

Recette inusitée où la préparation est ultralégère et mousseuse, à l'opposé des gâteaux lourds.

TEMPS DE PRÉPARATION : 40 minutes

TEMPS DE CUISSON : aucun

PORTIONS : 8

1 1/2 tasse (375 ml) de crème 35 %

4 c. à thé (20 ml) de gélatine nature

1/4 tasse (60 ml) d'eau froide

1 lb 5 oz (600 g) de fromage à la crème

3 jaunes d'œufs

1 c. à thé (5 ml) de zeste de citron, râpé

3/4 tasse (180 ml) de sucre

1 gâteau éponge de 8 po (20 cm) et de 1/2 po (1 cm) d'épaisseur

3 bananes, tranchées et citronnées

1 c. à thé (5 ml) de zeste de citron râpé, supplémentaire

1 tasse (250 ml) de crème 35 %, supplémentaire

1/4 tasse (60 ml) de sucre, supplémentaire

1/2 tasse (125 ml) de noix de macadémie, grillées

Fouetter la crème fermement et la réfrigérer.

Dissoudre la gélatine dans l'eau froide et faire fondre sur feu doux. Conserver tiède.

Dans un bol, fouetter le fromage à la crème, les jaunes d'œufs, le zeste de citron et le sucre au mélangeur électrique, à grande vitesse, pendant 3 minutes.

Ajouter la gélatine fondue, puis incorporer à la spatule de caoutchouc la crème fouettée.

Déposer le gâteau éponge au centre d'un moule à charnière de 9 po (23 cm).

Disposer les bananes citronnées en spirale sur le gâteau. Verser la préparation au fromage sur le tout. Laisser réfrigérer 12 heures. Démouler le gâteau.

Fouetter la crème supplémentaire et incorporer le sucre et le zeste de citron supplémentaires. Décorer le gâteau avec des rosettes de crème fouettée et garnir avec les noix.

Les meilleures recettes de Marie-Josée et Claudette Taillefer

Gâteau à l'érable

Un dessert de saison qui se conserve 2 jours au réfrigérateur.

TEMPS DE PRÉPARATION : 30 minutes
TEMPS DE CUISSON : 35 à 40 minutes

PORTIONS : 8

4 c. à thé (20 ml) de beurre mou

1 tasse (250 ml) de sucre

1 œuf

1 3/4 tasse (430 ml) de farine tout usage

1 c. à table (15 ml) de poudre à pâte

1 pincée de sel

1/2 c. à thé (2 ml) d'essence d'érable

1 tasse (250 ml) de lait

Amandes pralinées

1/2 tasse (125 ml) de sirop d'érable

1 tasse (250 ml) d'amandes tranchées

Crème fouettée

1 tasse (250 ml) de crème 35 %

2 c. à table (30 ml) de sirop d'érable

Préchauffer le four à 350 °F (180 °C). Beurrer un moule rond de 8 po (20 cm) à fond amovible.

Dans un bol, battre le beurre en crème avec le sucre au batteur électrique. Ajouter l'œuf et fouetter jusqu'à ce que le mélange blanchisse.

Dans un bol, tamiser les ingrédients secs et les ajouter au mélange précédent en alternance avec les ingrédients liquides. Mélanger au batteur électrique pendant 2 minutes.

Verser dans le moule et cuire au four de 35 à 40 minutes ou jusqu'à ce qu'un cure-dents en ressorte propre. Retirer du four et laisser reposer 5 minutes. Démouler sur une grille et laisser refroidir.

Amandes pralinées

Dans une poêle, faire chauffer le sirop d'érable avec les amandes en remuant à feu moyen jusqu'à ce que le sirop d'érable se transforme en sucre granuleux et enrobe les amandes. Retirer du feu et laisser refroidir.

Crème fouettée

Fouetter la crème jusqu'à l'obtention de pics mous. Ajouter le sirop d'érable et fouetter jusqu'à formation de pics fermes.

Couper le gâteau en 2, à l'horizontale. Étendre deux tiers de la crème fouettée et la moitié des amandes pralinées sur l'un des morceaux de gâteau, puis déposer le second morceaux de gâteau dessus. Étendre le reste de crème fouettée sur le dessus du gâteau et garnir du reste d'amandes pralinées.

Tarte campagnarde aux poires et à la rhubarbe

La beauté de cette tarte réside dans son aspect campagnard, où la forme de la pâte ne se veut pas parfaitement ronde.

TEMPS DE PRÉPARATION : 40 minutes
TEMPS DE CUISSON : 30 minutes

PORTIONS : 8

Pâte sucrée

1 1/2 tasse (375 ml) de farine tout usage

1 pincée de sel

1/4 tasse (60 ml) de sucre

7 c. à table (105 ml) de graisse végétale froide, en morceaux

Environ 3 c. à table (45 ml) d'eau froide

Garniture

2 tasses (500 ml) de rhubarbe fraîche, coupée en cubes moyens ou surgelée, décongelée

3/4 tasse (180 ml) de sucre

1 c. à thé (5 ml) d'essence de vanille

5 poires

1/3 tasse (75 ml) de confiture d'abricot

1 c. à table (15 ml) d'eau

Pâte sucrée

Dans un bol, tamiser la farine et le sel. Ajouter le sucre et mélanger.

Ajouter la graisse végétale et la couper dans les ingrédients secs avec un coupe-pâte ou 2 couteaux, jusqu'à l'obtention d'une texture fine et granuleuse.

Ajouter l'eau et mélanger jusqu'à la formation d'une boule. Ne pas trop travailler la pâte. Envelopper dans une pellicule de plastique et réfrigérer 20 minutes.

Garniture

Dans une casserole, porter à ébullition la rhubarbe, le sucre et l'essence de vanille. Laisser mijoter doucement à feu doux-moyen environ 20 minutes, en remuant de temps à autre. Retirer du feu et laisser refroidir complètement.

Préchauffer le four à 375 °F (190 °C).

Abaisser la pâte au dos d'une grande plaque à biscuits enfarinée. Former un grand cercle irrégulier de 12 po (30 cm) de diamètre. Rabattre le tour de la pâte pour former un gros bord. Y répartir la compote de rhubarbe jusqu'à 1 po (2,5 cm) du bord.

Peler, épépiner et trancher finement les poires. Les déposer sur la compote de rhubarbe, par rangées, en les faisant se chevaucher légèrement les unes les autres.

Chauffer légèrement la confiture d'abricots et l'eau. Badigeonner les poires et le rebord de la pâte de ce mélange.

Cuire au four environ 30 minutes, jusqu'à ce que le bord de la tarte soit légèrement doré.

Les meilleures recettes de Marie-Josée et Claudette Taillefer

Tarte au chocolat et aux poires

Facile et savoureuse, que désirer de plus !

TEMPS DE PRÉPARATION : 20 minutes
TEMPS DE CUISSON : 40 minutes

PORTIONS : 8

Croûte

1/2 tasse (125 ml) d'amandes moulues

1/2 tasse (125 ml) de beurre mou

1/3 tasse (75 ml) de sucre

1 1/2 tasse (375 ml) de farine

1 œuf, battu

1/2 c. à thé (2 ml) d'essence d'amande

Crème pâtissière au chocolat

1 tasse (250 ml) de lait

3 jaunes d'œufs

1/4 tasse (60 ml) de sucre

1 c. à table (15 ml) de farine

1 c. à table (15 ml) de fécule de maïs

1 c. à thé (5 ml) d'essence de vanille

1/3 tasse (75 ml) de grains de chocolat mi-sucré

1 c. à table (15 ml) de beurre

Poires

1 1/2 tasse (375 ml) de sucre

3 tasses (750 ml) d'eau

Jus de 1/2 citron

3 ou 4 poires Bosc

1/4 tasse (60 ml) de grains de chocolat mi-sucré, fondus (facultatif)

Préchauffer le four à 375 °F (190 °C).

Croûte

Dans un bol profond, battre à la cuillère de bois tous les ingrédients de la croûte.

Tasser dans le fond et sur les côtés d'une assiette à tarte (à fond détachable) beurrée de 9 po (23 cm). Cuire au four 20 à 25 minutes. Laisser refroidir sur une grille.

Crème pâtissière au chocolat

Dans une petite casserole, chauffer le lait sur le feu jusqu'aux premiers bouillons.

Pendant ce temps, dans un bol, fouetter ensemble les jaunes d'œufs, le sucre, la farine et la fécule de maïs.

Verser un peu de lait chaud sur le mélange, en fouettant, pour réchauffer les jaunes d'œufs.

Verser la préparation dans le lait chaud en fouettant et porter à ébullition en fouettant sans arrêt pour éviter que la préparation n'attache. Poursuivre la cuisson à feu doux en fouettant 2 minutes.

Retirer du feu. Ajouter l'essence de vanille, les grains de chocolat et le beurre, mélanger jusqu'à ce que le tout soit fondu. Couvrir d'une pellicule de plastique, laisser tiédir, puis verser sur la croûte. Couvrir d'une pellicule de plastique et laisser refroidir.

Poires

Dans une casserole, porter à ébullition le sucre, l'eau et le jus de citron, brasser pour dissoudre. Faire bouillir 2 minutes.

Peler les poires, les couper en deux et les épépiner.

Ajouter les poires au sirop et faire pocher 10 minutes ou jusqu'à ce qu'elles soient tendres. Laisser refroidir les poires dans le sirop.

Égoutter et éponger les poires, les disposer sur la crème pâtissière au chocolat.

Démouler la tarte sur une assiette de service. Laisser couler le chocolat fondu en zigzags sur la tarte et sur l'assiette si désiré.

Panna cotta et fruits

TEMPS DE PRÉPARATION : 15 minutes
TEMPS DE CUISSON : aucun

PORTIONS : 6

1 sachet de 7 g de gélatine
1/4 tasse (60 ml) de lait
2 1/4 tasses (560 ml) de crème 35 %
1/2 tasse (125 ml) de sucre à glacer
1/2 c. à thé (2 ml) d'essence de vanille

Coulis de framboises

1 boîte 300 g de framboises dans le sirop surgelées, décongelées
1 c. à thé (5 ml) de jus de citron

Fruits

Mangues, nectarines, pêches, bleuets, au choix

Beurrer 6 ramequins de 1/2 tasse (125 ml). Réserver.

Faire gonfler la gélatine dans le lait 5 minutes.

Dans une petite casserole, faire chauffer la crème avec le sucre à glacer et brasser pour dissoudre. Porter à ébullition. Retirer du feu. Ajouter la gélatine, dissoudre en brassant. Ajouter l'essence de vanille.

Verser dans les ramequins et réfrigérer au moins 3 heures. Au moment de servir, plonger le fond des ramequins dans un peu d'eau chaude environ 15 secondes. Puis passer la lame d'un couteau tout autour afin de dégager la panna cotta.

Retirer du réfrigérateur et renverser dans une assiette, garnir de coulis de framboises et des fruits frais au choix.

Coulis de framboises

Au mélangeur éléctrique, liquéfier les framboises avec le jus de citron. Passer au tamis fin pour retirer les graines.

Les meilleures recettes de Marie-Josée et Claudette Taillefer

Tulipes au chocolat

TEMPS DE PRÉPARATION : 10 minutes
TEMPS DE CUISSON : 7 minutes chacune

PORTIONS : 8

Tulipes

2/3 tasse (160 ml) de farine à gâteaux, tamisée

3 c. à table (45 ml) de poudre de cacao

1 pincée de sel

1/4 tasse (60 ml) de beurre (à la température de la pièce)

2/3 tasse (160 ml) de sucre

1/2 c. à thé (2 ml) d'essence de vanille

2 blancs d'œufs

1/2 tasse (125 ml) d'amandes, tranchées

Garniture

3 tasses (750 ml) de fruits frais, coupés et macérés dans l'alcool de votre choix

2 tasses (500 ml) de crème 35 %, fouettée et légèrement sucrée

2 carrés de 1 oz (30 g) chacun de chocolat, fondu

Tulipes

Découper un cercle de 7 po (18 cm) à l'intérieur d'un carton en guise de pochoir.

Préchauffer le four à 400 °F (200 °C). Couvrir 2 plaques à biscuits de papier sulfurisé.

Dans un bol, mélanger ensemble la farine, la poudre de cacao et le sel. Réserver.

Dans un autre bol, mélanger le beurre et le sucre au batteur électrique 2 minutes.

Ajouter l'essence de vanille et les blancs d'œufs, battre à petite vitesse.

Incorporer le mélange de farine-cacao, puis ajouter les amandes et plier à l'aide d'une spatule de caoutchouc.

Appliquer le cercle de carton sur le papier sulfurisé. Déposer au centre une cuillère à table comble de la préparation, puis étaler la pâte de façon à remplir le cercle.

Cuire au centre du four environ 7 minutes.

Dès la sortie du four, détacher la tuile délicatement, la déposer dans un bol à salade et la façonner immédiatement pendant qu'elle est chaude pour pouvoir former une tulipe.

Répéter ces opérations jusqu'à épuisement de la pâte. Cuire un maximum de 2 tuiles à la fois car elles durcissent vite.

Remplir les tulipes de fruits, surmonter de crème chantilly et décorer d'un peu de chocolat fondu.

Gâteau mousse au chocolat

TEMPS DE PRÉPARATION : 50 minutes
TEMPS DE CUISSON : 35 minutes

PORTIONS : 10

Gâteau

4 carrés de 1 oz (30 g) chacun de chocolat mi-sucré

1/2 tasse (125 ml) de beurre froid, coupé en morceaux

4 œufs, séparés

1/2 tasse (125 ml) de sucre fin

1/4 tasse (60 ml) de farine

1/4 c. à thé (1 ml) de sel

Mousse au chocolat

6 carrés de 1 oz (30 g) chacun de chocolat mi-sucré

2 c. à table (30 ml) de beurre

3 œufs, jaunes et blancs séparés

1/4 c. à thé (1 ml) de sel

2 c. à table (30 ml) de sucre

1 tasse (250 ml) de crème 35 %

Ganache

1/3 tasse (75 ml) de crème 35 %

3 carrés de 1 oz (30 g) chacun de chocolat mi-sucré

Préchauffer le four à 375 °F (190 °C). Graisser et enfariner un moule à charnière de 9 po (23 cm).

Gâteau

Au bain-marie, faire fondre doucement le chocolat et le beurre en brassant constamment ; retirer du feu et réserver.

Dans un bol, battre les jaunes d'œufs et le sucre pendant 10 minutes au batteur électrique. Incorporer le mélange de chocolat au mélange d'œufs en battant 1 minute au batteur électrique.

Dans un bol, tamiser la farine et l'ajouter au mélange en pliant à l'aide d'une spatule.

Battre les blancs d'œufs et le sel en neige jusqu'à la formation de pics ferme. Plier délicatement les blancs d'œufs dans la préparation au chocolat.

Verser dans un moule et cuire au four environ 25 minutes. Laisser refroidir 5 minutes et démouler sur une grille.

Mousse au chocolat

Au bain-marie, faire fondre doucement le chocolat dans un grand bol, en brassant constamment ; retirer du feu. Ajouter le beurre et mélanger.

Incorporer les jaunes d'œufs, un à la fois, en brassant au fouet entre chaque addition.

Dans un bol, battre les blancs d'œufs et le sel en neige jusqu'à la formation de pics mi-fermes ; ajouter le sucre et battre en neige jusqu'à la formation de pics fermes. Réserver.

Dans un autre bol, fouetter la crème et l'incorporer au mélange de chocolat, en pliant, à l'aide d'une spatule.

Ajouter les blancs d'œufs montés en neige au mélange de chocolat, en pliant délicatement.

Montage

Couper le gâteau en 2 ; déposer 1 disque de gâteau dans le fond du moule propre.

Étendre la moitié de la mousse au chocolat sur le gâteau ; répéter la procédure en prenant soin de bien égaliser le dessus du gâteau.

Couvrir et faire refroidir quelques heures au réfrigérateur.

Ganache

Dans une petite casserole, porter la crème à ébullition ; retirer du feu et incorporer le chocolat au fouet.

Laisser tiédir, verser sur le gâteau et réfrigérer 15 minutes. À l'aide d'un couteau pointu, dégager le gâteau des parois du moule avant de démouler. Verser la ganache sur le dessus du gâteau.

Les meilleures recettes de Marie-Josée et Claudette Taillefer

Charlotte à l'érable

TEMPS DE PRÉPARATION : 50 minutes
TEMPS DE CUISSON : 10 minutes

PORTIONS : 10

1 paquet de biscuits boudoirs nature ou doigt de dame

1 1/2 tasse (375 ml) de sirop d'érable

6 jaunes d'œufs

1/2 c. à thé (2 ml) d'essence d'érable

3 sachets de 7 g chacun de gélatine en poudre

1/4 tasse (60 ml) d'eau froide

1/4 tasse (60 ml) d'eau bouillante

3 tasses (750 ml) de crème 35 %, fouettée (pics fermes)

6 blancs d'œufs, montés en neige (pics fermes) avec 1 pincée de sel

Chemiser le fond et les contours d'un grand moule à soufflé profond avec les biscuits en les collant sur les parois avec un peu de crème fouettée si nécessaire.

Dans une petite casserole, porter à ébullition le sirop d'érable et laisser mijoter 10 minutes ; retirer du feu et laisser tiédir.

Dans un grand bol, battre les jaunes d'œufs au batteur électrique 5 minutes. Ajouter le sirop d'érable en filet et l'essence d'érable ; battre 5 minutes.

Faire gonfler la gélatine dans l'eau froide 5 minutes ; ajouter l'eau bouillante et délayer.

Ajouter la gélatine aux jaunes d'œufs et mélanger à la spatule de caoutchouc. Plier la crème fouettée dans le mélange.

Plier les blancs d'œufs montés en neige dans la préparation ; verser dans le moule.

Recouvrir d'une pellicule de plastique et réfrigérer au moins 12 heures.

Démouler en passant un couteau tout au long de la paroi du moule puis retourner délicatement dans une assiette de service.

Garnir d'une branche de houx et de rosettes de crème fouettée.

Bavarois à l'érable

TEMPS DE PRÉPARATION : 25 minutes
TEMPS DE CUISSON : 2 minutes

PORTIONS : 8

1 sachet de 7 g en poudre de gélatine

1/4 tasse (60 ml) d'eau froide

1 tasse (250 ml) de sirop d'érable

2 blancs d'œufs

1 tasse (250 ml) de crème 35 %

2/3 tasse (150 ml) de pacanes grillées, hachées grossièrement

Dans un petit bol, faire gonfler la gélatine dans l'eau froide 10 minutes.

Dans une petite casserole, verser le sirop d'érable et la gélatine ; faire chauffer à feu doux en brassant, à la cuillère de bois, jusqu'à ce que la gélatine soit dissoute. Faire chauffer à feu moyen jusqu'à ce que le sirop soit chaud (ne pas faire bouillir). Retirer du feu.

Dans un bol, battre les blancs d'œufs en neige au batteur électrique jusqu'à ce qu'ils forment des pics fermes.

Verser le sirop chaud en un mince filet directement sur les blancs d'œufs en fouettant constamment. Continuer de battre 5 à 10 minutes, jusqu'à ce que la meringue soit très ferme. Réserver.

Dans un autre bol, fouetter la crème et plier dans la meringue à l'érable avec les pacanes.

Verser dans un moule décoratif 6 tasses (1,5 l), préalablement enduit d'huile en aérosol. Frapper le moule sur le comptoir pour éliminer les trous d'air qui pourraient se former.

Recouvrir d'une pellicule de plastique et déposer au réfrigérateur 4 heures.

À l'aide d'un couteau pointu, dégager les parois du bavarois. Plonger le moule dans un bain d'eau chaude pendant quelques secondes et démouler sur une assiette de service.

Beignets au miel

TEMPS DE PRÉPARATION : 10 minutes
TEMPS DE CUISSON : 15 minutes

PORTIONS : 2 douzaines

1 tasse (250 ml) de lait

1 1/4 tasse (310 ml) de farine à gâteaux

1/2 tasse (125 ml) de miel chaud

2 c. à thé (10 ml) de cannelle moulue

1/2 tasse (125 ml) de noix de Grenoble, hachées

Préchauffer l'huile de la friteuse à 375 °F (190 °C).

Dans un bol, battre le lait et la farine au batteur électrique, jusqu'à ce que le mélange soit épais et lisse.

Déposer la pâte en grosses cuillerées (à table) dans l'huile chaude. Frire quelques beignets à la fois et les retourner aussitôt que la base est colorée.

Lorsqu'ils sont cuits, égoutter sur du papier essuie-tout et déposer dans une assiette de service.

Badigeonner avec le miel chaud ; saupoudrer de cannelle et de noix de Grenoble.

Servir immédiatement.

Kir royal

Pour chaque kir royal, verser 2 c. à thé (10 ml) de crème de cassis dans une flûte à champagne.

Remplir de champagne ou de vin mousseux froid.

Bonne Saint-Valentin !

Gâteau éponge aux petits fruits d'été

TEMPS DE PRÉPARATION : 30 minutes

TEMPS DE CUISSON : 30 minutes

PORTIONS : 12

1 paquet de 10 oz (300 g) de petits fruits surgelés, décongelés ou environ 3 tasses (750 ml), si frais

6 œufs

1 1/4 tasse (310 ml) de sucre

1 1/2 tasse (375 ml) de farine

1 c. à thé (5 ml) de poudre à pâte

1/4 tasse (60 ml) d'eau

2 c. à table (30 ml) de confiture de framboises

1 c. à table (15 ml) de rhum (facultatif)

1/2 livre (250 g) de beurre, mou

8 oz (250 g) de chocolat blanc, fondu et tempéré

2 1/2 tasses (625 ml) de petits fruits frais (fraises, framboises, bleuets, etc.)

Sucre à glacer

Préchauffer le four à 350 °F (180 °C). Beurrer 2 moules ronds à charnière de 8 po (20 cm).

Au mélangeur électrique, réduire les petits fruits en purée (il faut 1 tasse / 250 ml de purée de fruits).

Dans un bol, fouetter les œufs et 1 tasse (250 ml) de sucre environ 15 minutes.

Dans un bol, tamiser la farine et la poudre à pâte ; plier délicatement dans la préparation d'œufs.

Ajouter délicatement 1/2 tasse de la purée de fruits.

Répartir la pâte dans les 2 moules. Cuire au four 30 minutes ou jusqu'à ce qu'un cure-dents inséré au centre en ressorte propre. Laisser refroidir puis trancher chaque gâteau en 2 horizontalement.

Dans une casserole, dissoudre le reste du sucre, l'eau, la confiture de framboises, et le rhum si désiré ; imbiber les gâteaux de la moitié du sirop.

Mélanger le reste du sirop avec le reste de la purée de fruits ; réserver pour servir en coulis.

Dans un bol, fouetter le beurre et le chocolat au batteur électrique environ 5 minutes, jusqu'à ce que ce soit très onctueux.

Pour assembler le gâteau, diviser le glaçage au chocolat blanc en 3. Étendre le glaçage puis des petits fruits entre chaque étage du gâteau, en prenant soin que les fruits soient bien visibles.

Saupoudrer le dessus du gâteau de sucre à glacer et décorer de fruits frais. Accompagner du coulis de fruits.

Bûche de Noël

Après un repas un peu lourd, une bûche légère comme un nuage.

TEMPS DE PREPARATION : 15 minutes
TEMPS DE CUISSON : 15 minutes

PORTIONS : 12

6 œufs

3/4 tasse (180 ml) de sucre

1 tasse (250 ml) de farine

1 pincée de sel

2 c. à thé (10 ml) de poudre à pâte

2 c. à table (30 ml) de poudre de cacao

1/2 c. à thé (2 ml) de muscade fraîche, râpée

1/2 c. à thé (2 ml) de gingembre moulu

1/2 c. à thé (2 ml) de cannelle moulue

1/4 tasse (60 ml) de café fort froid

Sucre à glacer

Garniture

2 paquets de 8 oz (250 g) de fromage à la crème allégé, 23 % m.g.

2 c. à table (30 ml) de poudre de cacao

2 1/2 tasse (625 ml) de sucre à glacer

1 c. à table (15 ml) de crème ou de lait

1 c. à table (15 ml) de café instantanné

1 c. à table (15 ml) de rhum ou d'eau

Préchauffer le four à 350 °F (180 °C). Tapisser une plaque de 10 x 15 po (25 x 38 cm) de papier ciré, beurré et enfariné.

Tamiser ensemble dans un bol la farine, le sel, la poudre à pâte, la poudre de cacao et les épices. Réserver.

Dans un grand bol, fouetter ensemble durant 8 minutes les oeufs et le sucre. Quand les oeufs sont bien fouettés, incorporer la moitié des ingrédients secs en pliant délicatement.

Ajouter le café, mélanger délicatement. Ajouter le reste des ingrédients secs.

Verser le mélange sur la plaque et cuire au centre du four 15 minutes.

Saupoudrer le dessus du gâteau de sucre à glacer, poser un linge propre sur le dessus, rabattre les bouts du linge sous la plaque et les tenir fermement, renverser le gâteau sur le linge. Démouler, retirer délicatement le papier ciré.

Refermer le linge sur le gâteau et le rouler sur la longueur (pour obtenir un long gâteau). Refroidir complètement sur une grille environ 45 minutes à 1 heure.

Garniture

Mélanger 1 paquet de 8 oz (250 g) de fromage à la crème, la poudre de cacao, 1 1/4 tasse (310 ml) de sucre à glacer et suffisamment de crème ou de lait pour assouplir le fromage.

Tartiner l'intérieur du gâteau, rouler de nouveau.

Mélanger l'autre partie du fromage et le reste du sucre à glacer. Dissoudre le café dans le rhum ou dans l'eau. Ajouter au fromage, mélanger.

Glacer la bûche avec la glaçage au café.

Note :

Si désiré, décorer de copeaux de chocolat et de petits fruits.

Marbrures au chocolat et aux noix

Il fallait y penser : une friandise spectaculaire qui saura faire craquer les fous du chocolat.

TEMPS DE PRÉPARATION : 30 minutes
TEMPS DE CUISSON : 5 minutes

**PORTIONS : environ
12 morceaux**

6 oz (180 g) de chocolat blanc

4 oz (120 g) de chocolat brun mi-sucré

1 tasse (250 ml) d'amandes en bâtonnets, grillées et hachées grossièrement ou 12 gouttes d'essence de menthe

Au bain-marie, faire fondre séparément le chocolat blanc et le chocolat brun.

Ajouter 1/2 tasse (125 ml) d'amandes grillées ou 6 gouttes d'essence de menthe à chacun des chocolats et mélanger.

Sur une plaque tapissée de papier ciré, verser côte à côte des bandes verticales de chocolat blanc et de chocolat brun (3 blanches, 2 brunes).

À l'aide d'un couteau non coupant, tracer en surface des lignes en zigzaguant dans les deux chocolats sans toutefois toucher la plaque pour ne pas séparer complètement les marbrures.

Laisser refroidir jusqu'à ce que ferme. Casser des morceaux de chocolat de façon à ce que les deux chocolats soient visibles.

Carrés au citron

Ces friandises à la fois acidulées et douces comme un bonbon sont incontournables sur une assiette de biscuits variés.

TEMPS DE PRÉPARATION : 15 minutes
TEMPS DE CUISSON : 55 minutes

PORTIONS : 12

Croûte

1 tasse (250 ml) de farine

1/2 tasse (125 ml) de beurre

1/4 tasse (60 ml) de sucre

3 c. à table (45 ml) d'amandes en poudre

1 blanc d'œuf

Zeste râpé de 1 citron

Garniture

1 tasse (250 ml) de sucre

2 c. à table (30 ml) de fécule de maïs

Zeste râpé et jus de 1 gros citron

2 oeufs

1 c. à thé (5 ml) de poudre à pâte

Décoration

Sucre à glacer

Préchauffer le four à 375 °F (190 °C). Beurrer un moule carré de 8 po (20 cm).

Au robot culinaire, mélanger tous les ingrédients de la croûte jusqu'à ce que le mélange soit granuleux et tienne quand on le presse dans la main.

Verser dans le moule, couvrir d'une pellicule de plastique et presser le mélange uniformément au fond du moule. Jeter la pellicule de plastique.

Cuire au four environ 20 minutes ou jusqu'à ce que légèrement doré. Retirer du four, réduire la chaleur à 350 °F (180 °C).

Garniture

Au robot culinaire, mélanger les ingrédients de la garniture environ 1 minute.

Verser sur la croûte et cuire au four environ 30 à 35 minutes ou jusqu'à ce que le dessus commence à griller légèrement sur les côtés et qu'il soit cuit au centre.

Laisser refroidir et saupoudrer de sucre à glacer.

Gâteau aux épices et sauce au citron

Ce gâteau parfumé d'épices capiteuses rappelle la cuisine d'autrefois.

TEMPS DE PRÉPARATION : 20 minutes
TEMPS DE CUISSON : 55 minutes

PORTIONS : 12

1/2 tasse (125 ml) de beurre

1/2 tasse (125 ml) de sucre

1 œuf

1 tasse (250 ml) de mélasse

2 1/2 tasses (625 ml) de farine

1 1/2 c. à thé (7 ml) de bicarbonate de soude

1 c. à thé (5 ml) de poudre à pâte

2 c. à thé (10 ml) de gingembre moulu

1 c. à thé (5 ml) de cannelle moulue

1 c. à thé (5 ml) de piment de la Jamaïque moulu

1 tasse (250 ml) d'eau chaude

Sauce chaude au citron

1 tasse (250 ml) de sucre

2 c. à table (30 ml) de fécule de maïs

Zeste râpé et jus de 2 citrons (1/2 tasse/125 ml)

1 1/2 tasse (375 ml) d'eau

2 c. à table (30 ml) de beurre

Préchauffer le four à 325 °F (170 °C). Beurrer un moule en pyrex de 9 X 9 po (23 X 23 cm).

Dans un grand bol, fouetter le beurre et le sucre jusqu'à ce que mousseux.

Ajouter l'oeuf et la mélasse, mélanger.

Dans un bol, mélanger les ingrédients secs, les ajouter au mélange précédent en brassant à basse vitesse. Incorporer l'eau chaude en battant.

Verser dans le moule et cuire au four environ 55 minutes ou jusqu'à ce qu'un cure-dent inséré au centre en ressorte propre.

Refroidir le gâteau sur une grille.

Sauce chaude au citron

Dans une casserole, mélanger le sucre et la fécule de maïs.

Ajouter le zeste, le jus de citron et l'eau. Cuire en mélangeant au fouet jusqu'aux premiers bouillonnements.

Réduire la chaleur et laisser bouillir 1 minute en fouettant. Incorporer le beurre et servir avec le gâteau.

Crêpes Suzette

Pour des crêpes vite faites, utiliser des crêpes fines du commerce.

Si vous faites vos propres crêpes, ajouter un peu de zeste d'orange dans votre pâte.

Les cuire très minces, jusqu'à ce qu'elles soient dorées.

Préparer un beurre à l'orange : fouetter **1/2 tasse** (125 ml) de beurre ramolli, **2 c. à table** (30 ml) de jus d'orange, **1 c. à table** (15 ml) de zeste d'orange râpé et **1 c. à table** (15 ml) de sucre à glacer.

Tartiner ce beurre sur les crêpes, les plier en quatre et les remettre dans a poêle.

Arroser d'un peu de liqueur d'orange (type Grand Marnier) et flamber, si désiré.

Servir 2 à 3 petites crêpes par personne.

Babas au rhum

TEMPS DE PRÉPARATION :
30 minutes + 1 heure 30 d'attente
TEMPS DE CUISSON : 15 à 20 minutes

PORTIONS : 8

Babas

2 tasses (500 ml) de farine tout usage, tamisée

3 c. à table (45 ml) de sucre

1 1/2 c. à table (22 ml) de levure à levé rapide

4 œufs, battus (à la température de la pièce)

1/4 tasse (60 ml) de lait chaud

3 c. à table (45 ml) de beurre fondu, chaud

Sirop

2 tasses (500 ml) d'eau

1 1/4 tasse (310 ml) de sucre

5 c. à table (75 ml) de rhum

Préchauffer le four à 350 °F (180 °C).

Babas

Dans un bol, mélanger la farine tamisée, le sucre et la levure. Faire un puits au centre. Y déposer les oeufs battus. Commencer à mélanger à la cuillère de bois, puis ajouter le lait chaud et beurre fondu encore chaud.

Bien mélanger à la cuillère de bois jusqu'à l'obtention d'une pâte molle et collante.

Beurrer 8 ramequins d'une contenance de 1/2 tasse (125 ml).

Répartir la pâte dans les ramequins. Couvrir d'un papier ciré vaporisé d'huile en aérosol pour empêcher la pâte de coller au papier.

Laisser gonfler environ 1 heure 30 dans un endroit tiède, sans courant d'air. La pâte devrait avoir presque doublée.

Cuire au centre du four de 15 à 350 °F (180 °C) 20 minutes ou jusqu'à ce qu'un cure-dent inséré au centre en ressorte propre.

Sirop

Pendant la cuisson des babas, préparer le sirop. Dans une casserole, porter tous les ingrédients à ébullition. Retirer du feu aussitôt que le sucre est dissous. Laisser tiédir.

Passer un couteau tout autour des babas pour bien les détacher des ramequins.

Laisser tiédir et arroser de sirop à plusieurs reprises pour laisser le temps aux babas de bien absorber le sirop.

Servir dans les ramequins.

Idées menus

Idées menus

Les délices de l'Asie

Entrées
Raviolis au sésame, sauce aux arachides	29
Salade nippone	34
Salade orientale, sauce aux arachides	38
Soupe à la citronnelle et aux crevettes	31
Won Ton frits, sauce aigre-douce aux abricots	27

Plats principaux
Bœuf teriyaki et salade orientale	158
Canard de Pékin	261
Côtes levées douces et piquantes	231
Flétan à l'oriental	184
Porc rôti à la chinoise	214
Sauté de poulet à la chinoise	240

Plats d'accompagnement
Mini-aubergines grillées, vinaigrette asiatique	115
Riz parfumé	104
Tempura de légumes	107

Desserts
Beignets au miel	352
Crêpes à l'orange	333
Gâteau au miel	335

Viva Mexico, holé !

Entrées
Soupe mexicaine aux haricots noirs	73
Nachos et guacamole	30
Salsa verde	17

Mets principaux
Fajitas au bœuf	152
Sauce à la viande mexicaine	138
Tacos	154

Desserts
Couronne aux épices	320
Gâteau au fromage et aux bananes	340

Pour une soirée italienne

Entrées
Bruschettas aux olives noires	30
Prosciutto apéro	27
Soupe minestrone	83
Salade césar maison	49

Plats principaux
Poulet sauté au pesto	247
Carré de porc à l'italienne	228
Canelloni aux épinards et à la ricotta	301
Spaghetti à la carbonara	313
Bœuf roulé "Bista en rollo"	142
Cailles grillées à l'italienne	265

Desserts
Clafoutis	321
Cassata sicilienne	325
Panna cotta et fruits	346

Les meilleures recettes de Marie-Josée et Claudette Taille

Idées menus

La cuisine végétarienne

Menu santé

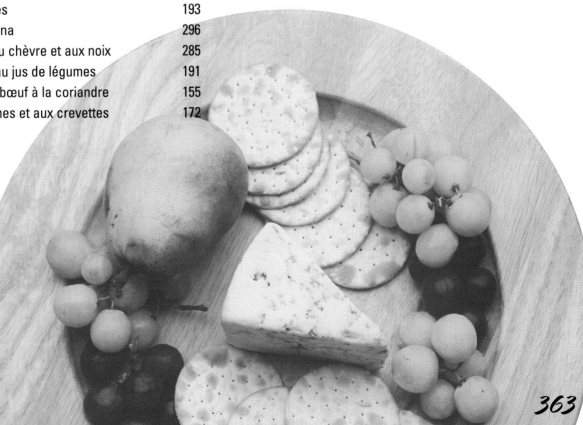

Idées menus

Des suggestions pour vos brunchs

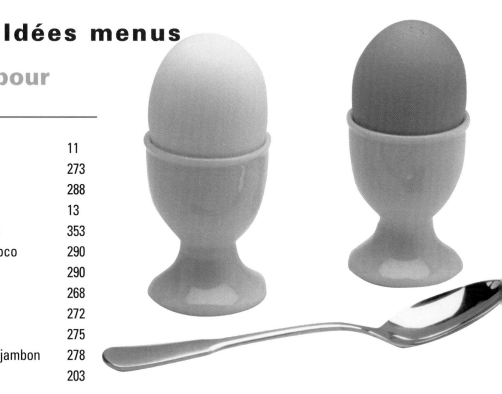

Menus express en moins de 20 minutes !

Idées menus

Pour bien recevoir vos invités

Idées menus

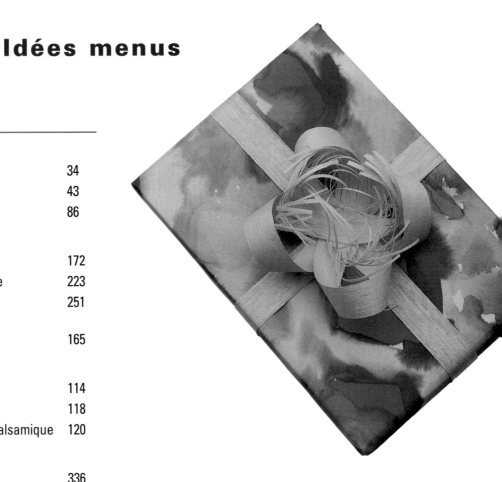

Menu pour la fête des mères

Menu pour la fête des pères

Idées menus

Le souper de Pâques

367

Idées menus

Pour fêter Noël et le Jour de l'An

Idées menus

Index

A

Abricots :
Sauce aigre-douce, 27

Agneau :
Brochettes
à la sud-américaine, 132
Côtelettes à la provençale, 128
Côtelettes au romarin , 131
Côtelettes aux poivrons, 124
Gigot, 133
Navarin, 131
Pilaf, 132
Ragoût irlandais,
pour la St-Patrick !, 127
Shish kebab, 124

Agrumes :
Entrée de pétoncles, 13
Moutarde parfumée, 53
Salade verte de crevettes, 182
Vinaigrette, 57

Ail :
Brocoli, 113
Cailles au miel, 251
Fondue au fromage et aux
herbes, 292
Salade verte au parmesan, 53

Ailes de poulet :
à la Buffalo, 242

Aneth :
Tortellini au saumon fumé, 299

Apéro :
Prosciutto, 27

Arachides :
Sauce, raviolis au sésame, 29
Sauce, salade orientale, 38

Asperges :
Crème, 71
grillées, 107
vinaigrette à l'orange, 43

Aubergines :
au gratin, 98
grillées, vinaigrette asiatique, 115

Aumônières aux champignons, 20

Avocat :
Entrée de poisson fumé, 13
Salade d'oranges, 37
Avocats farcis, 200

B

Baies de genièvre :
Sauce 153

Basilic :
Crème de tomates, 76
Pizza aux tomates séchées, au
fromage, 308

Bananes :
Gâteau au fromage, 340

Bavarois à l'érable, 351

Bavette à l'échalote et frites, 143

BBQ :
Épis de maïs grillés, 114

Beignets :
au miel, 352
de camembert au
coulis de tomate, 283

Bière :
Fondue, 286

Biryani aux légumes, 103

**Biscuits au chocolat et
aux pacanes, 327**

Bleu :
Vinaigrette, 48

Bleuets :
Muffins à la noix de coco
Tourte, 331

Bocconcini :
Fromage mariné aux herbes, 14

Bœuf :
Bouillon, 84
Bouillon au porto, 64
en daube, 153
Fajitas, 152
Filets au poivre rose, 144
Roulé "Bista en rollo", 142
Salade tiède à la coriandre, 155
Sauté aux carottes, 149
teriyaki et salade orientale, 158

Bouillon :
de bœuf, 84
de bœuf au porto, 64
de légumes, 66

Bouillons maison, 79

**Boulettes apéritives
aux épinards, 23**

Brandade de truite fumée, 23

Brochetts apéro,14

**Brochettes d'agneau à
la sud-américaine, 132**

Brocoli :
à l'ail, 113
au gingembre, 120
Sauté de champignons, 115

Bruschetta, 155

Bruschettas aux olives noires, 30

Index

Index

Les meilleures recettes de Marie-Josée et Claudette Taillefer

Index

Index

Les meilleures recettes de Marie-Josée et Claudette Taillefer

Index

Index

Les meilleures recettes de Marie-Josée et Claudette Taillefer

Index

377

Index

Index

Note

Les meilleures recettes de Marie-Josée et Claudette Taillefer

Note

Note

Les meilleures recettes de Marie-Josée et Claudette Taillefer

Note